PISCINAS DE ENSUEÑO

PARADISE POOLS
PISCINE DA SOGNO
PISCINAS PARADISÍACAS

Editado por Macarena San Martín

Art director:
Mireia Casanovas Soley

Editorial coordination:
Simone Schleifer

Project coordination:
Macarena San Martín

Texts:
Macarena San Martín
Sandra Moya

Layout:
Print-Plate. S.L.

Translations coordination: Equipo de Edición, Barcelona
Translations:
Rachel Burden (English), Maria Elena Tondi, Olivia Papili (Italian), Escrítica, Lda. (Portuguese)

Editorial project:
2008 © LOFT Publications l Via Laietana, 32, 4.°, Of. 92 l 08003 Barcelona, Spain
Tel.: +34 932 688 088 Fax: +34 932 687 073 l loft@loftpublications.com l www.loftpublications.com

ISBN 978-84-96936-11-9   Printed in China   Cover photo: © Miquel Tres
                                                          Back cover photo: © Jordi Miralles

LOFT affirms that it possesses all the necessary rights for the publication of this material and has duly paid all royalties related to the authors' and photographers' rights. LOFT also affirms that it has violated no property rights and has respected common law, all authors' rights and other rights that could be relevant. Finally, LOFT affirms that this book contains no obscene nor slanderous material.

The total or partial reproduction of this book without the authorization of the publishers violates the two rights reserved; any use must be requested in advance.

If you would like to propose works to include in our upcoming books, please email us at loft@loftpublications.com.

In some cases it has been impossible to locate copyright owners of the images published in this book. Please contact the publisher if you are the copyright owner of any of the images published here.

PISCINAS DE ENSUEÑO

PARADISE POOLS
PISCINE DA SOGNO
PISCINAS PARADISÍACAS

Editado por Macarena San Martín

KOLON

"What makes the dessert beautiful is the fact that somewhere there is a hidden well."

Antoine de Saint-Exupéry, French writer and aviator

«Ciò che rende bello il deserto è il fatto che da qualche parte nasconde un pozzo.»

Antoine de Saint-Exupéry, scrittore e aviatore francese

«Lo que embellece al desierto es que en alguna parte esconde un pozo de agua.»

Antoine de Saint-Exupéry. Escritor y aviador francés

«A enorme beleza do deserto reside no facto de, algures, ali se esconder um poço.»

Antoine de Saint-Exupéry, escritor e aviador francês

12	POOL IN MALIBU Barry Beer Design	20	RESIDENCE IN PACIFIC HEIGHTS Joan Roca Vallejo, Daniel Coen
26	RESIDENCE IN BELLATERRA Dalibos Studis	34	SPICEWOOD RESIDENCE Miró Rivera Architects
40	JALAN AMPANG Guz Architects	46	MOENHOURT Jane Fullerton & Jamie Loft / Out From The Blue

52 WILLIAMS
Jane Fullerton & Jamie Loft / Out From The Blue

58 CASA PIERINO
Alberto Burckhardt

64 HOUSE BY THE SEA
Estudio Muher

70 THE DREAMS
Joan Roca Vallejo

76 MEDIEVAL HOUSE IN PANZANO
Marco Pozzoli

84 PALOMARES RESIDENCE
Raymond Jungles

90	RESIDENCE IN VALENCIA Ramon Esteve / Estudio de Arquitectura	100	SUGERMAN HOUSE Barry Sugerman
110	SHERMAN RESIDENCE Barry Sugerman	118	TEMPATE Joan Roca Vallejo
126	VILLA MARRAKECH Joan Roca Vallejo, Abraham Valenzuela	132	CASA VARELA Carlos Nieto, Jordi Tejedor

138	COUNTRY HOUSE IN GIRONA Viridis	**146**	HOUSE IN PEDRALBES Joan Puig / Ayguavives, Arborètum
154	JOAQUÍN GALLEGO RESIDENCE Joaquín Gallego	**158**	MATTURUCCO Mira Martinazzo
164	RESIDENCE IN RIO Bernardes Jacobsen Arquitectura	**170**	HOUSE IN SITGES Alfons Argila

174	HOUSE IN BELLATERRA Antonio Piera, Miquel Gres, Cuca Vergés	180	HOUSE ON GARRAF COAST Alberto Martínez Carabajal, Salvador García
186	HOUSE IN LES BOTIGUES Javier de Lara Barloque / La Manigua	192	GARZA RESIDENCE Miró Rivera Architects
200	YODER RESIDENCE Michael P. Johnson	206	CHESTER HOUSE Raymond Jungles

212	HOUSE IN NOSARA Joan Roca Vallejo, Abraham Valenzuela	218	KEY BISCAYNE RESIDENCE Luis Auregui, Laure de Mazieres
224	CASA MALDONADO Alberto Burckhardt	232	BENIOFF POOL Lundberg Design
238	MELCIOR HOUSE Patrick Genard	246	NA XAMENA Ramon Esteve / Estudio de Arquitectura

256   DIRECTORY

The fusion of the sea and the swimming pool is accentuated by the materials used in construction: grey slate and plaster combine chromatically with the tones of the sea. The garden furniture is in the same color scheme, and the original, curved structure of the pool is a distinctive characteristic which reflects the final result.

La fusione tra mare e piscina è sottolineata dai materiali usati per la costruzione: l'ardesia grigia e l'intonaco si combinano cromaticamente con i toni del mare. I mobili da giardino seguono lo stesso schema cromatico e l'originale impianto sinuoso della piscina diviene una caratteristica distintiva atta a evidenziare la riuscita dell'insieme.

POOL IN MALIBU
Barry Beer Design

Malibu, U.S.A.

La fusión del mar con la piscina se acentúa a través de los materiales que se han utilizado en la construcción: gris pizarra y yeso combinan cromáticamente con los tonos marinos. El mobiliario de exterior sigue el mismo esquema de color, y la estructura original curvada de la piscina es una característica distintiva que marca el resultado del conjunto.

A fusão entre a piscina e o mar surge acentuada pela escolha dos materiais utilizados na construção: a ardósia cinzenta e o gesso combinam cromaticamente com os tons oceânicos. O mobiliário de jardim acompanha o mesmo esquema cromático, e a estrutura original da piscina, curvilínea, funciona como característica distintiva, em muito reflectindo o resultado final.

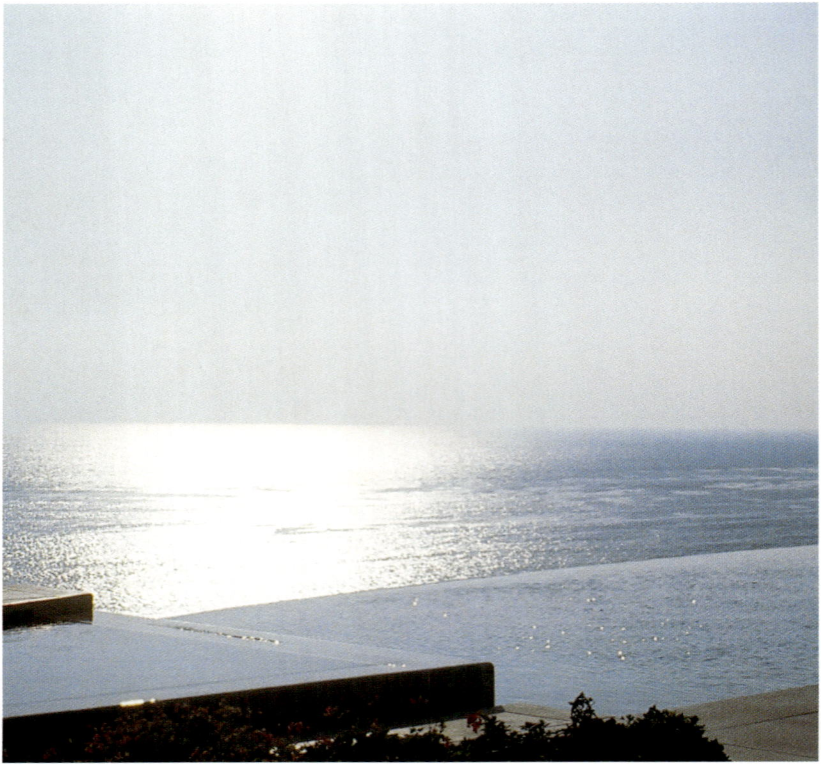

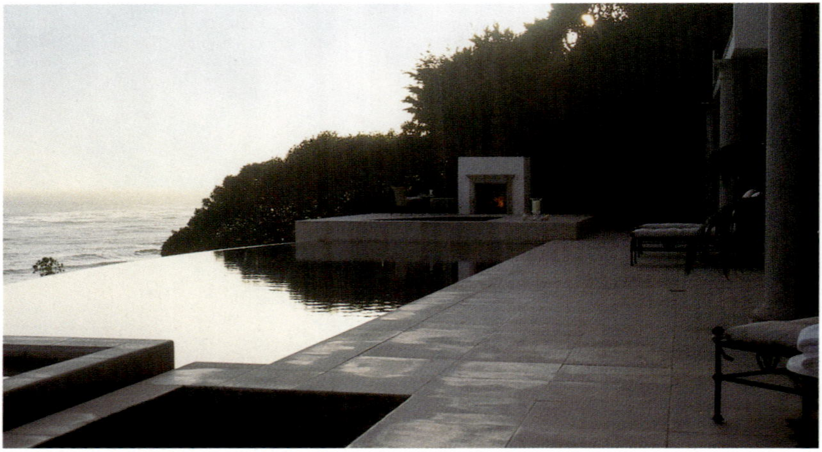

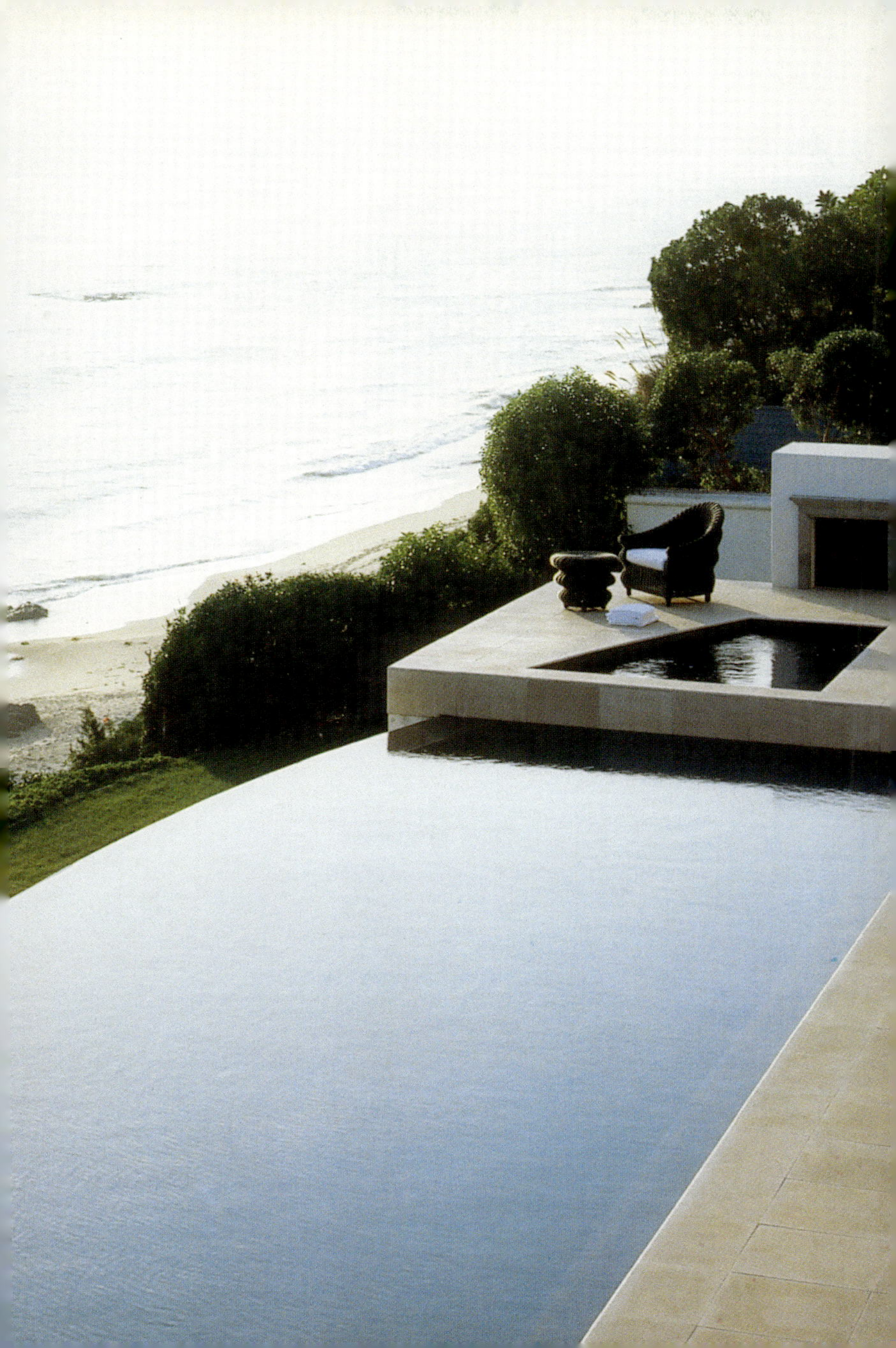

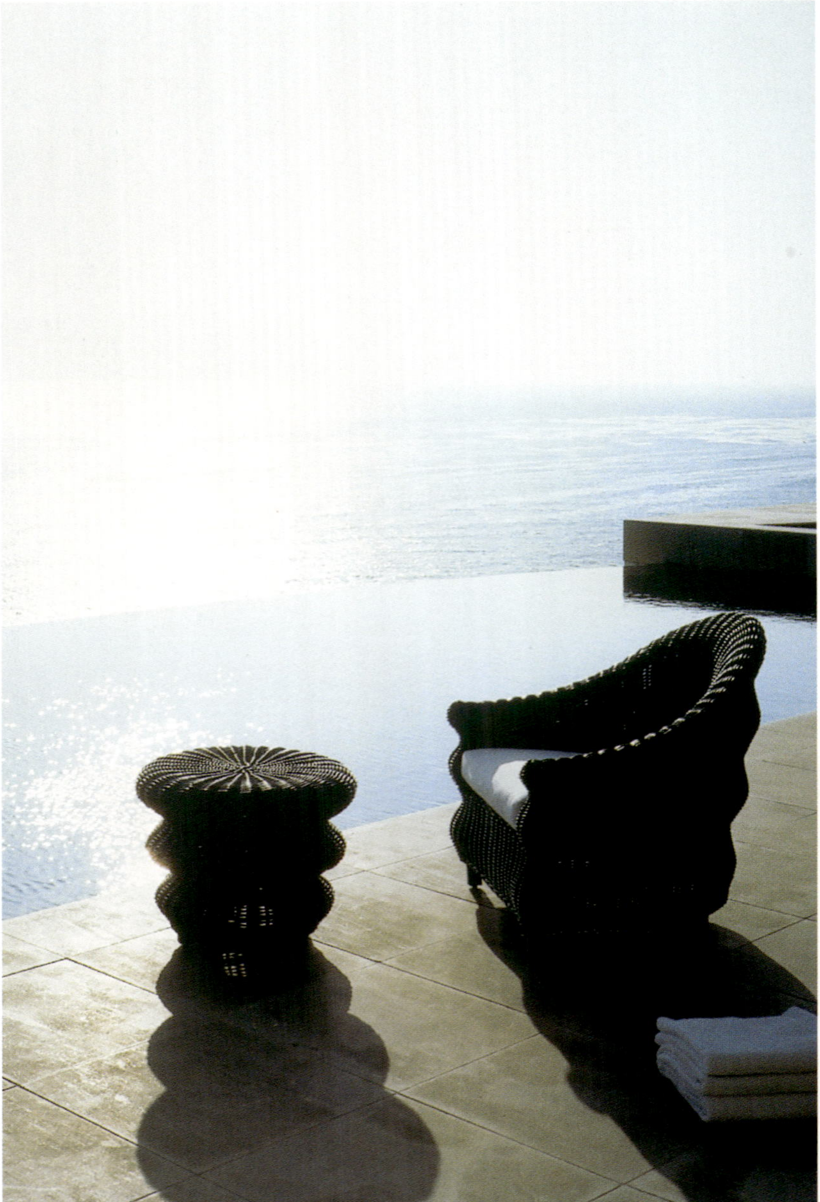

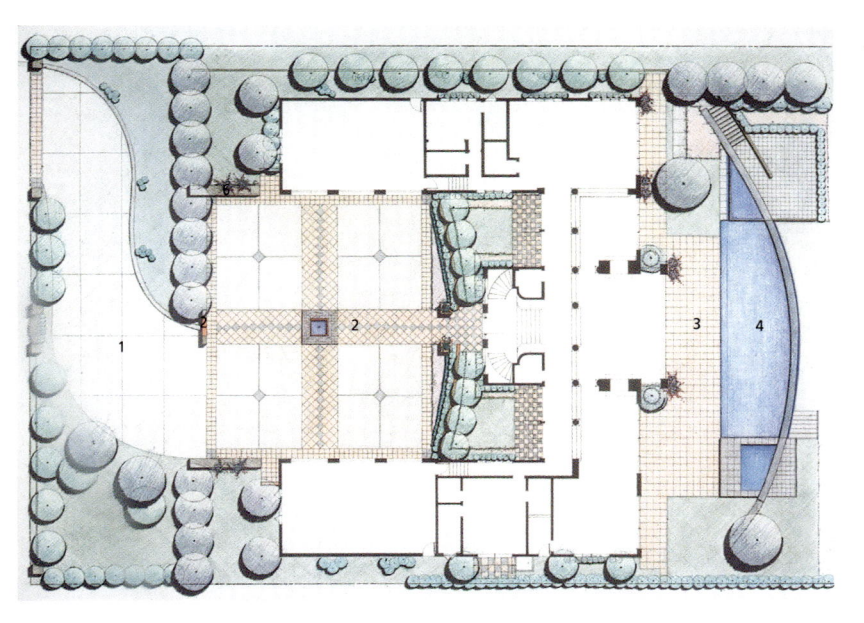

Site plan

1. Entrance
2. House
3. Terrace
4. Pool

The stained wicker furniture adds a fresh touch to the completely minimalist environment achieved by the architects. The result is a serene atmosphere of natural colors.

Las piezas de mobiliario de enea teñida aportan una nota de frescura en una ambientación del todo minimalista conseguida por los arquitectos. Atmósfera serena de colores naturales.

I mobili in vimini trattato aggiungono un tocco di freschezza all'ambiente completamente minimalista voluto dagli architetti. Il risultato è un'atmosfera serena giocata sui toni naturali.

O mobiliário em verga acrescenta um toque de frescura ao ambiente absolutamente minimalista idealizado pelos arquitectos. O resultado final prima por uma atmosfera de serenidade e cores naturais.

The pool is situated on a hillside and is surrounded by an exterior channel that acts as a security barrier and also catches the overflow water. The design, marked by curves and asymmetry, was inspired directly by nature's own shapes. Blue and shades of grey have been used for the bottom of the pool, the same colors as the sea water.

La piscina, adagiata sul fianco di una collina, è circondata da un canale esterno che funge da barriera di sicurezza e recupera l'acqua che fuoriesce dal bordo. Il progetto, che si distingue per le curve e l'asimmetria, si ispira direttamente alle forme della natura. Per il fondo sono stati usati l'azzurro e alcuni tocchi di grigio: gli stessi colori dell'acqua del mare.

RESIDENCE IN PACIFIC HEIGHTS

Joan Roca Vallejo, Daniel Coen

Playa Potrero, Costa Rica

La piscina, situada en un acantilado, está rodeada por un canal exterior que actúa como una barrera de seguridad y también sirve para recoger el agua que se desborda. El diseño, marcado por las curvas y la asimetría, se inspira directamente en las formas propias de la naturaleza. Azul y tonos de gris se han utilizado para el fondo de la piscina, iguales que el agua de mar.

A piscina, adossada a uma encosta, está rodeada por um canal exterior que actua como barreira de protecção e também recupera o excedente de água. O seu desenho, marcado por curvas e assimetrias, foi buscar directa inspiração às formas naturais. O fundo da piscina foi pintado de azul, com laivos de cinza, num paralelismo evidente com as tonalidades marinhas.

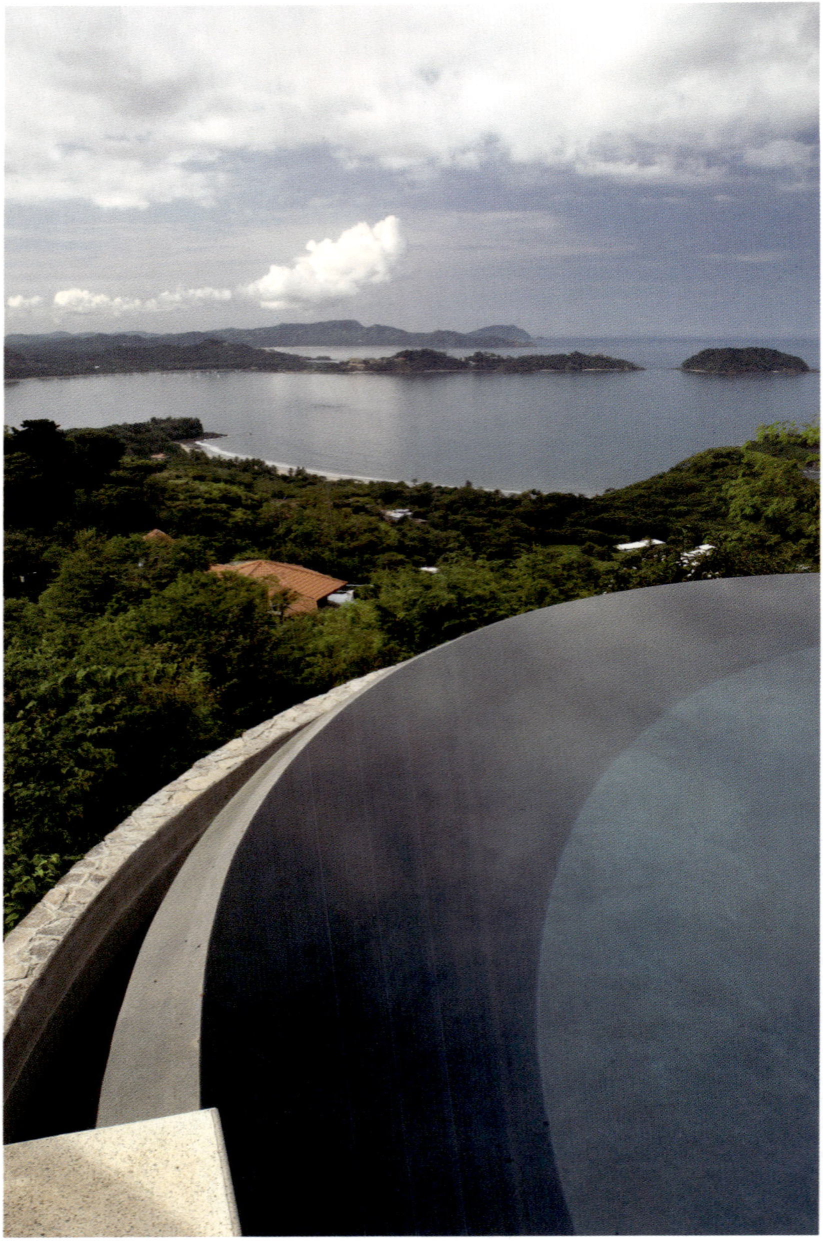

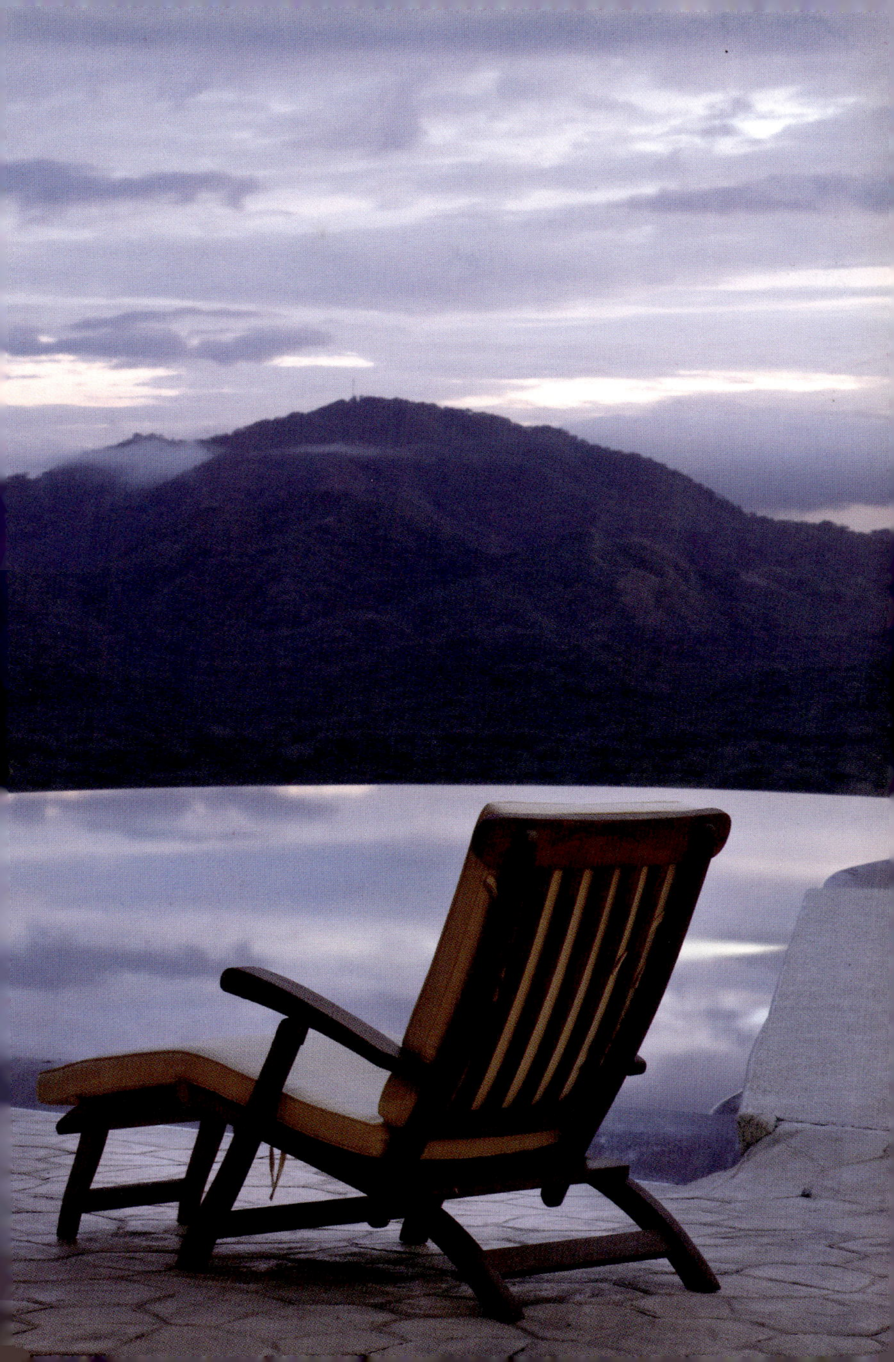

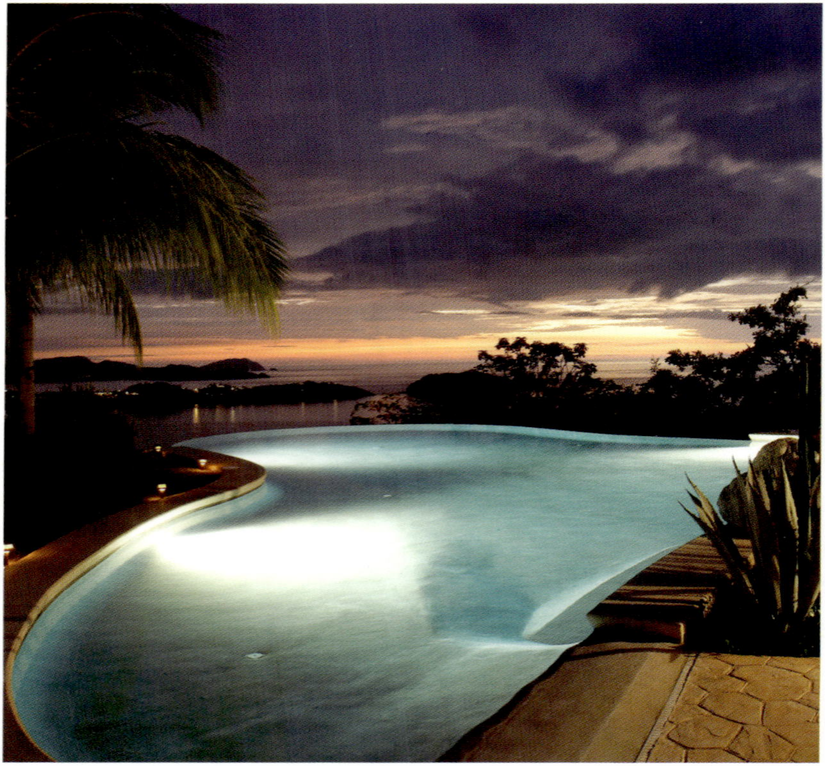

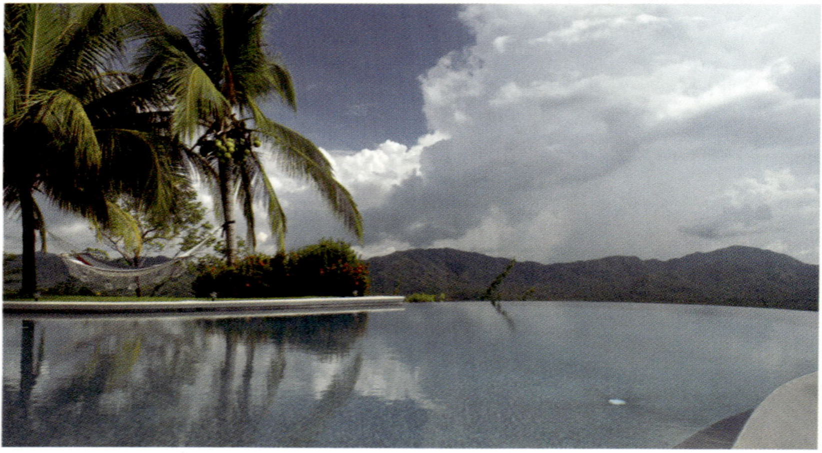

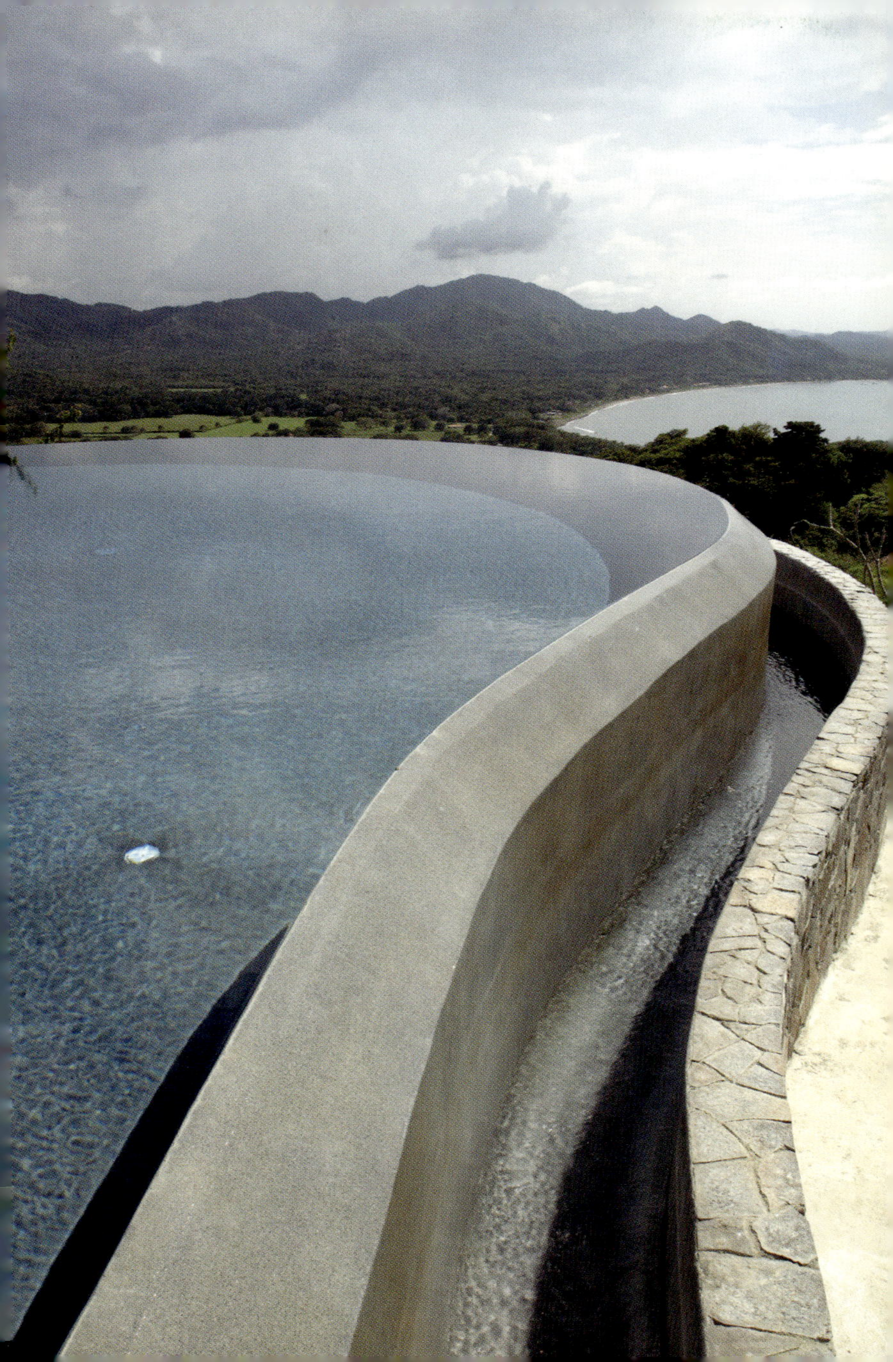

The swimming pool at this house is located below the level of the floor. The terrace is on the middle level and the house is on the upper level, forming the highest point of the structure. Given the different levels of the ground at this property, the design of this building has resulted in being completely functional.

La piscina di questa villa si trova sotto il livello del suolo. La terrazza è al piano intermedio e la casa, posta al livello superiore, rappresenta il punto più alto della struttura. Tenendo conto dei diversi livelli del terreno di questa proprietà, il design dell'edificio risulta assolutamente funzionale.

RESIDENCE IN BELLATERRA
Dalibos Studis

Cerdanyola del Vallés, Spain

La piscina de esta casa se encuentra por debajo del nivel del suelo. El nivel medio alberga la terraza y en la parte superior se sitúa la vivienda, justo en el punto más alto de la construcción. Teniendo en cuenta las diferencias de nivel de la parcela, esta construcción consigue tener como resultado la consecución de un diseño absolutamente funcional.

A piscina desta casa fica abaixo do nível do chão. O terraço situa-se num nível médio, enquanto a habitação foi construída num nível superior, o mais elevado de toda a estrutura. Tendo em conta as diferentes cotas do terreno desta propriedade, todo o desenho da edificação se revelou altamente funcional.

The pool is made of concrete, ivory colored marble, electric blue mosaic gresite especially for lining, and a surface of ipe wood. This rectangular pool with lateral drop is totally integrated into its surroundings.

Los materiales utilizados para la piscina son el hormigón, acabados de mármol color marfil, gresite mosaico azul eléctrico especial para revestimientos, que contrasta con el blanco predominante, y superficie de madera de ipe.

La piscina è costruita in cemento, marmo avorio e mosaico in vetro blu elettrico che contrasta con il bianco predominante e la superficie in legno di ipè. Rettangolare, con caduta laterale, si integra appieno con l'ambiente.

Esta piscina é em betão, mármore, pastilha azul--eléctrico e madeira de ipê nas superfícies. É rectangular, com queda de água lateral e surge bem integrada no ambiente circundante.

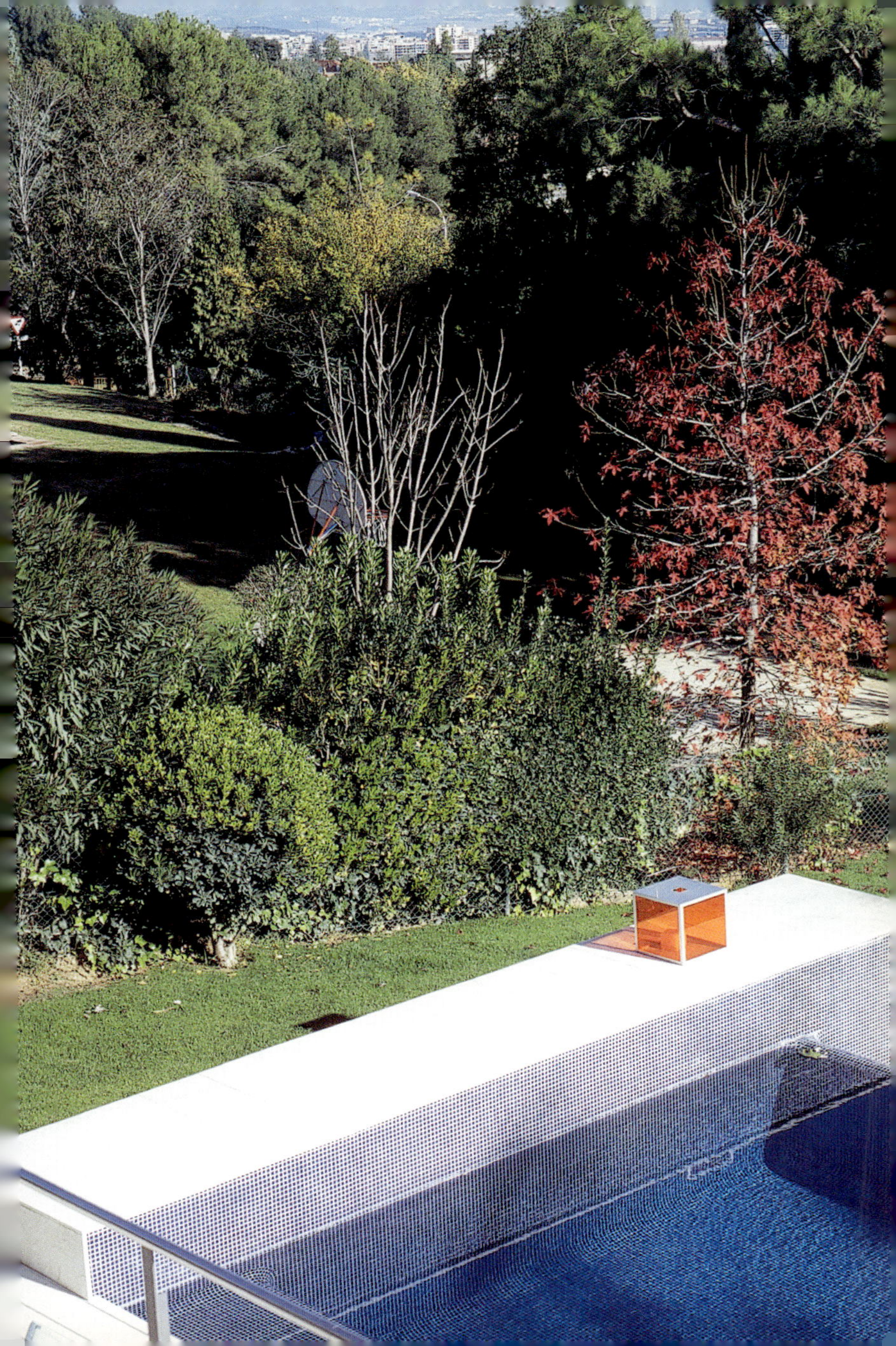

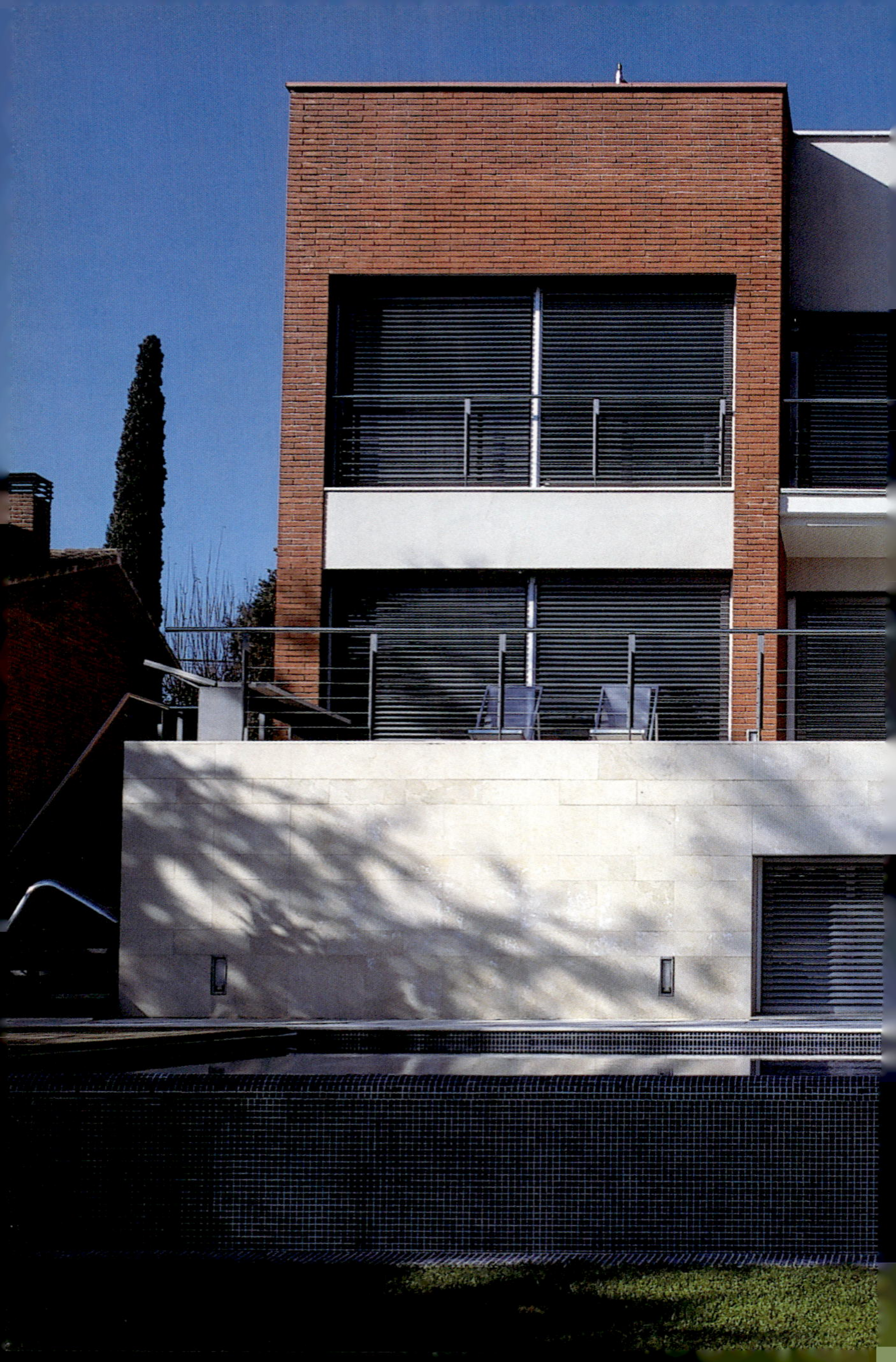

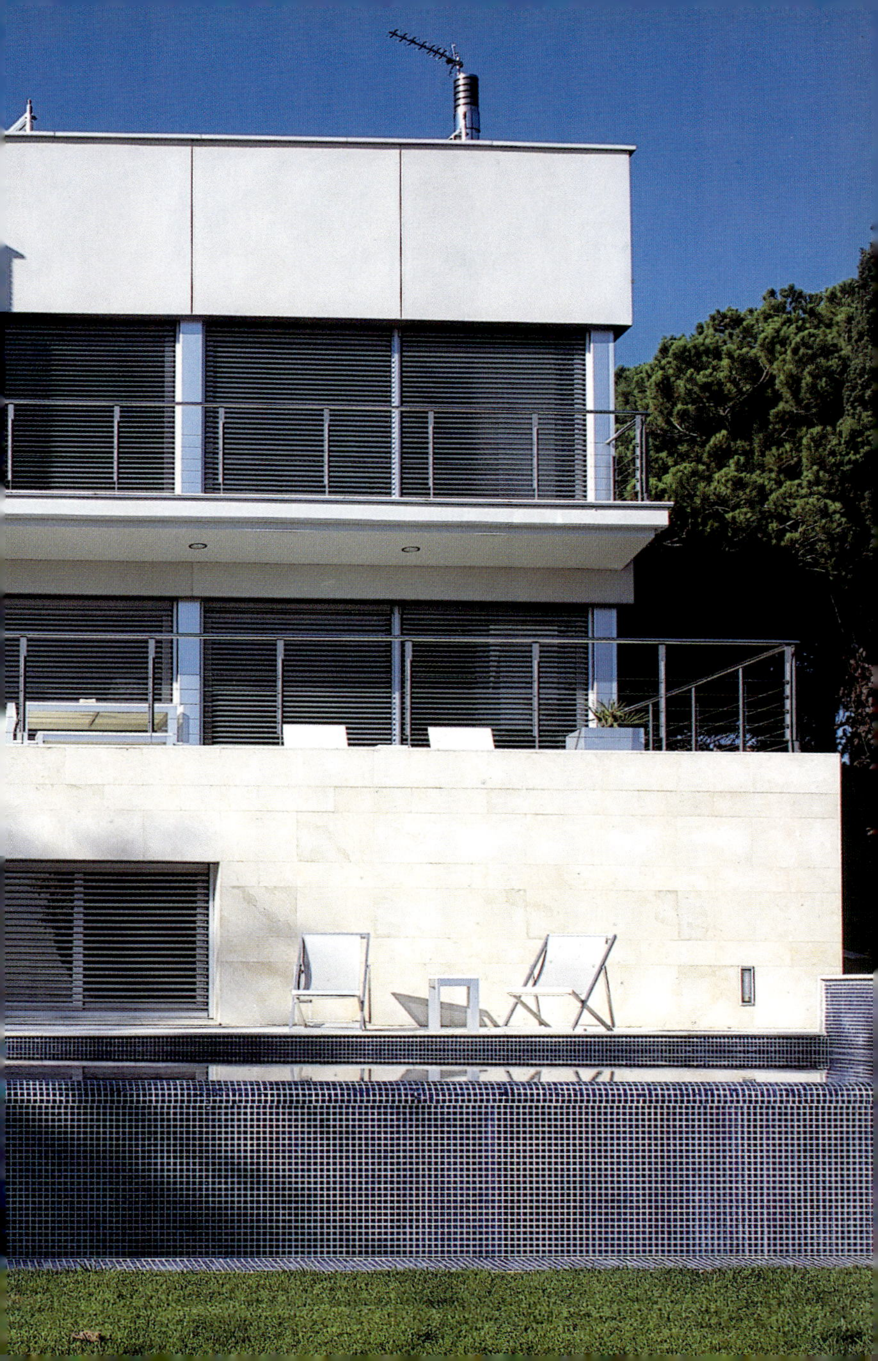

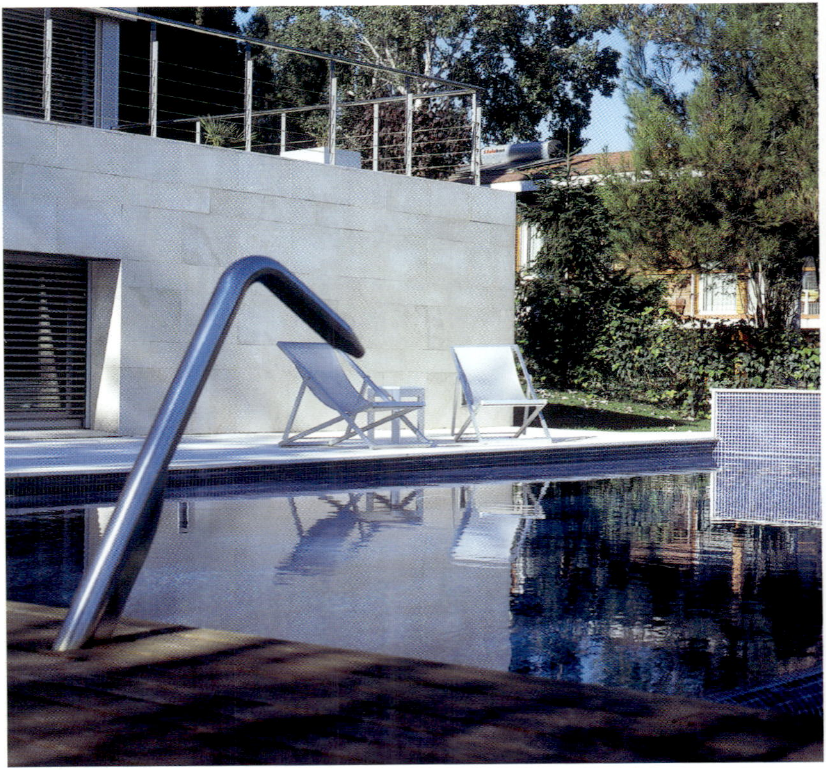

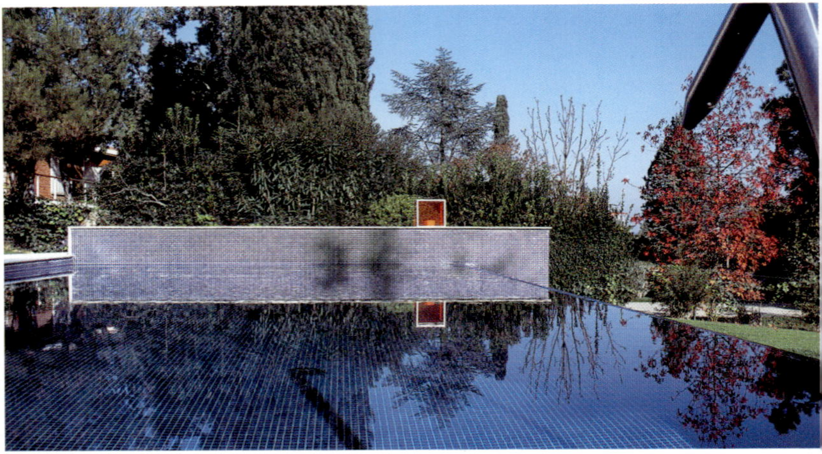

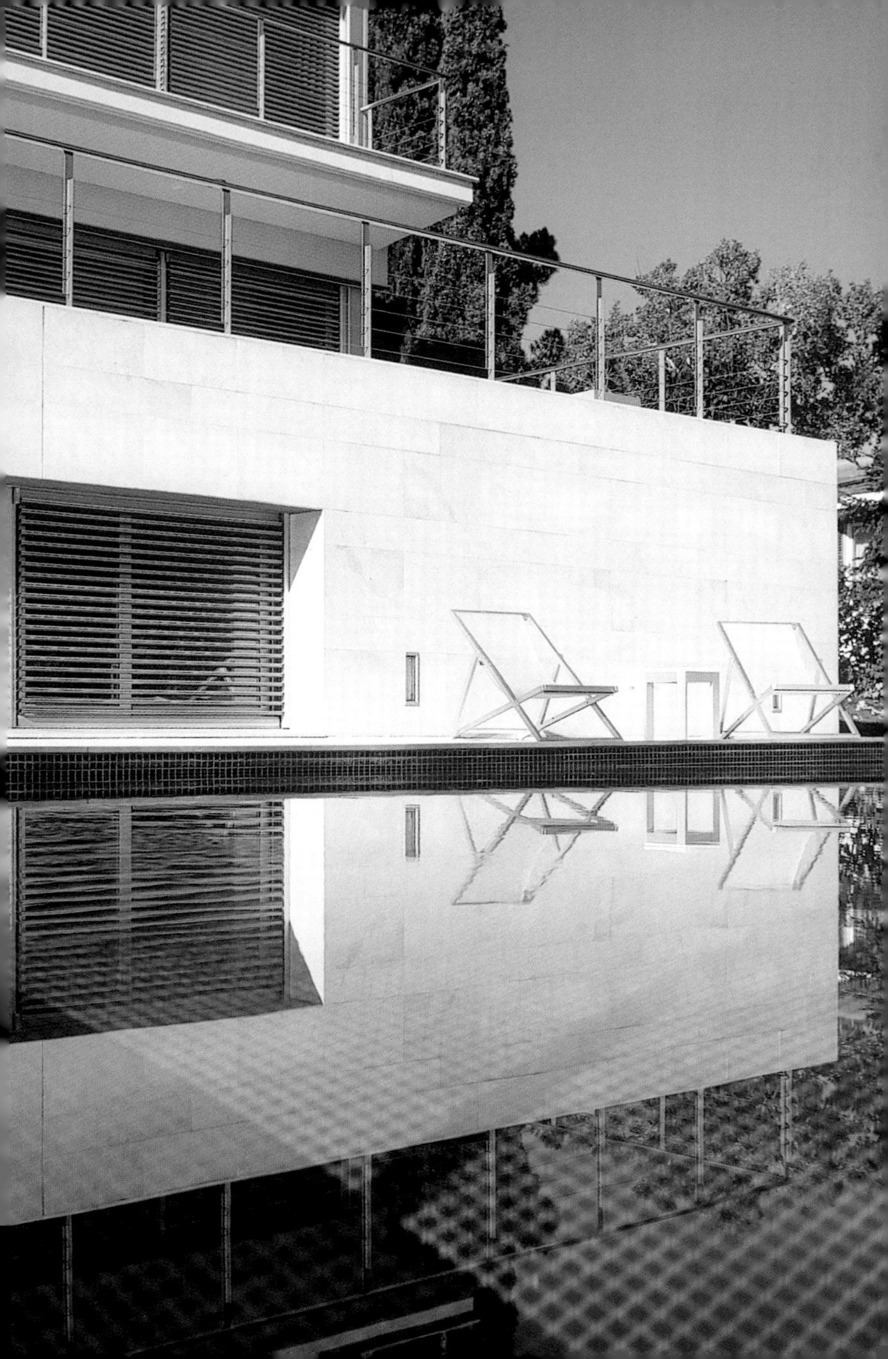

This house was built on top of an enormous cliff, overlooking Lake Travis. It is constructed on different levels because of the unevenness of the ground. The use of limestone for the swimming pool was a deliberate choice on the part of the architects, who wanted to give it a certain rustic style and bring together the setting and the water with the house.

Questa residenza è stata costruita sulla cima di una rupe enorme che domina il lago Travis. La casa è organizzata su diversi livelli a causa della disomogeneità del terreno. Da parte degli architetti, l'uso della pietra calcarea per la piscina è stata una scelta deliberata, tesa a conferire uno stile vagamente rustico e a unificare l'ambiente, l'acqua e la casa.

SPICEWOOD RESIDENCE

Miró Rivera Architects

Austin, U.S.A.

Esta residencia fue construida sobre un enorme acantilado en la parte superior de un mirador del lago Travis. La construcción se llevó a cabo sobre diferentes niveles, debido a la desigualdad del enclave. El uso de piedra caliza para la piscina se hizo con clara intención por parte de los arquitectos de imprimir un cierto estilo rústico y unir el entorno y el agua con la casa.

Esta casa foi edificada no topo de um enorme penhasco, com vista sobre o lago Travis. Por força da irregularidade do terreno foi construída em patamares. A aplicação de pedra calcária na realização da piscina foi uma opção deliberada dos arquitectos, procurando materializar uma certa rusticidade de estilo e estabelecer uma relação entre o ambiente exterior e a casa.

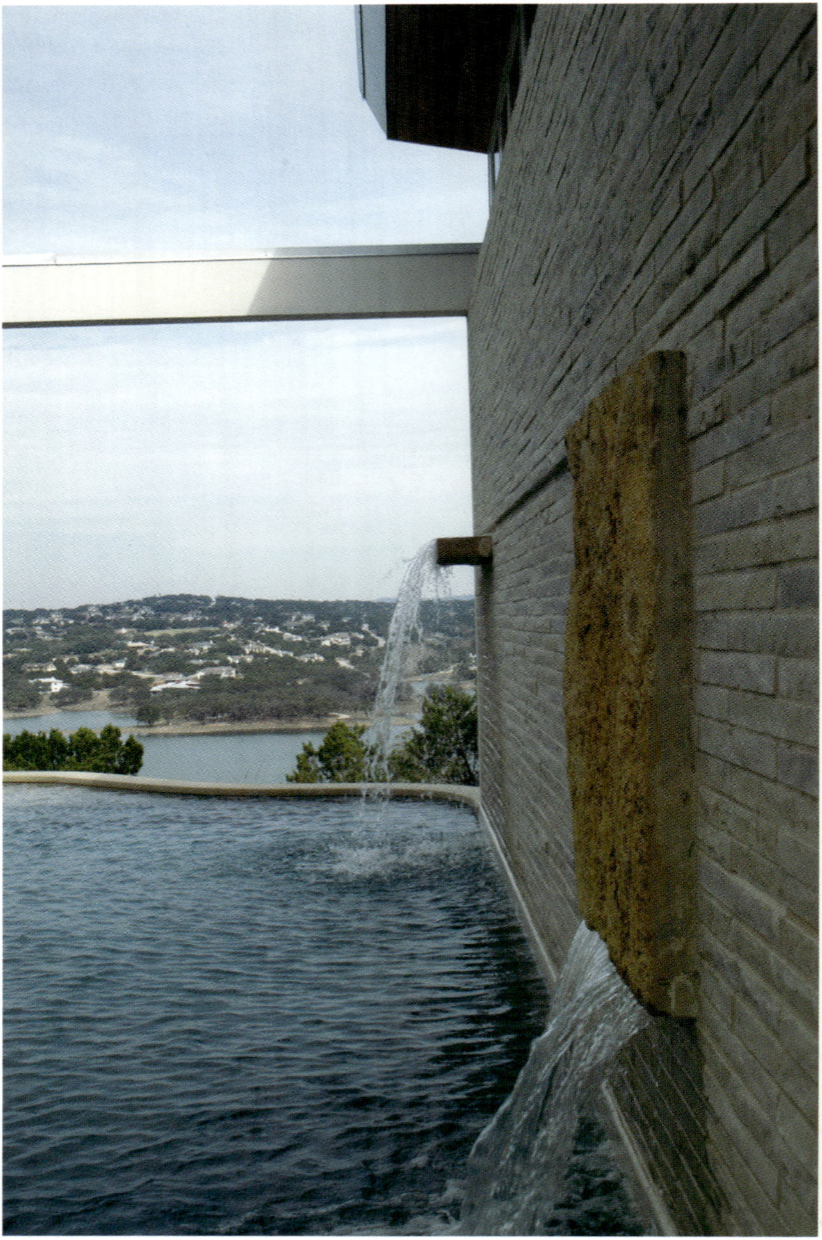

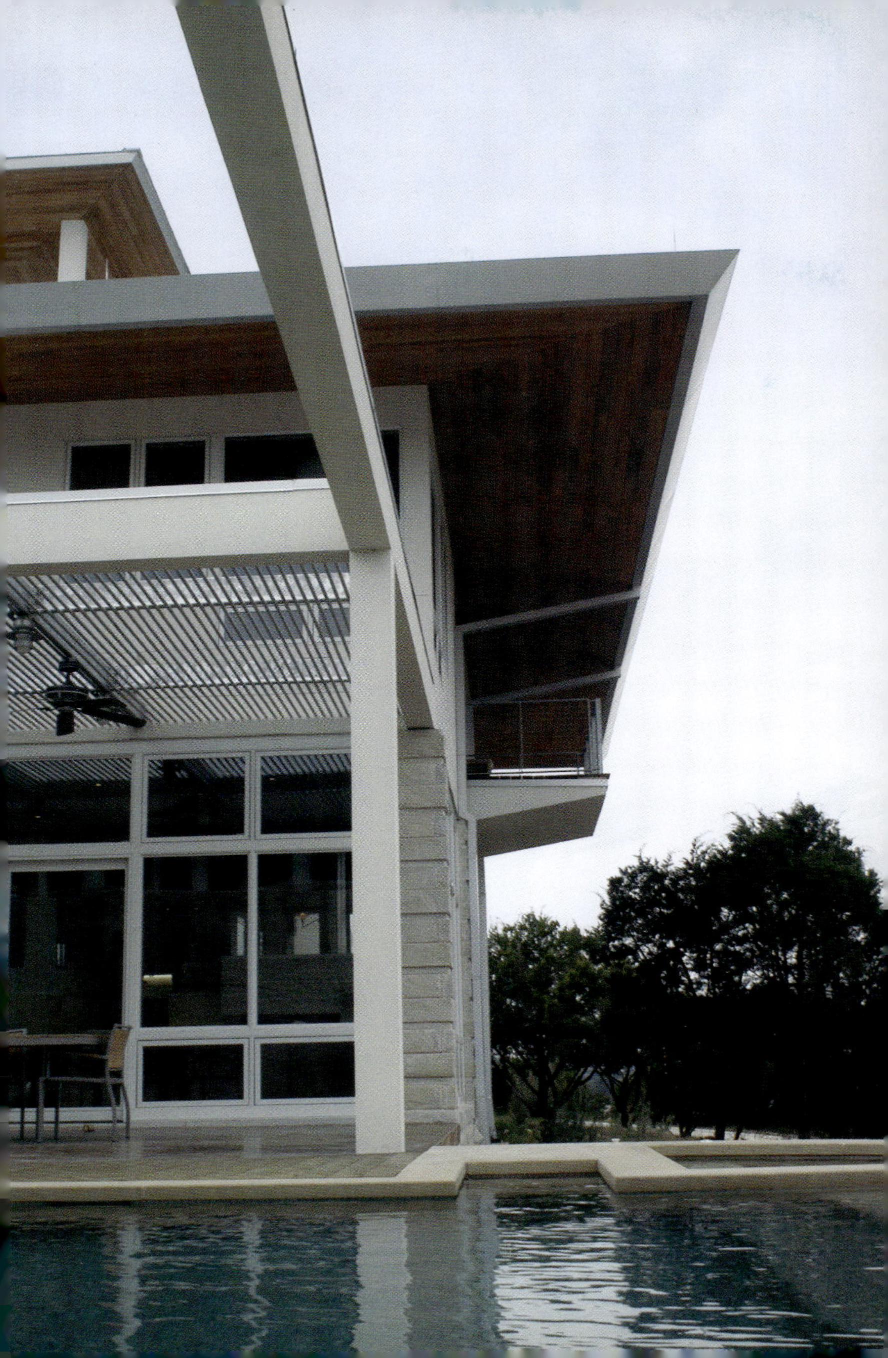

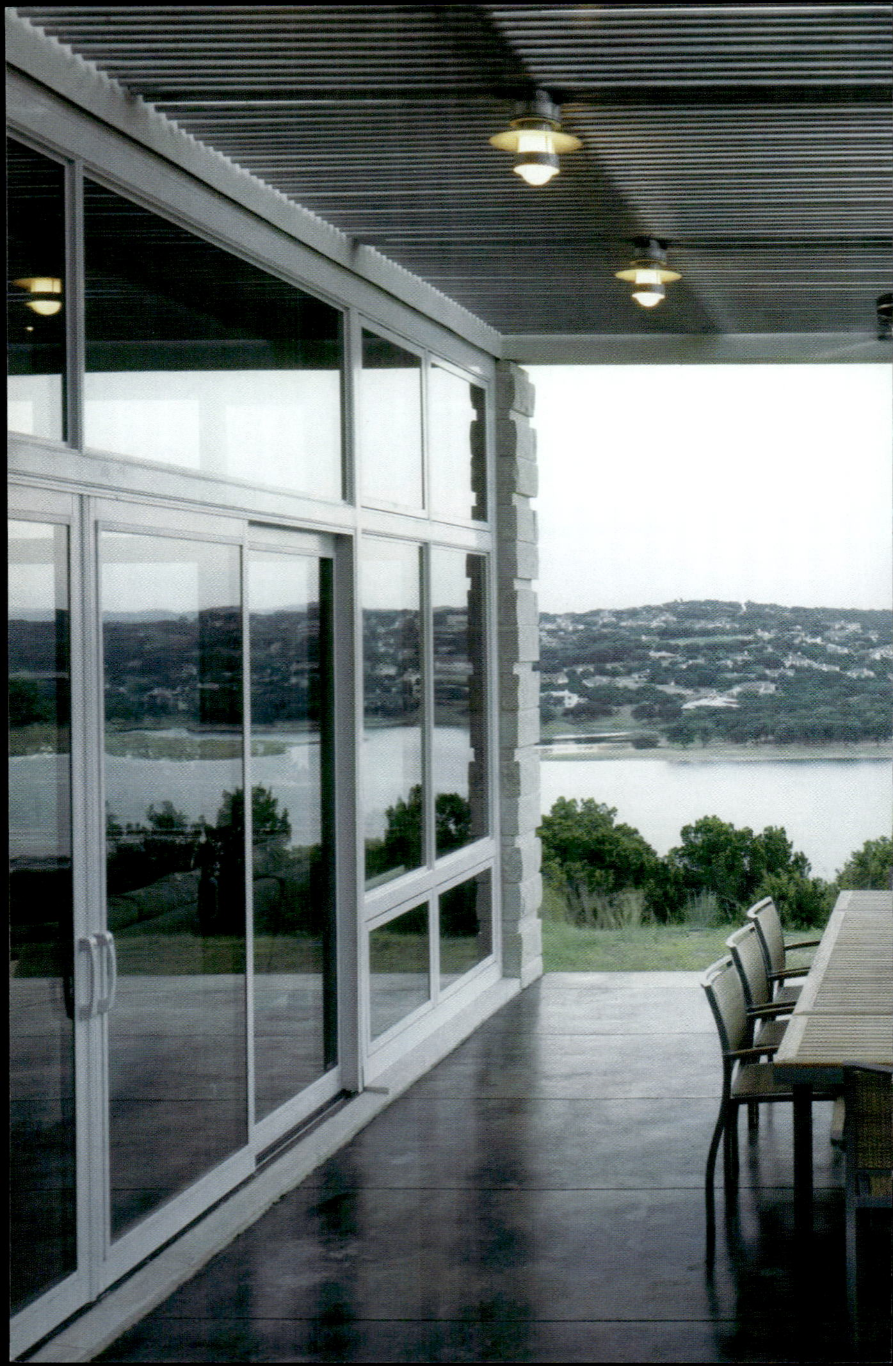

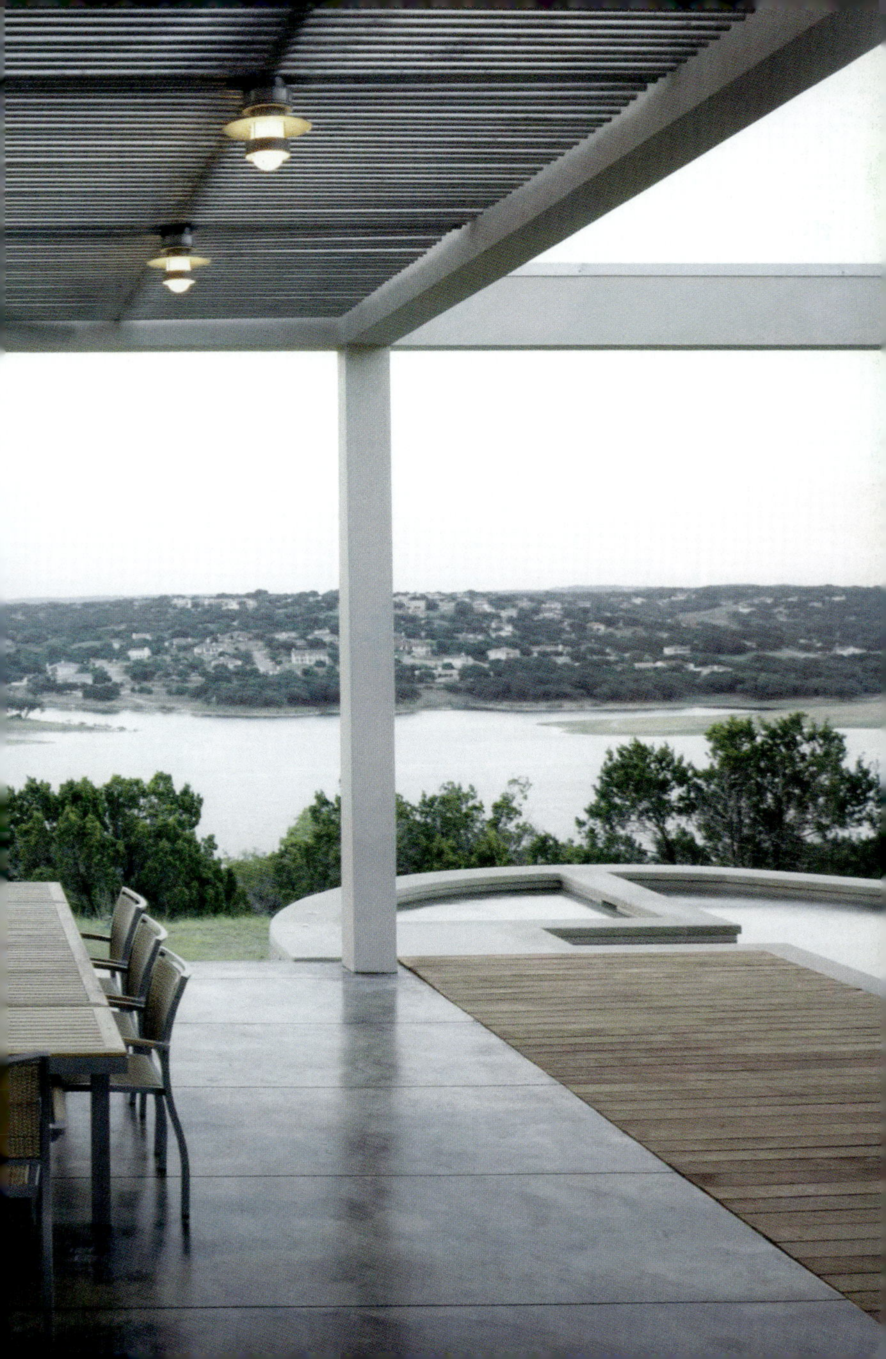

The location of this swimming pool is what makes it original. Unusually, it was not built on the ground floor but on the roof of the house. The reason for this, according to the architects themselves, was to avoid the shadows produced by the surrounding buildings and the thick vegetation. The glass reflecting the water creates a relaxing atmosphere.

L'originalità di questa piscina risiede nel luogo in cui è stata costruita. Contrariamente alla norma, infatti, non è collocata nel terreno ma sul tetto dell'edificio. Alla base di questa scelta, come spiegano gli stessi architetti, l'esigenza di evitare le ombre prodotte dagli edifici circostanti e dalla fitta vegetazione. Le vetrate riflettono l'acqua creando un'atmosfera rilassante.

JALAN AMPANG

Guz Architects

Singapore City, Singapore

La nota original de esta piscina la marca el enclave de construcción. Contrariamente a lo que suele ocurrir, la piscina no se construyó en planta baja sino en el mismo tejado de la casa. La razón, según los propios arquitectos, evitar las sombras proyectadas por los edificios circundantes y la espesa vegetación. Los cristales que reflejan el agua crean una atmósfera de relax.

A originalidade desta piscina reside no seu inesperado local de construção. Ao contrário do que é habitual, foi colocada sobre a casa e não junto ao solo. Foi intenção declarada dos arquitectos afastá--la, deste modo, das sombras que sobre o terreno projectam as habitações e a vegetação circundantes. O vidro onde a água reflecte ajuda a criar uma atmosfera relaxante.

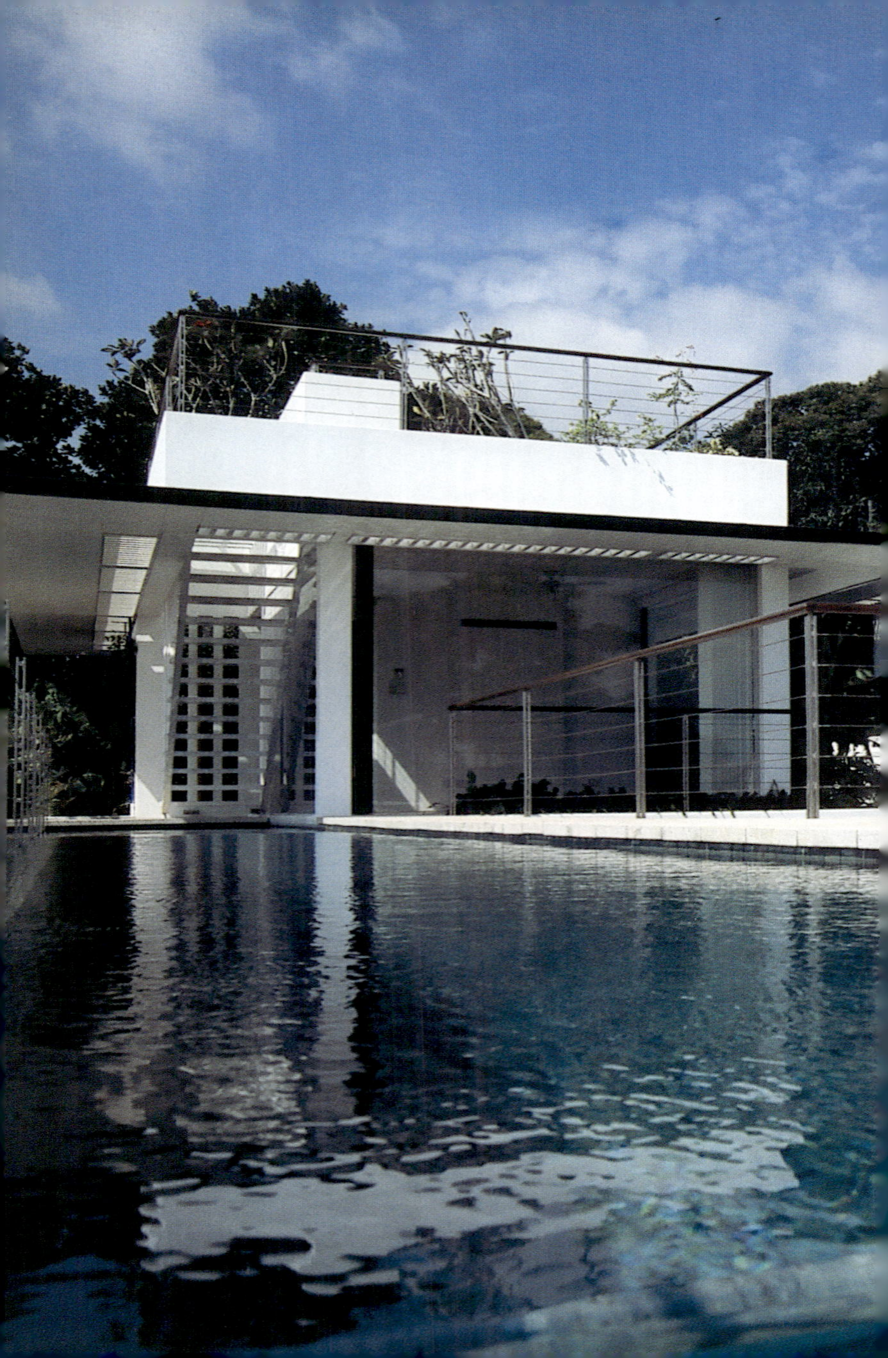

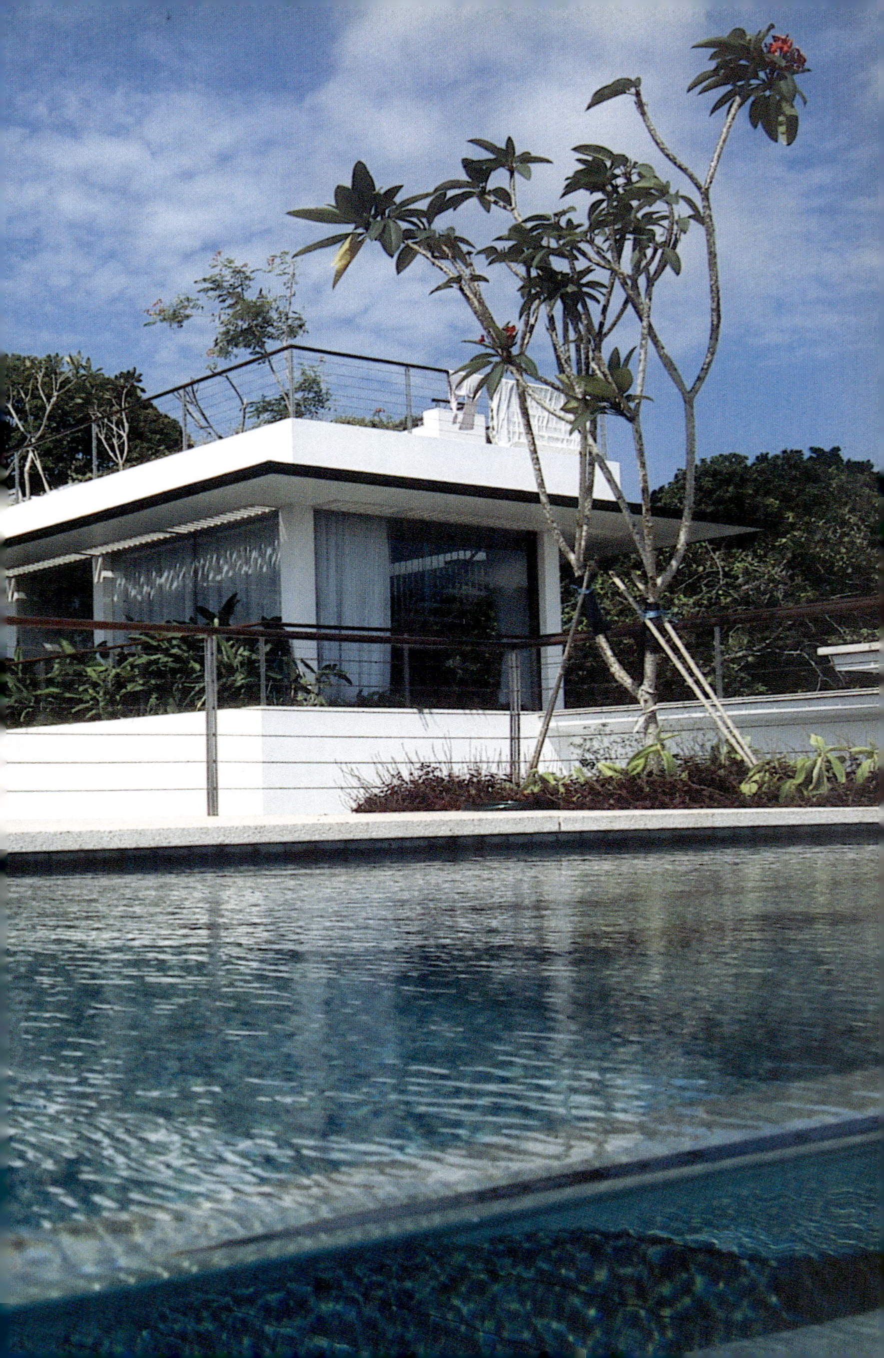

The stained wicker furniture adds a fresh touch to the completely minimalist environment which has been achieved by the architects. The result is a serene atmosphere of natural colors.

La construcción en carril de esta piscina la hace apta para la práctica deportiva. La valla metálica, construida según los principios del diseño minimalista y funcional, es casi imperceptible.

La forma lunga e stretta di questa piscina la rende ideale per la pratica sportiva. La recinzione in metallo, che rispetta i principi del minimalismo, risulta funzionale e quasi invisibile.

O formato longo e estreito desta piscina faz dela um lugar ideal para a prática desportiva. Uma balaustrada em metal, aqui utilizada com base nos parâmetros do design minimalista, revela-se funcional e praticamente invisível.

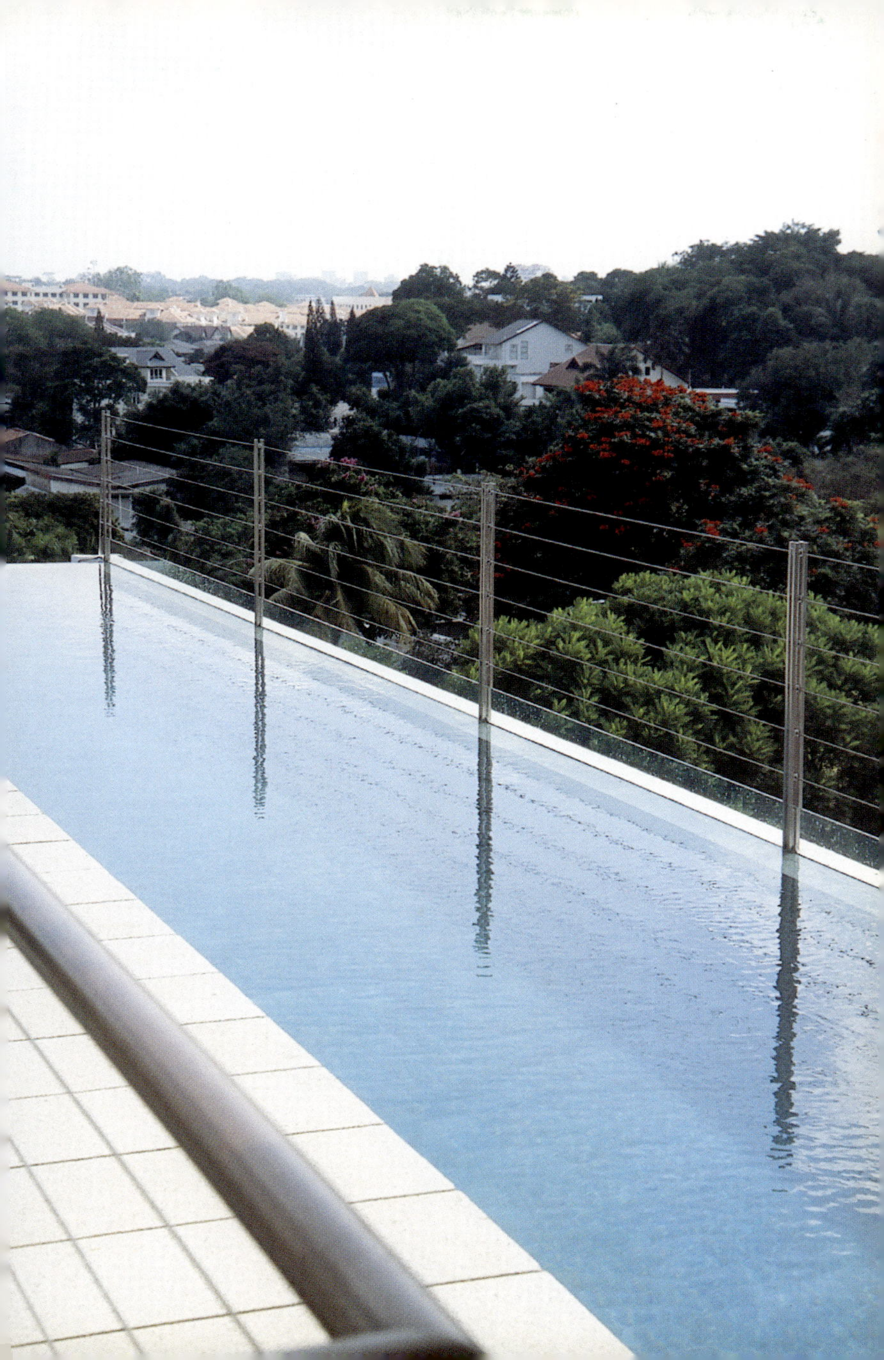

To make a symbolic connection between the pool and the countryside, the architects created a granite walkway which goes up to one side of the pool and reappears on the other side of a wall through which the water circulates. Rectangular in shape, this pool is 1.5 meters deep and made with a base of blue gresite, which stands out among the plants and earth surrounding it.

Per collegare simbolicamente la piscina al paesaggio, gli architetti hanno creato una passerella di granito che si immerge nella piscina da un lato per riapparire dal lato opposto formando un muro attraverso il quale circola l'acqua. Di forma rettangolare, questa piscina è profonda 1,5 m; la base in mosaico di vetro azzurro risalta tra le piante e la terra bianca che circondano la vasca.

MOENHOURT

Jane Fullerton & Jamie Loft / Out From The Blue

Sydney, Australia

Para conectar simbólicamente la piscina con el paisaje, los arquitectos crearon una pasarela de granito que se adentra en la piscina y reaparece al otro lado formando un muro a través del cual circula el agua. De forma rectangular, esta piscina tiene una profundidad de 1,5 m y está construida con una base de gresite azul, que destaca entre las plantas y la tierra blanca que la rodean.

Para estabelecer uma relação simbólica entre a piscina e o ambiente campestre que a rodeia, os arquitectos criaram um acesso em granito que contorna a piscina por um dos lados e reaparece de uma parede através da qual a água circula, no lado oposto. Rectangular e com uma profundidade de 1,5 m, a piscina foi revestida com pastilha de tom azul, uma cor que se destaca entre as plantas e o terreno circundantes.

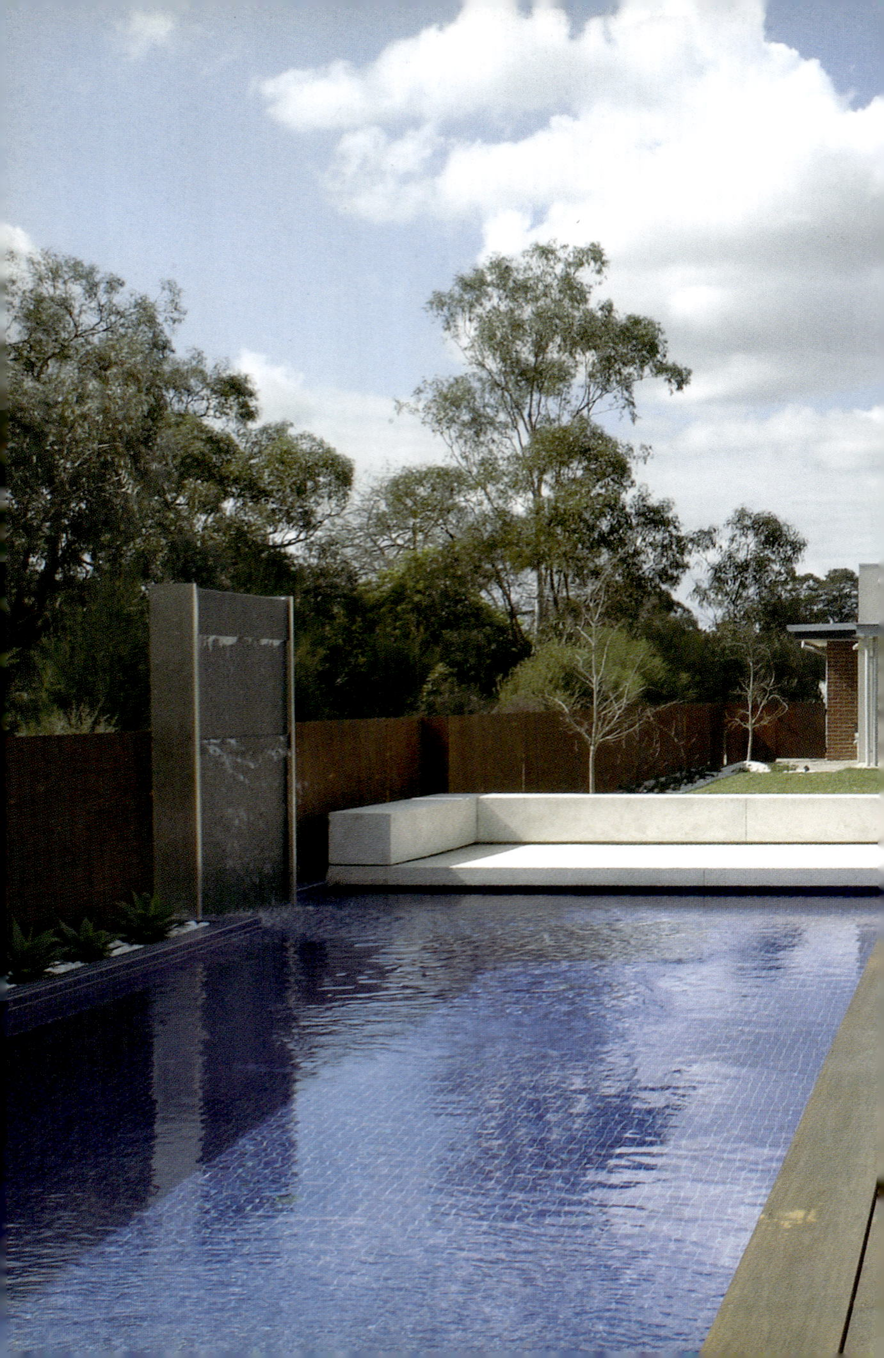

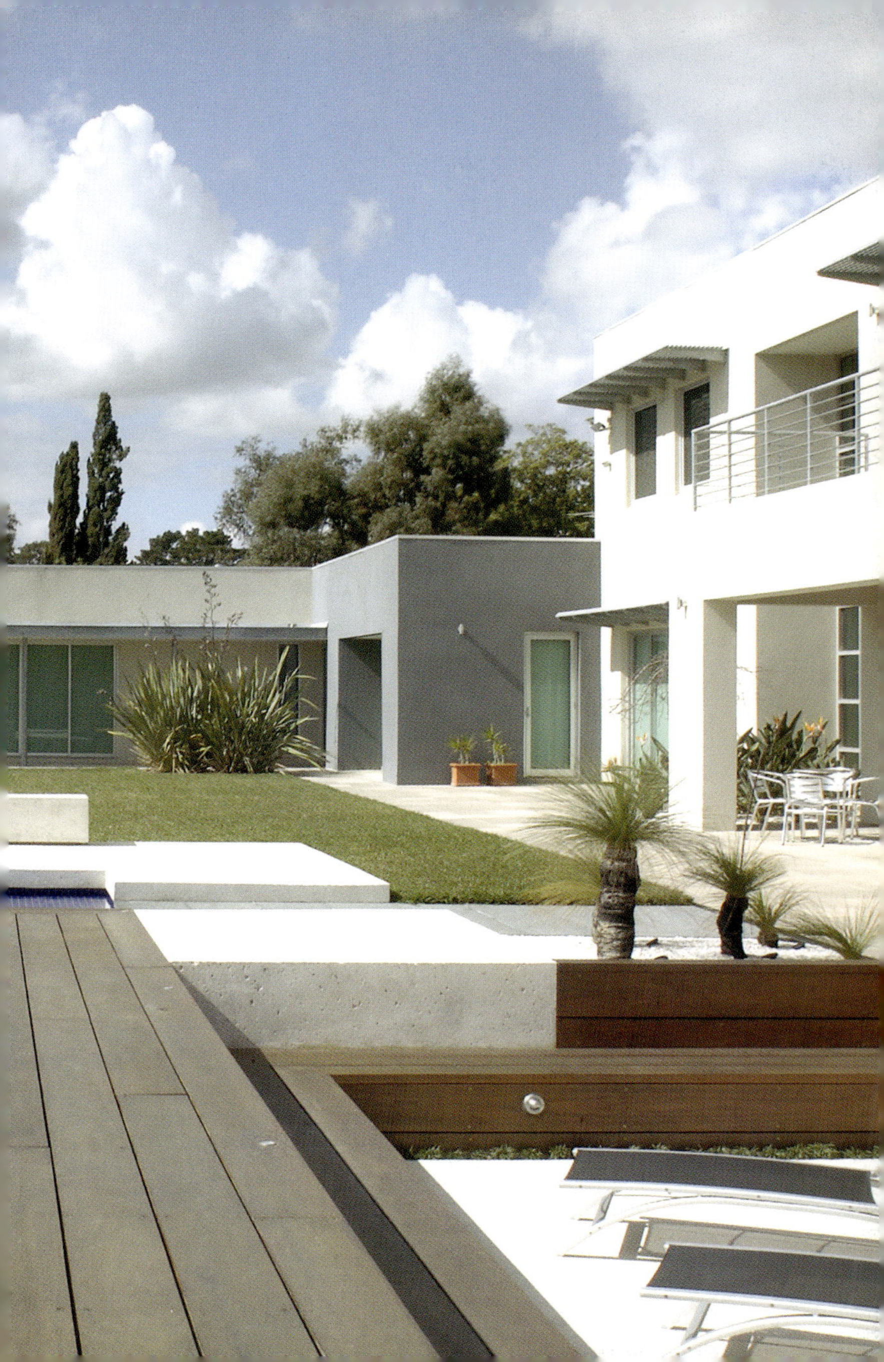

A wooden platform acts as a diving board or as a bench on which to sunbathe. The original design for the pool allowed for different spaces in the structure itself, such as a recreational area or somewhere to relax.

Una plataforma de madera actúa como base de lanzamiento o como banco para tomar el sol. El original diseño de la piscina distribuye distintos espacios dentro de su propia estructura, como el paso de una zona de recreo a otra de relax.

Una piattaforma in legno funge da base per i tuffi o per prendere il sole. L'originalità della piscina consente la distribuzione di vari spazi all'interno della struttura, come l'area ricreativa o quella per il relax.

Uma plataforma em madeira serve de prancha de mergulho e ainda de banco para banhos solares. O original desenho da piscina permitiu criar espaços distintos, com uma área de carácter recreativo, e outra propícia ao relaxamento.

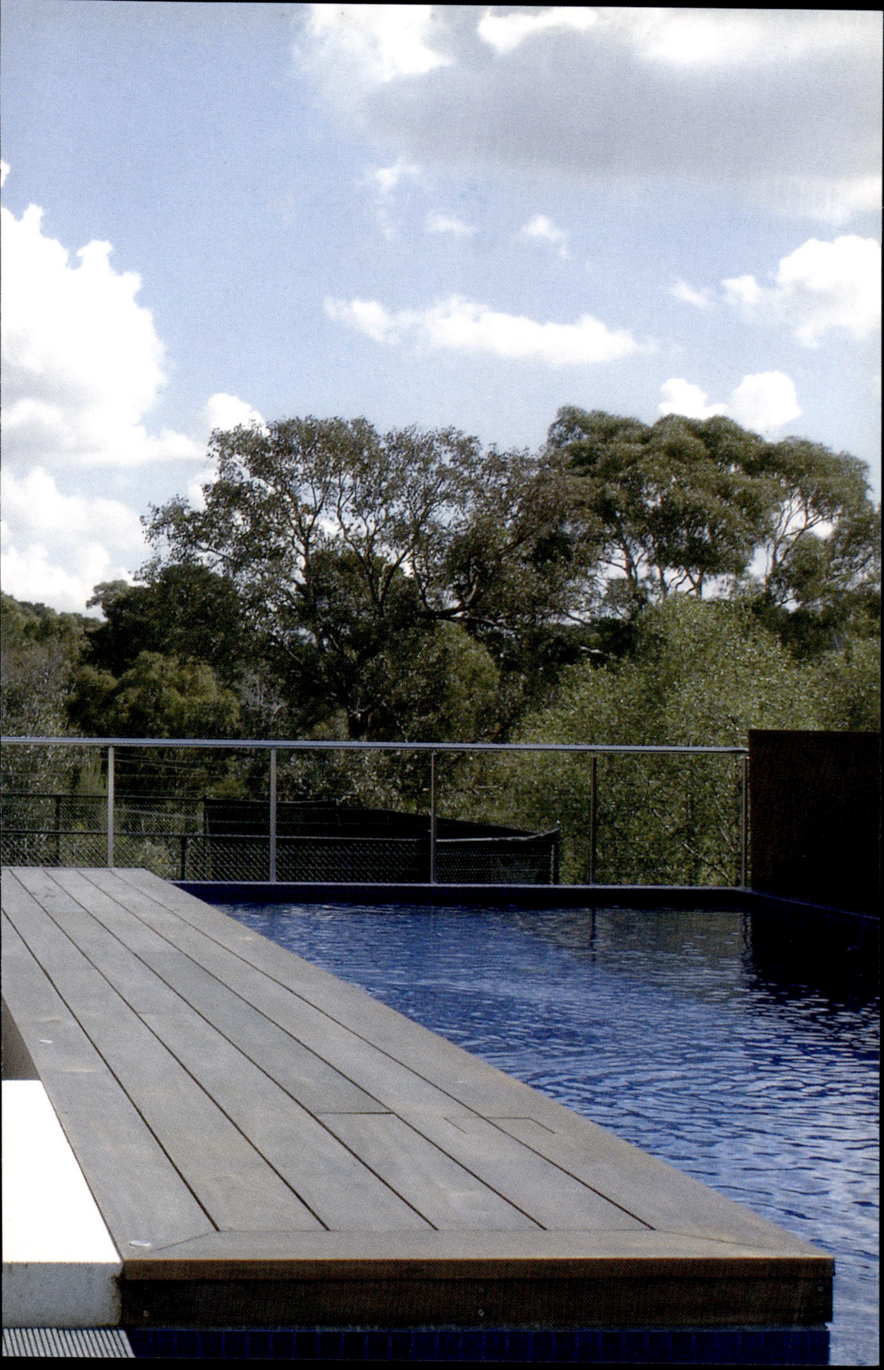

The main characteristics of this swimming pool, which is built in the garden of a house, are its 'L' shape, and the fact that it is made up of two small lanes. It has no borders because the level of the water is flush with the ground. This means that the water does not overflow but runs through the wooden deck which is built around the pool.

La caratteristica principale di questa piscina, costruita nel giardino di un'abitazione, è la forma a L e il fatto che sia composta da due piccole corsie. La vasca non ha bordo rialzato, quindi il livello dell'acqua sfiora il terreno. Perciò l'acqua non trabocca, ma fluisce all'interno della piattaforma di legno costruita intorno alla piscina.

WILLIAMS

Jane Fullerton & Jamie Loft / Out From The Blue

Sydney, Australia

La característica principal de esta piscina construida en el jardín de una vivienda es su estructura en forma de L, y que está compuesta por dos pequeños carriles. No presenta límites, teniendo en cuenta que la zona de agua está construida a nivel del suelo. Eso significa que el agua no se desborda si no es a través de la plataforma de madera a modo de pasarela que la rodea.

Como principais características desta piscina, implantada no jardim de uma casa, destacam-se a sua forma em «L» e o facto de ser composta por duas pequenas pistas. Não apresenta rebordos, uma vez que a água surge ao nível do solo. Implica isto que a água nunca transborda, sendo permanentemente recuperada através da superfície de madeira que rodeia a piscina.

Water is one more element in the minimalist ensemble of this house, together with the color white, sparse furniture, and the measured use of shades such as earth or rose. The pool is a mirror which reflects the surrounding vegetation.

El agua es un elemento determinante más en el conjunto minimalista de esta casa, igual que el blanco, la ausencia de muebles y el uso mesurado de tonos como los tierra o el rosa. La piscina es un espejo que refleja la vegetación circundante.

In questo contesto minimalista, l'acqua è un elemento determinante al pari del bianco, dell'arredo contenuto e dell'uso misurato di toni come la terra o il rosa. La piscina è uno specchio che riflette la vegetazione circostante.

A água é um elemento determinante neste conjunto minimalista, bem como a utilização do branco, alguma contenção em termos de mobiliário e o recurso a tonalidades que assentam em cores térreas e nos rosas.
A piscina espelha a vegetação.

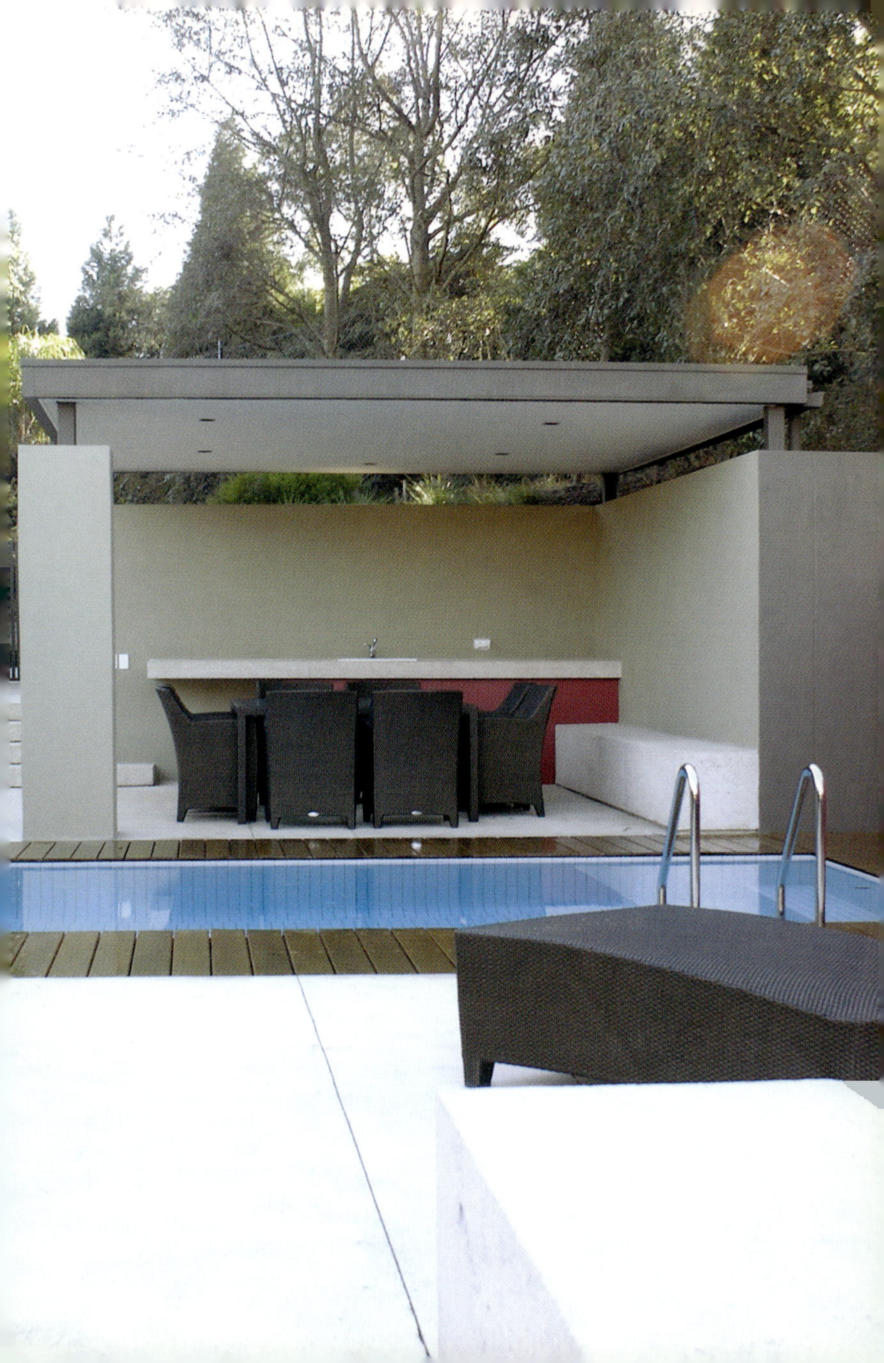

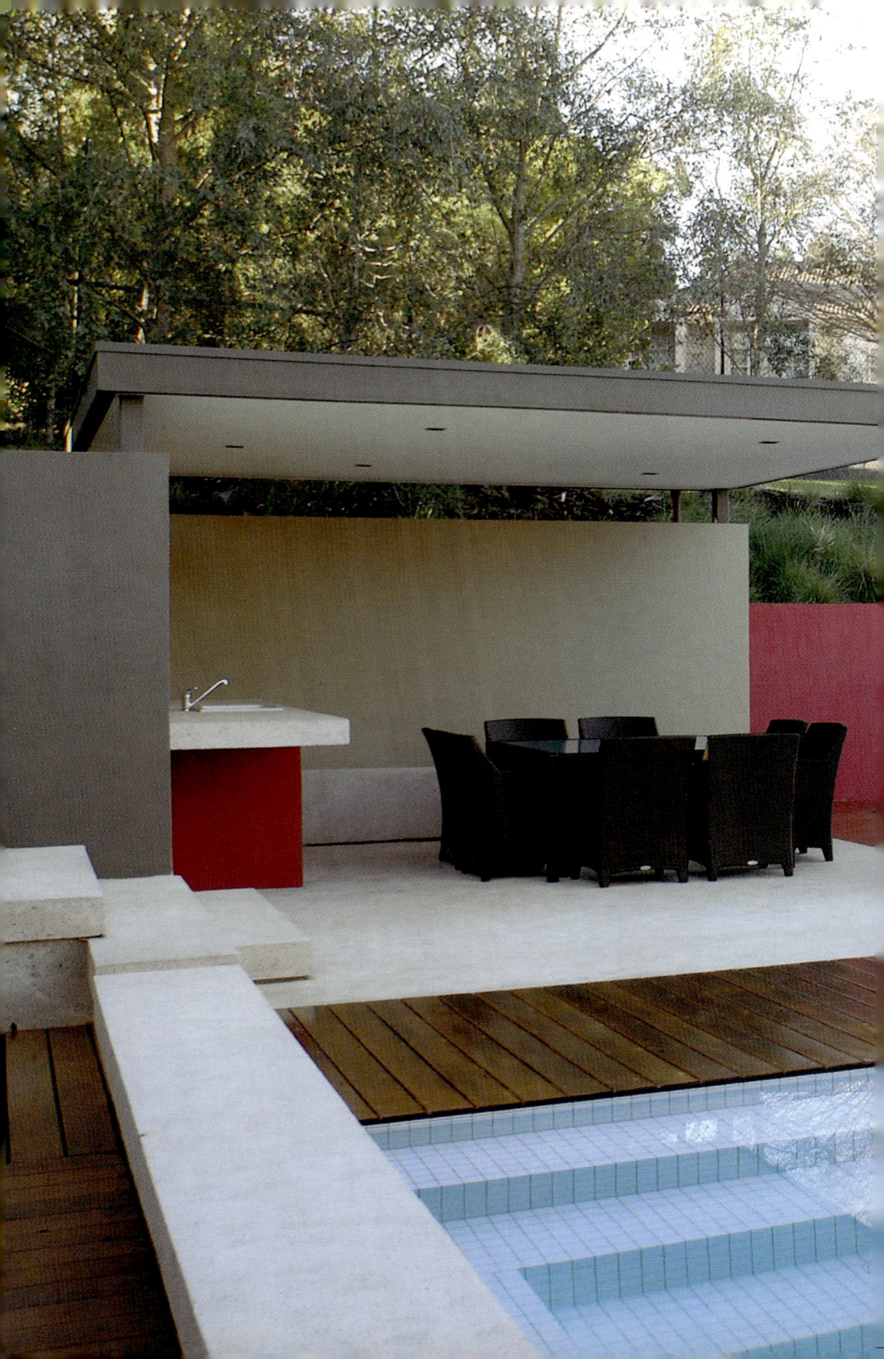

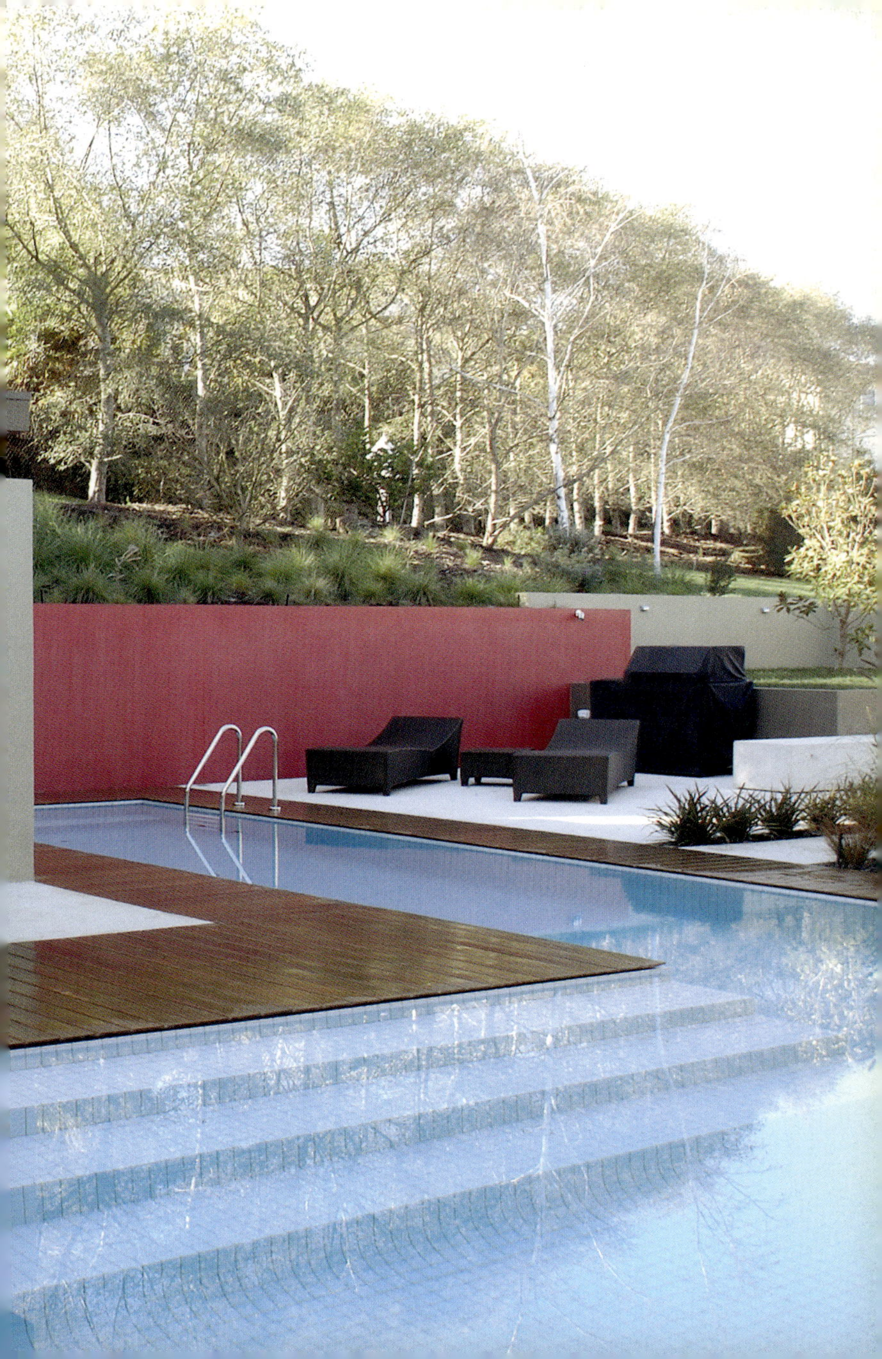

This house, made up of two elements in the shape of a 'U', is located in the middle of privileged natural surroundings between the sea and an area of dense vegetation. The two blocks are connected by an area for socializing which houses the pool, framed by a teak deck in perfect condition, and an area destined for exhibiting works of art.

Questa casa, composta da due elementi a forma di U, si colloca in un ambiente naturale privilegiato, tra il mare e una zona ricca di vegetazione. I due blocchi sono collegati da uno spazio per la socializzazione che ospita la piscina, incorniciata da una superficie in tek mantenuta in perfette condizioni e da un'area dedicata all'esposizione di opere d'arte.

CASA PIERINO
Alberto Burckhardt

Barú, Colombia

Esta casa, compuesta por dos elementos en forma de U, está situada en medio de un entorno natural privilegiado, entre el mar y un espacio de densa vegetación. Los dos bloques están conectados por un espacio social que alberga la piscina, enmarcada por una superficie de teca en perfecto estado de mantenimiento y una zona destinada a la exposición de obras de arte.

Esta casa, constituída por dois elementos em forma de «U», ostenta uma localização privilegiada, bem no centro da natureza, instalada entre o mar e a vegetação luxuriante. Os dois volumes ligam-se por meio de uma zona social que abriga a piscina, estando esta emoldurada por uma superfície em madeira de teca, de cuidada manutenção, bem como por uma área destinada à exposição de obras de arte.

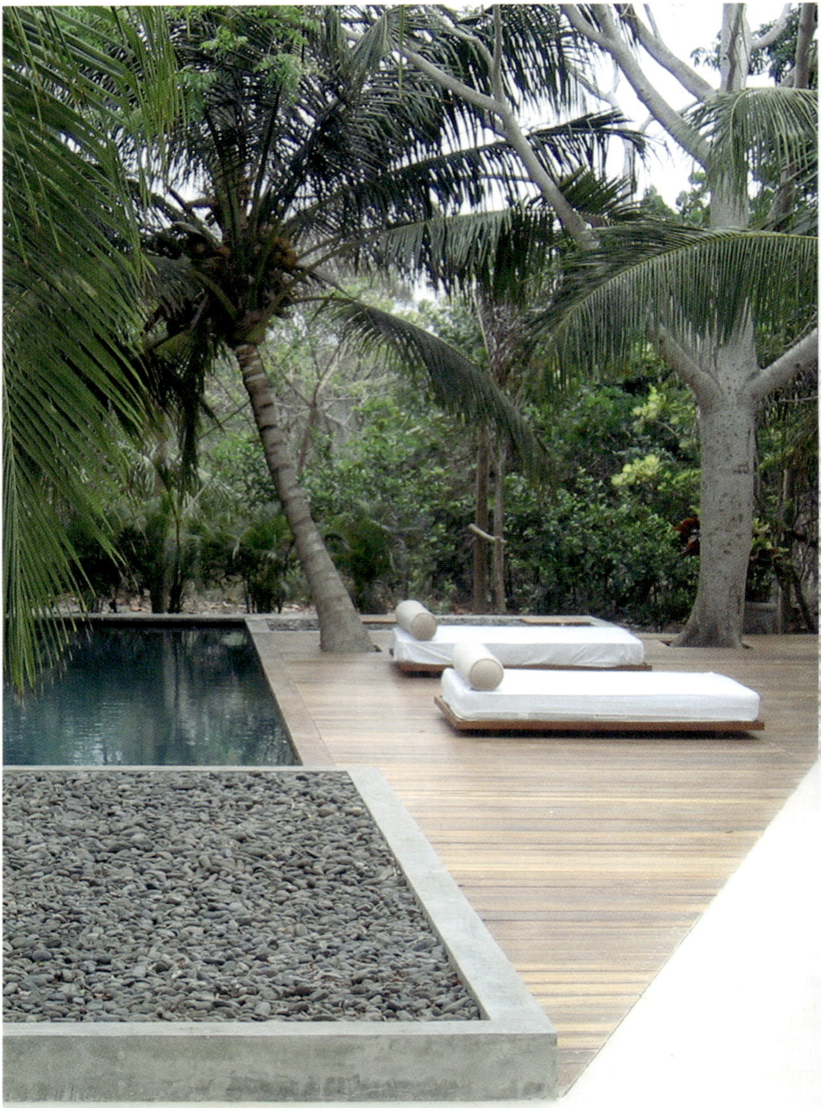

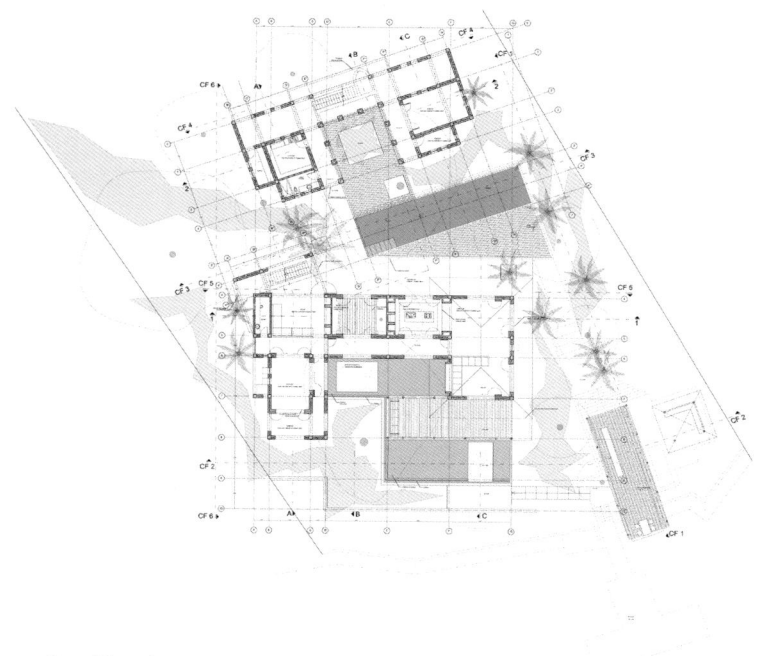

Ground floor plan

An area for relaxing has been set up on one side of the pool, with two large wooden sun loungers.

Su un lato della piscina trova spazio una zona relax con due grandi lettini da sole in legno.

En uno de los laterales de la piscina se ha habilitado una zona de relax con dos grandes tumbonas de madera.

Foi instalada uma área de relaxamento de um dos lados da piscina, com duas grandes espreguiçadeiras em madeira.

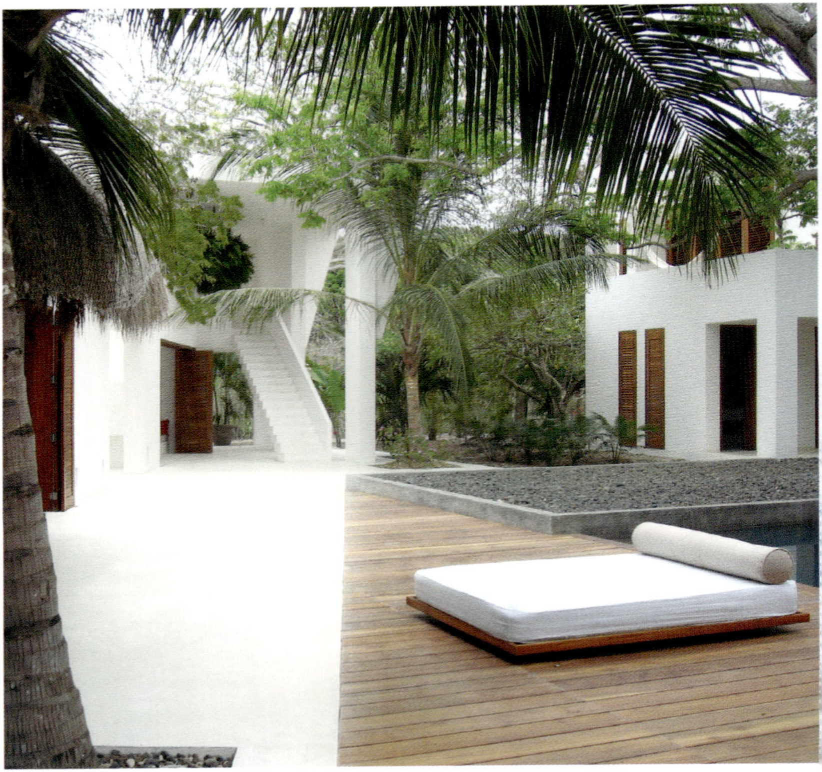

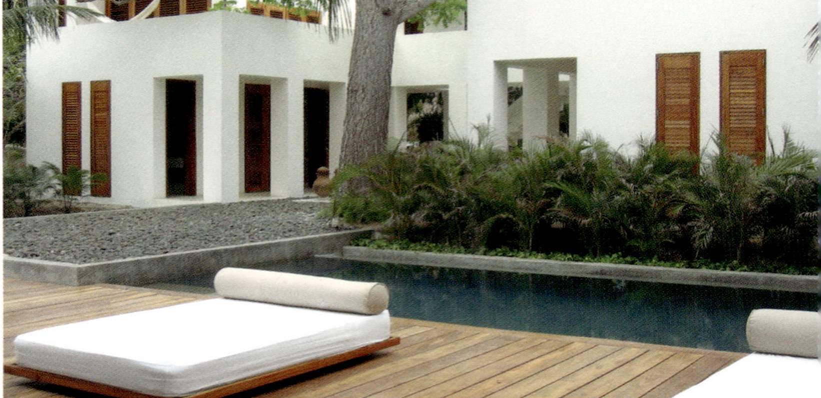

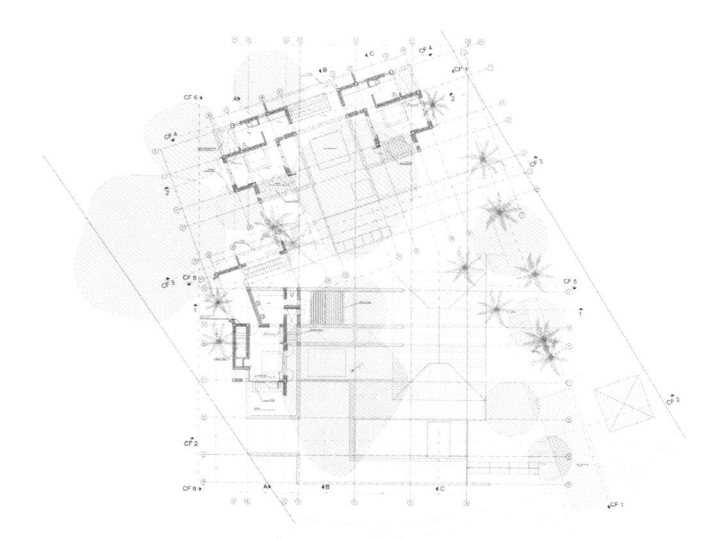

Upper level plan

The white of the walls contrasts with the natural shades of the surrounding vegetation and the teak around the pool.

Il bianco delle pareti contrasta con i toni naturali della vegetazione circostante e il tek che incornicia la piscina.

El blanco de las paredes contrasta con los tonos naturales del entorno vegetal y la teca que rodea la piscina.

O branco das paredes contrasta com os tons naturais da vegetação em volta e com a madeira de teca que circunda a piscina.

Designing any kind of structure on a slope involves creating a series of levels and platforms, and the superimposition and creation of different spaces on these is valued. In this case, the design allowed for the construction of an overflow for the swimming pool which means that the owners and swimmers are able to enjoy a unique panoramic view.

Progettare qualunque tipo di struttura su un pendio implica la creazione di una serie di livelli e di piattaforme, valutando la sovrapposizione e la creazione di spazi diversi. In questo caso, la struttura ha permesso la costruzione di un debordamento per la piscina, che consente a proprietari e bagnanti di godere la vista di un panorama unico.

HOUSE BY THE SEA

Estudio Muher

Murcia, Spain

Diseñar cualquier tipo de estructura sobre un acantilado implica crear una serie de niveles y plataformas en los que se estima la superposición y creación de diferentes espacios. En este caso, esta disposición permite la construcción de un desbordamiento en la piscina que permite a los propietarios y bañistas disfrutar de un paisaje circundante único.

Instalar qualquer tipo de estrutura num declive implica a criação de uma série de níveis e socalcos, pelo que, nestes casos, a sobreposição e o desenvolvimento de diferentes espaços é valorizada. Aqui, a estrutura permitiu que a piscina apresentasse um efeito de transbordo, o que dá aos proprietários e banhistas a oportunidade de usufruir de uma vista única.

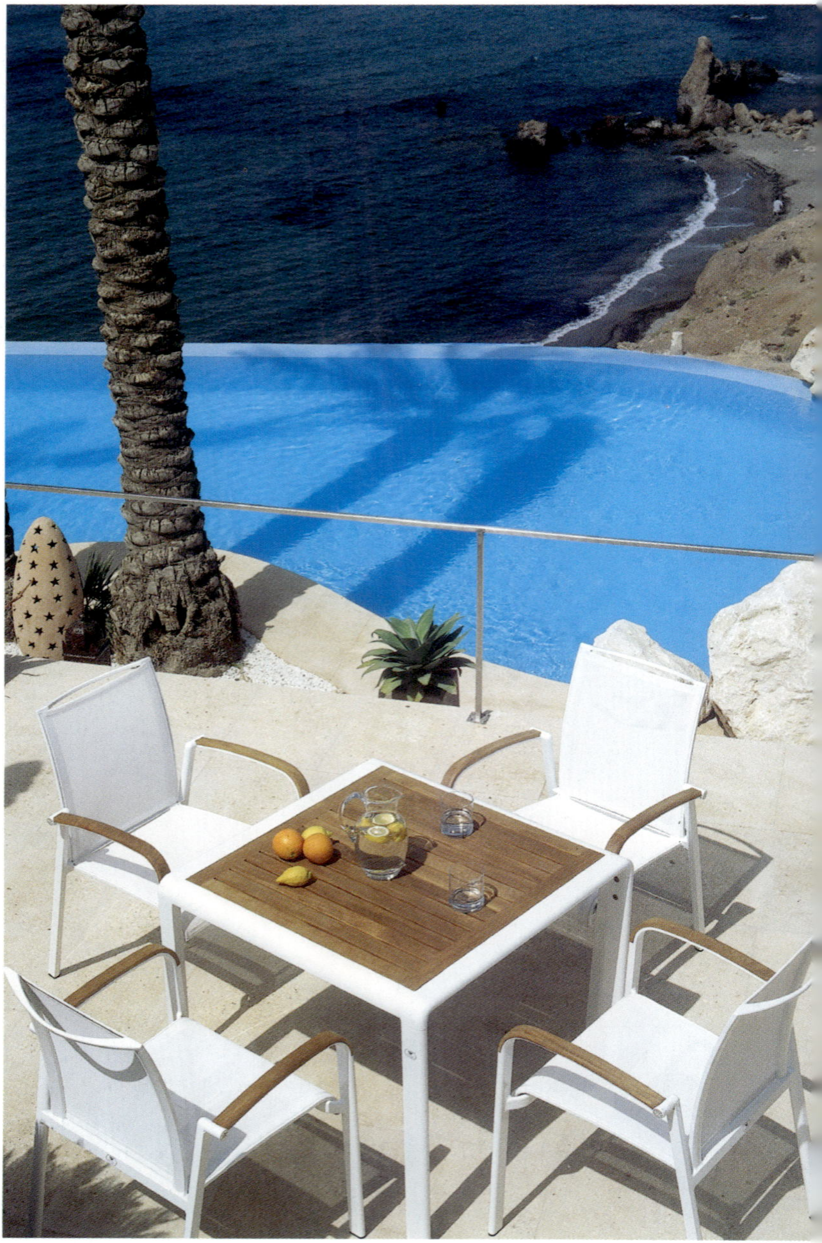

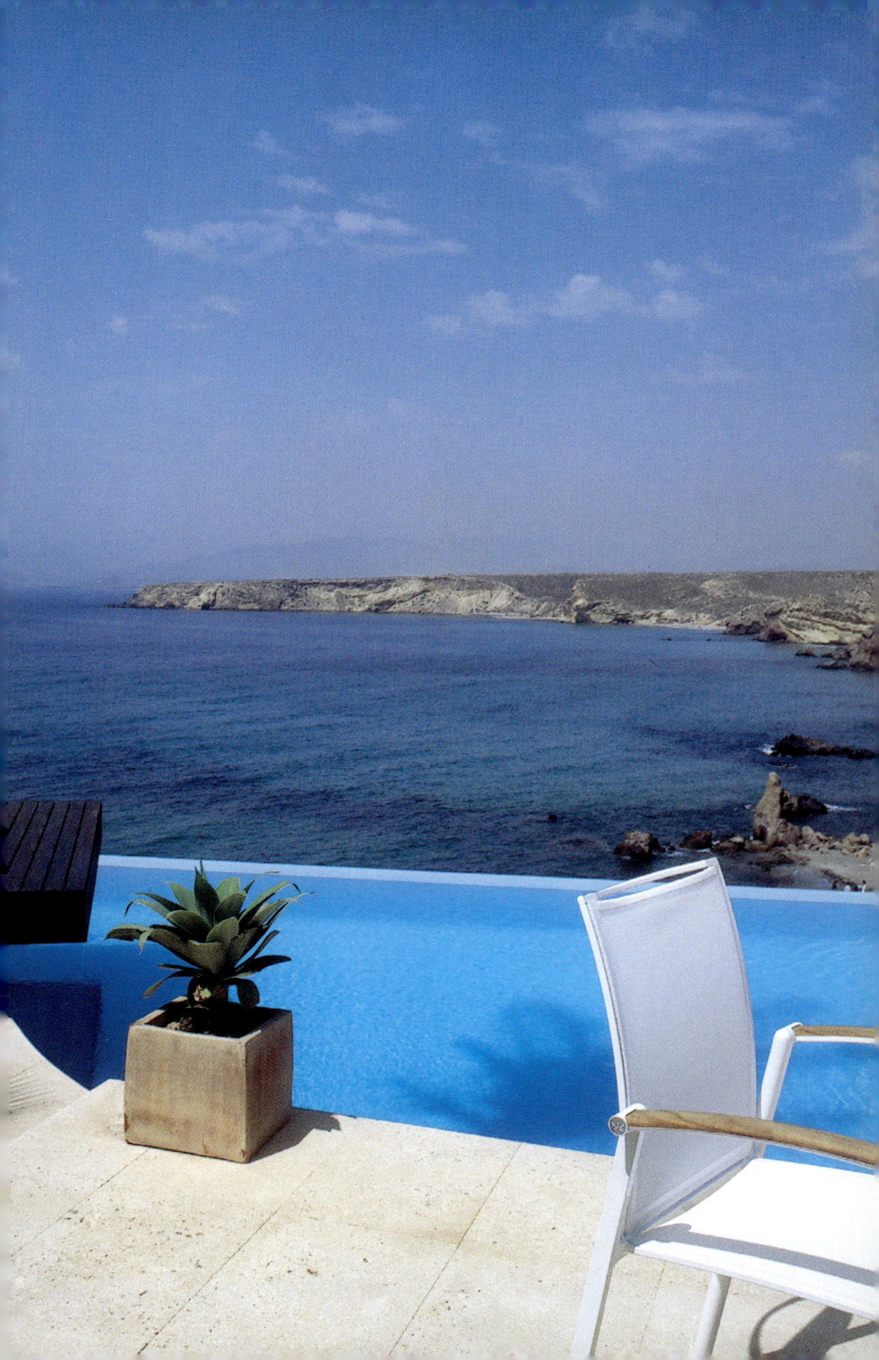

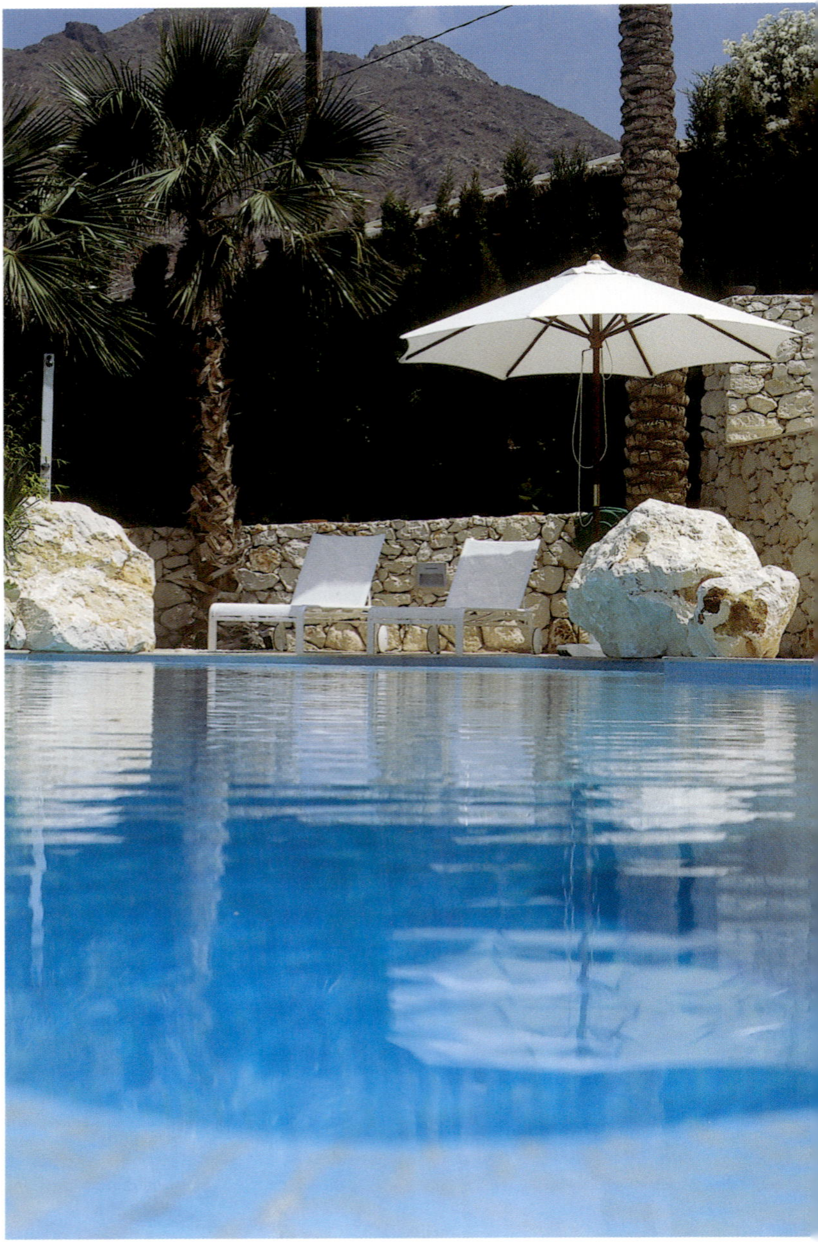

Site plan

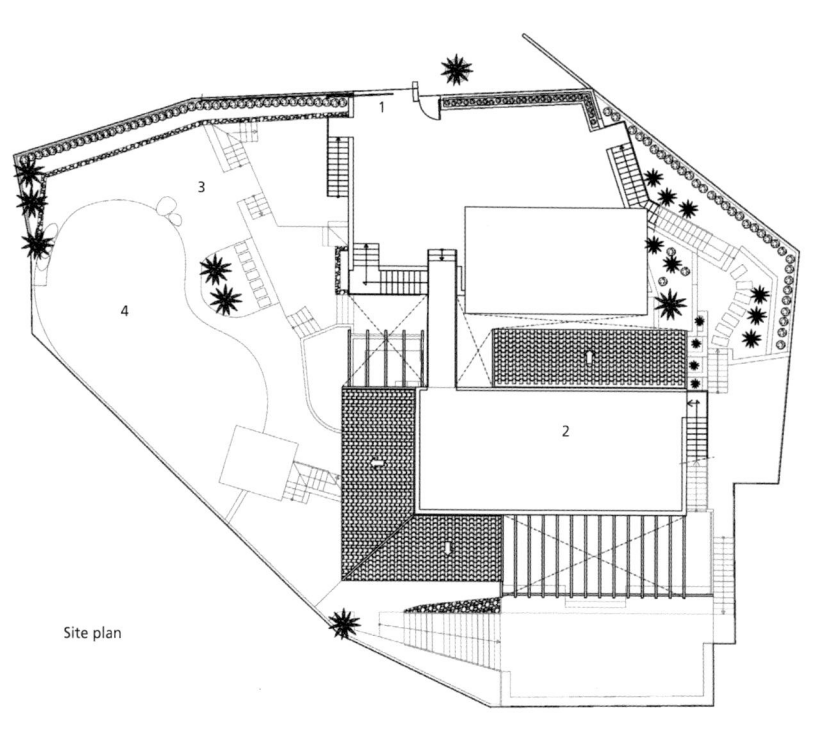

1. Street entrance
2. House
3. Garden
4. Pool

The blue of the water contrasts with the clarity of the natural stone, making constant decoration in the whole garden: walls and ornamental elements of stone make a pleasing sight to greet visitors.

El azul del agua contrasta con la claridad de la piedra natural que marca una constante decorativa en todo el jardín: paredes y elementos ornamentales de material pétreo están presentes a los ojos del visitante.

L'azzurro dell'acqua contrasta con il chiarore della pietra naturale, andando a costituire una costante decorativa dell'intero giardino: pareti ed elementi ornamentali in pietra colpiscono piacevolmente il visitatore.

O azul da água contrasta com a claridade da pedra natural, que foi abundantemente utilizada na decoração do jardim: paredes e elementos ornamentais em pedra constituem um agradável cartão de visita.

This rectangular pool has lateral access with a natural, polished finish in gold colored stone. The inside walls of the pool have been covered in a turquoise stone. Surrounded by lush vegetation, the pool has no superfluous ornamental details, which permits appreciation not only of the beautiful surroundings but also of the construction of the pool itself.

Questa piscina rettangolare ha un accesso laterale in pietra naturale levigata color oro. Le pareti interne della piscina sono state rivestite in pietra di colore turchese. La piscina, circondata da una vegetazione lussureggiante, rinuncia ai dettagli ornamentali superflui, permettendo così di apprezzare la bellezza dell'ambiente, oltre che la propria.

THE DREAMS

Joan Roca Vallejo

Nosara, Costa Rica

Piscina diseñada en forma rectangular con acceso lateral de acabado natural, pulido, en piedra de color de oro. El interior de las paredes de la piscina ha sido revestido con piedra color turquesa. Rodeada de una vegetación exuberante, la piscina está exenta de detalles ornamentales superfluos, lo que permite admirar tanto la belleza del entorno como la de la propia construcción.

O acesso desta piscina rectangular foi instalado lateralmente, com recurso a pedra polida natural de tom dourado. As paredes interiores da piscina foram revestidas a pedra azul-turquesa. Rodeada por vegetação luxuriante, a piscina não apresenta qualquer excesso de detalhes ornamentais, o que melhor permite apreciar o magnífico cenário circundante e a própria piscina.

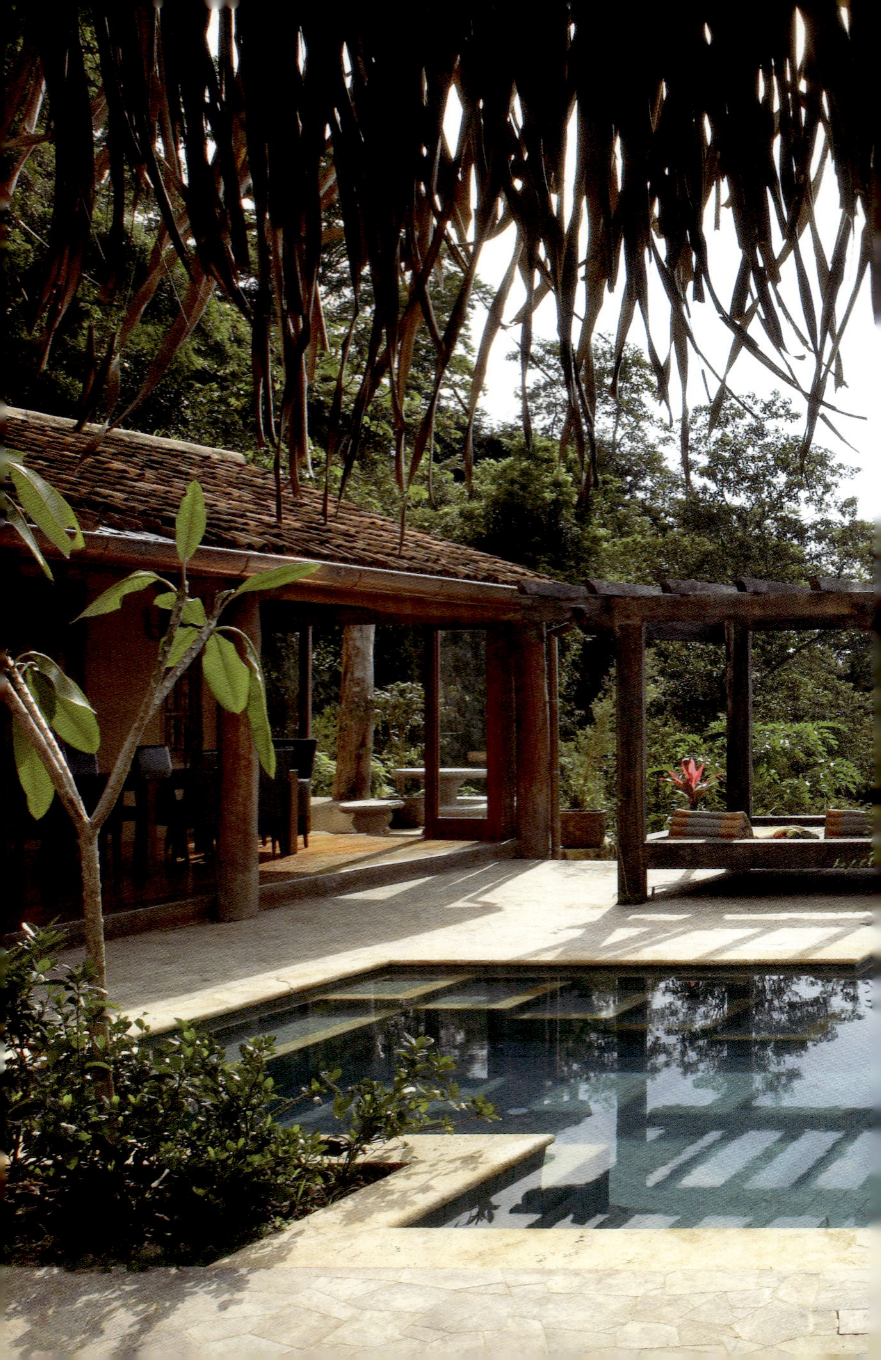

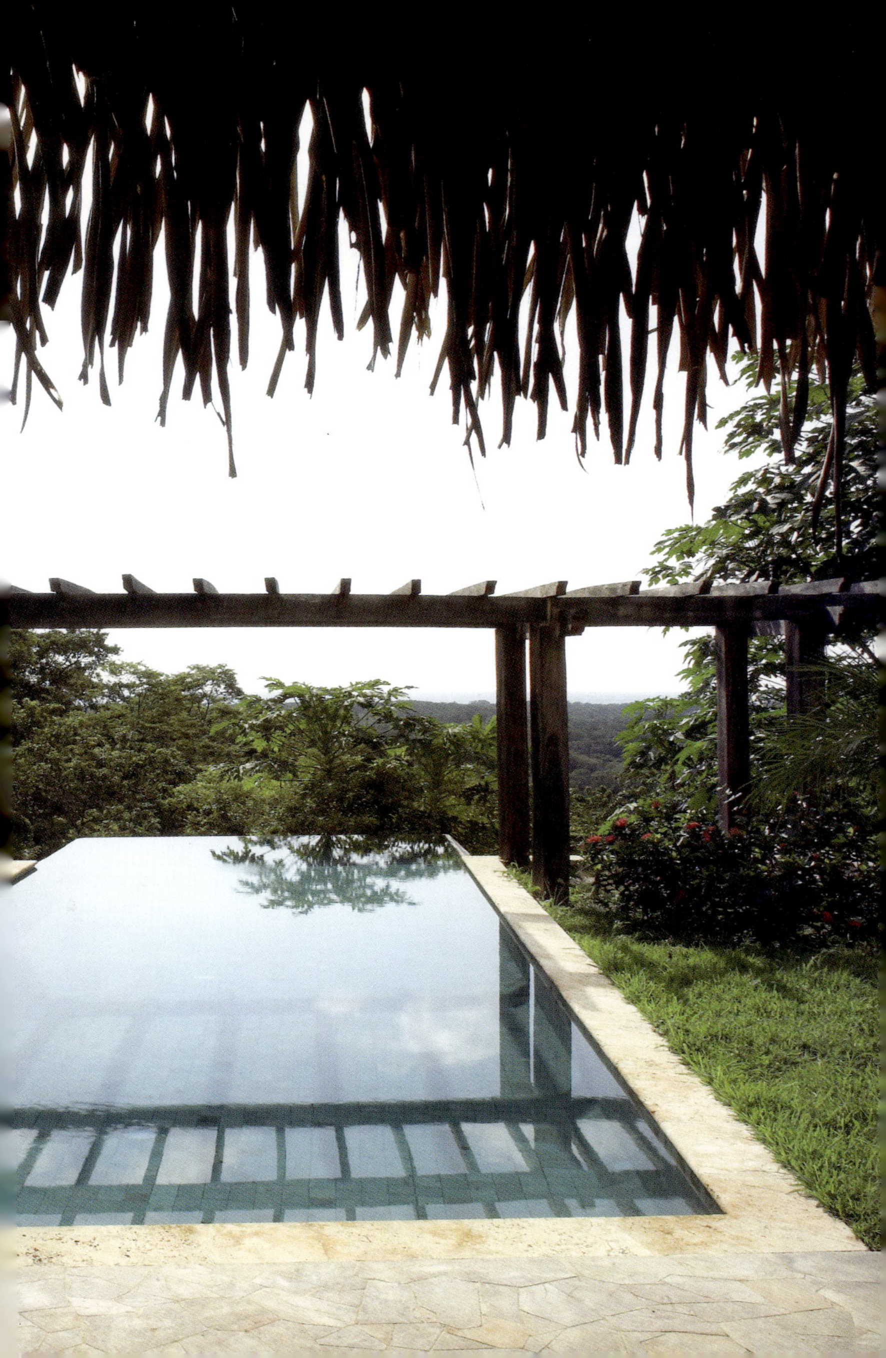

Located in a tropical garden, this area is partially covered by a structure of wooden beams. On one side of the terrace a kind of arbor has been built, which includes a recreational area that invites one to rest.

Situado en un jardín tropical, este grupo está parcialmente cubierto por una estructura de vigas de madera. A un lado de la terraza se alza una especie de cenador, que incluye un área recreativa que invita al descanso.

All'interno di un giardino tropicale, l'area è parzialmente coperta da una struttura composta da travi in legno. A lato della terrazza si erge una sorta di rifugio con uno spazio ricreativo che invita al riposo.

Situada num jardim tropical, esta área foi parcialmente coberta por uma estrutura de pilares e traves em madeira. De um dos lados do terraço foi instalada uma pérgula, onde se inclui uma área recreativa que convida ao descanso.

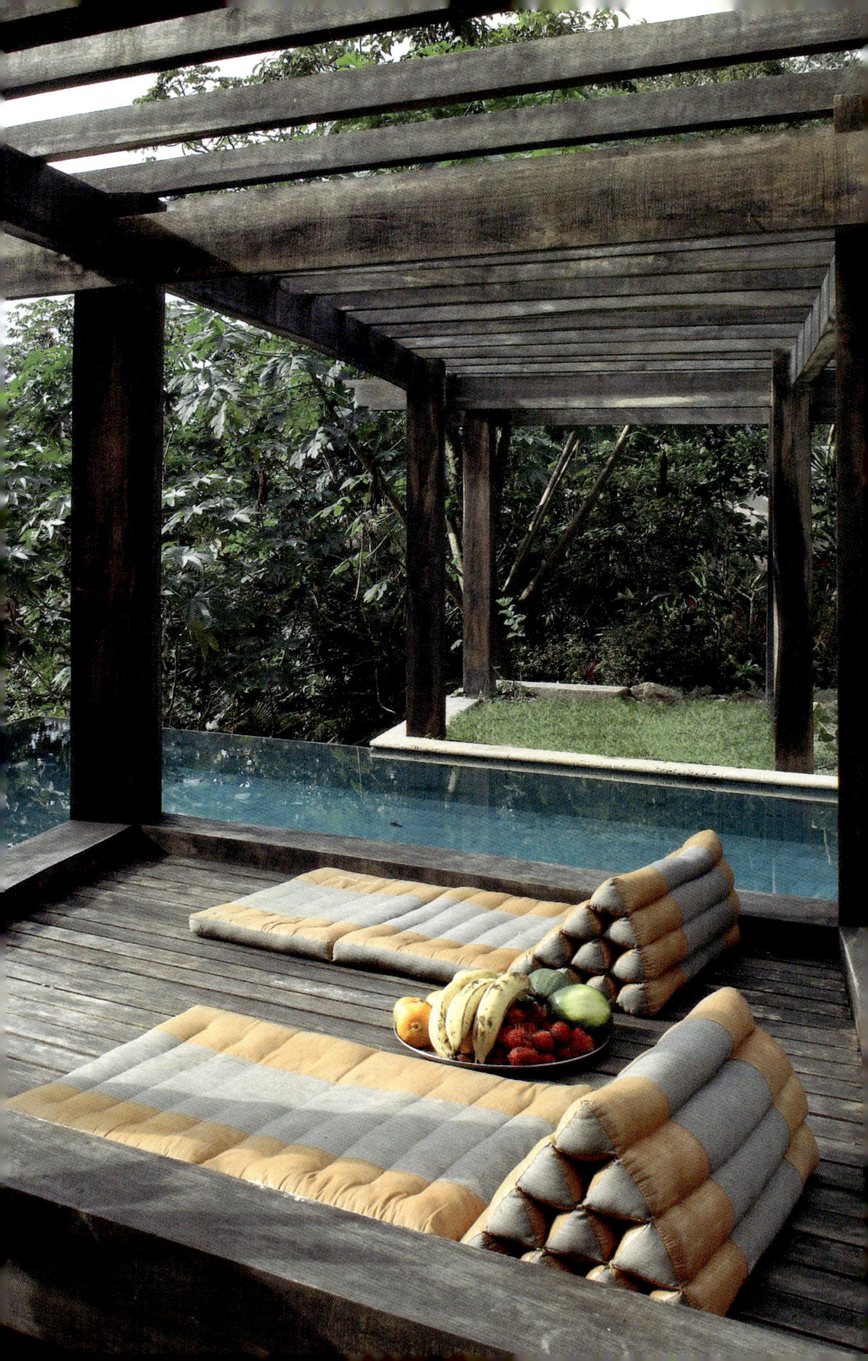

Built in an environment with a distinctly rustic style, this swimming pool was constructed according to the principals of medieval architecture which characterize the property on which it is situated.
The pool is on a lower level, which allows bathers to enjoy not only the original construction, but also panoramic views of the adjacent valley.

Costruita in un ambiente dallo stile marcatamente rustico, questa piscina è concepita secondo i principi dell'architettura medievale che caratterizza la proprietà sulla quale si trova. La vasca è situata a un livello inferiore che permette ai bagnanti di godere, oltre che della sua linea originale, anche degli splendidi panorami sulla valle adiacente.

MEDIEVAL HOUSE IN PANZANO
Marco Pozzoli

Florence, Italia

Construida en un entorno de marcado estilo rústico, esta piscina está concebida según los principios de la arquitectura medieval que caracteriza la propiedad en la que se encuentra. La piscina se encuentra en un nivel inferior, lo que permite a los bañistas disfrutar no sólo de una construcción original sino de vistas panorámicas sobre el valle adyacente.

Edificada num cenário de estilo distintamente rústico, esta piscina foi planeada de acordo com os princípios arquitectónicos medievais que caracterizam a propriedade onde se insere. Porque a piscina se situa num nível mais baixo que o da casa, podem os banhistas apreciar não só a construção original, como também a vista panorâmica de todo o vale que a acolhe.

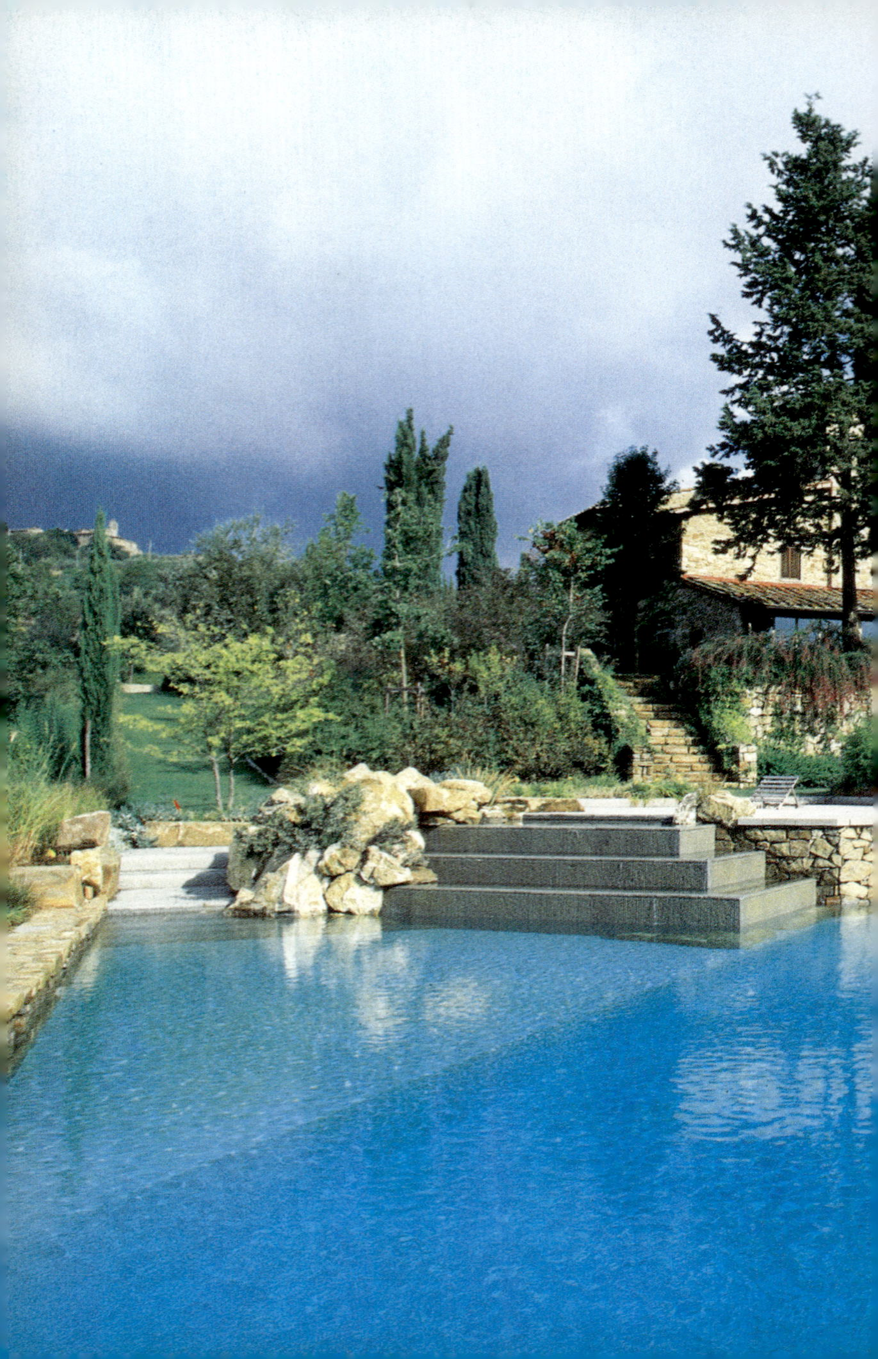

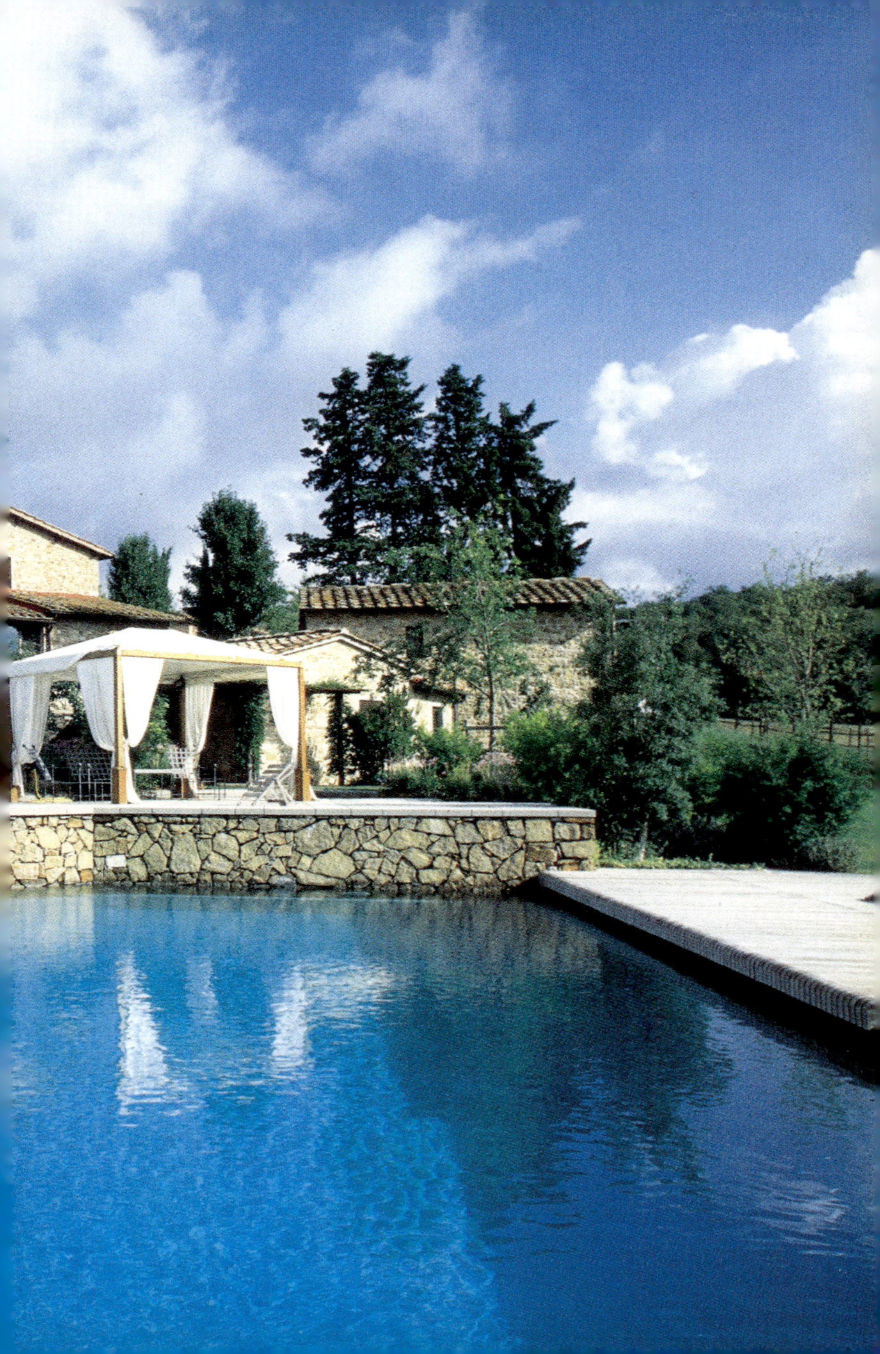

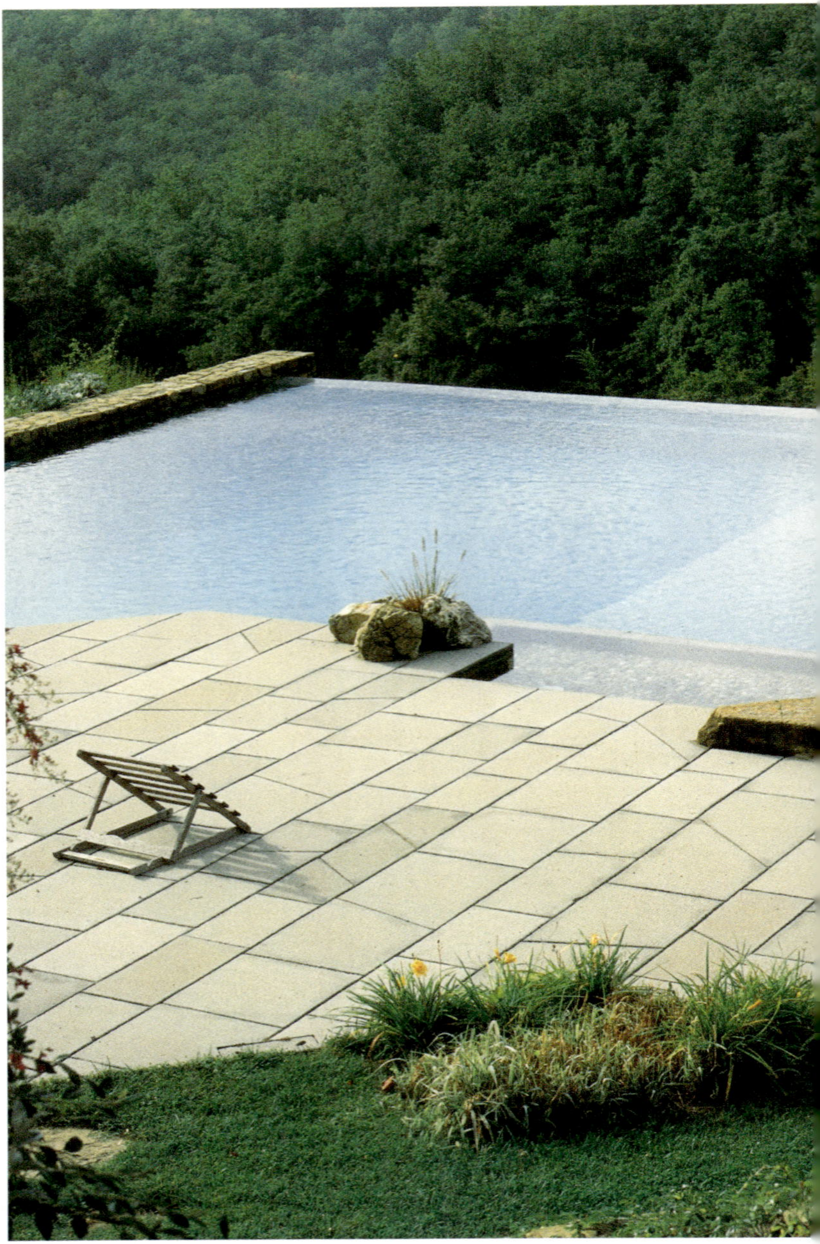

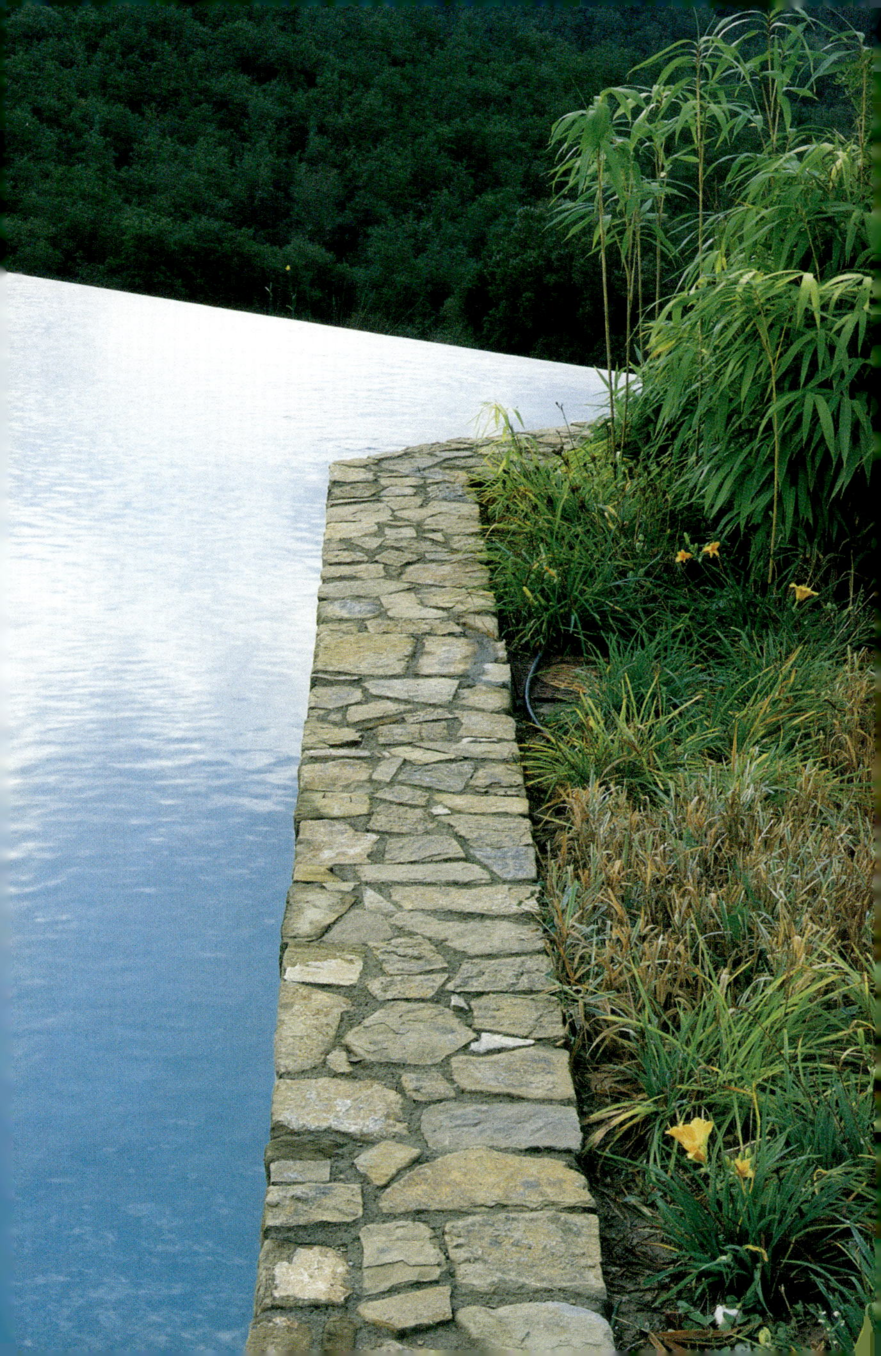

The walls of the pool are covered in large pieces of natural stone in an irregular pattern, which are in keeping with the rural setting. The absence of edges makes an elegant structure.

Le pareti della piscina sono rivestite con grandi pietre naturali tagliate e disposte irregolarmente in armonia con l'ambiente rurale. L'assenza di bordi rende la struttura elegante.

Las paredes de la piscina están cubiertas con grandes piezas de piedra natural, dispuestas de forma irregular, que armonizan con el entorno rural. Construcción elegante gracias a la ausencia de bordes.

As paredes da piscina foram revestidas com grandes blocos de pedra natural, num padrão irregular, assim se estabelecendo a ligação ao ambiente rural. A ausência de ângulos acentua a elegância desta estrutura.

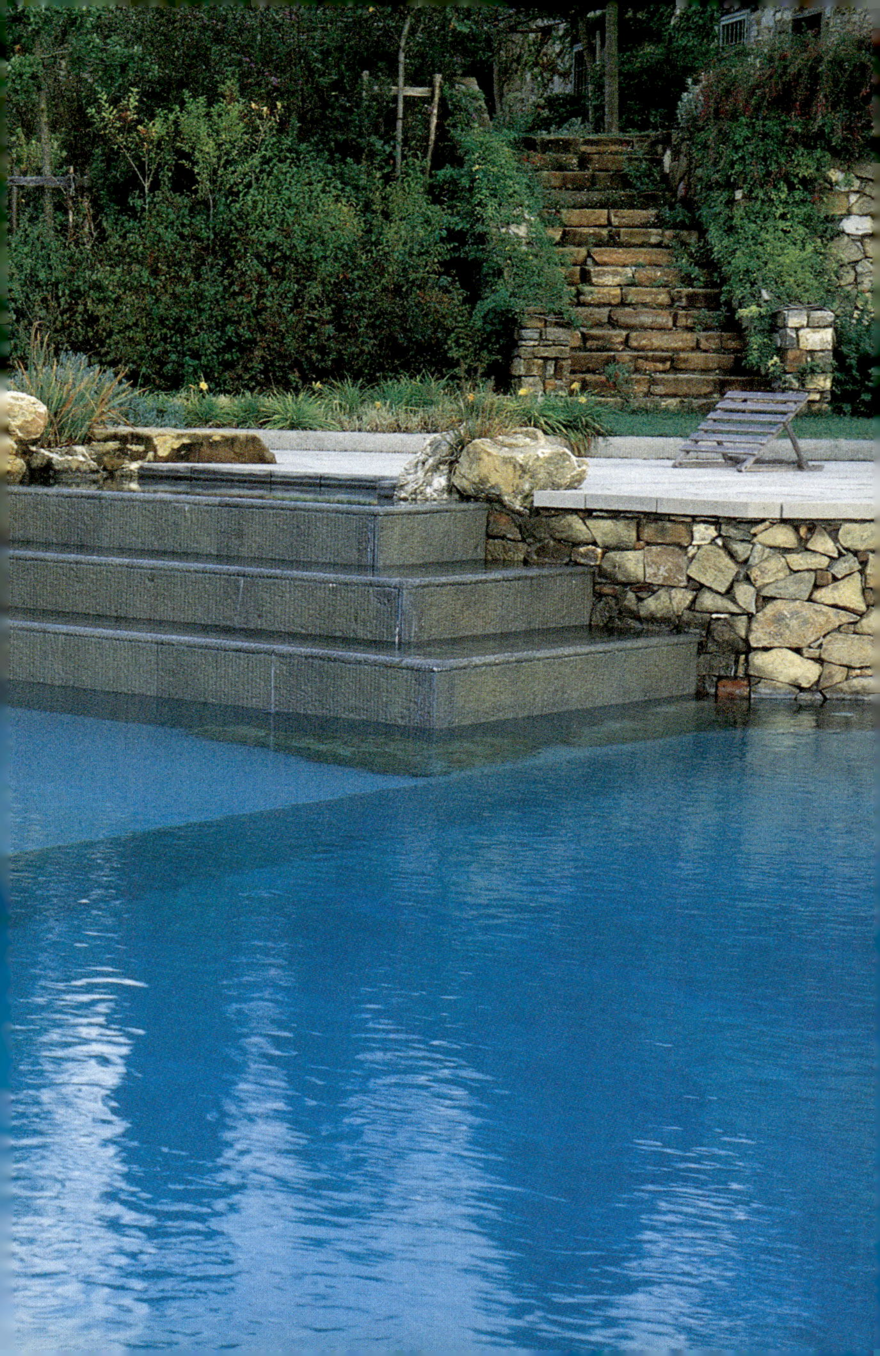

A rectangular swimming pool with thermal water, built principally with unpolished, pearl white colored travertine marble. The pool is located outside a Mediterranean style house, and particularly eye catching is the small arbor that has been constructed at one end, making an intimate little corner in the garden.

Piscina di forma rettangolare con acqua termale, costruita essenzialmente in travertino bianco perla non lucidato. Si trova all'esterno di una residenza in stile mediterraneo in cui risalta in maniera particolare la presenza di un piccolo rifugio, realizzato su un lato della vasca, che crea un luogo intimo in un angolo di giardino.

PALOMARES RESIDENCE

Raymond Jungles

Miami, U.S.A.

Piscina de estructura rectangular de aguas termales construida principalmente con mármol travertino de color blanco perla sin pulir. Está situada en el exterior de una residencia de estilo mediterráneo. Destaca la presencia de una especie de glorieta mini refugio que se ha creado en un extremo y que dibuja un rincón con un toque intimista en una parte concreta del jardín.

Estamos perante uma piscina de águas termais, rectangular, construída com recurso privilegiado ao mármore travertino não polido em tons de branco pérola. No exterior de uma casa de estilo mediterrânico, esta piscina apresenta, numa das pontas, um elegante caramanchão, capaz de transformar aquele pequeno canto do jardim numa área de maior intimidade.

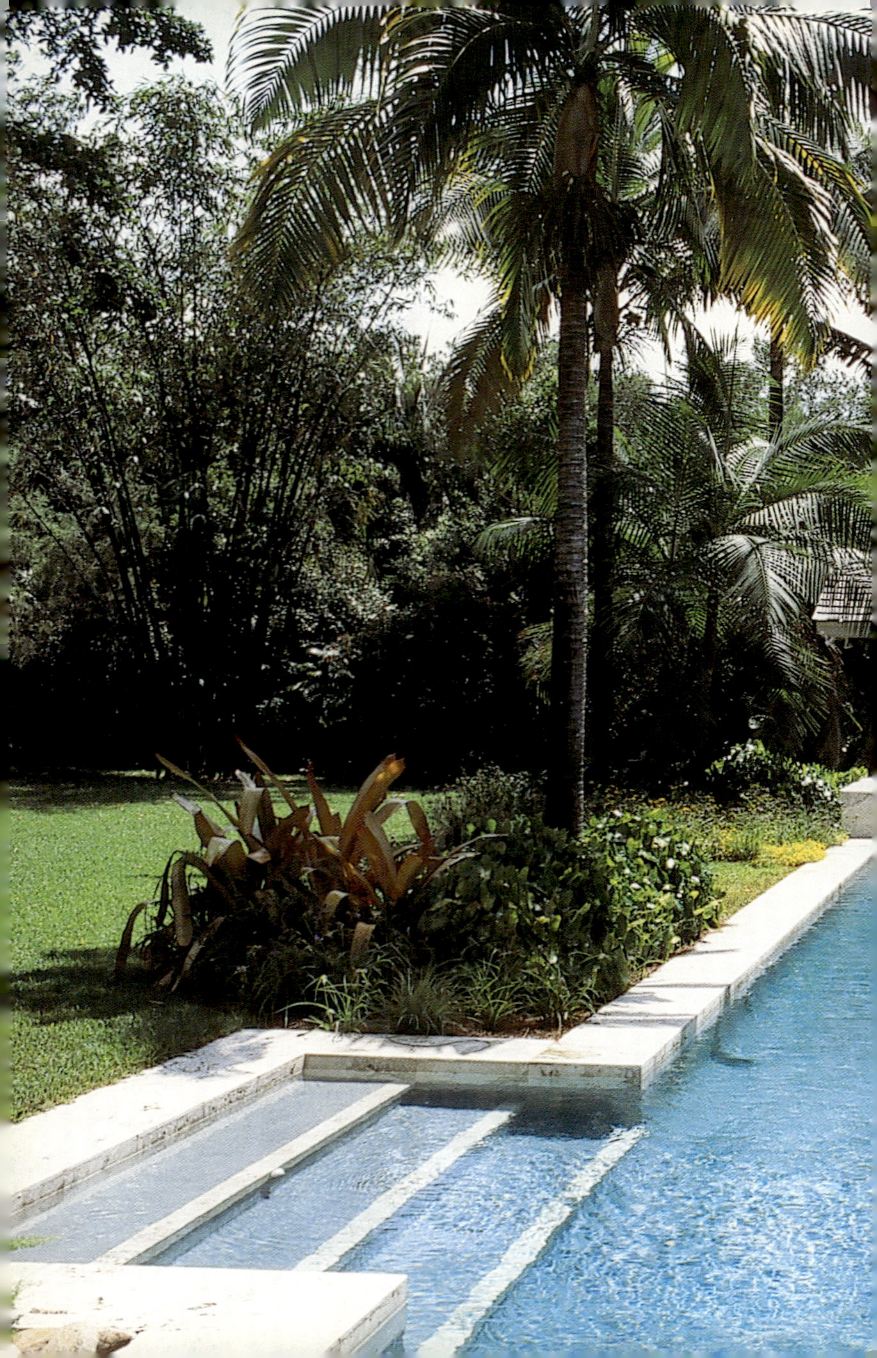

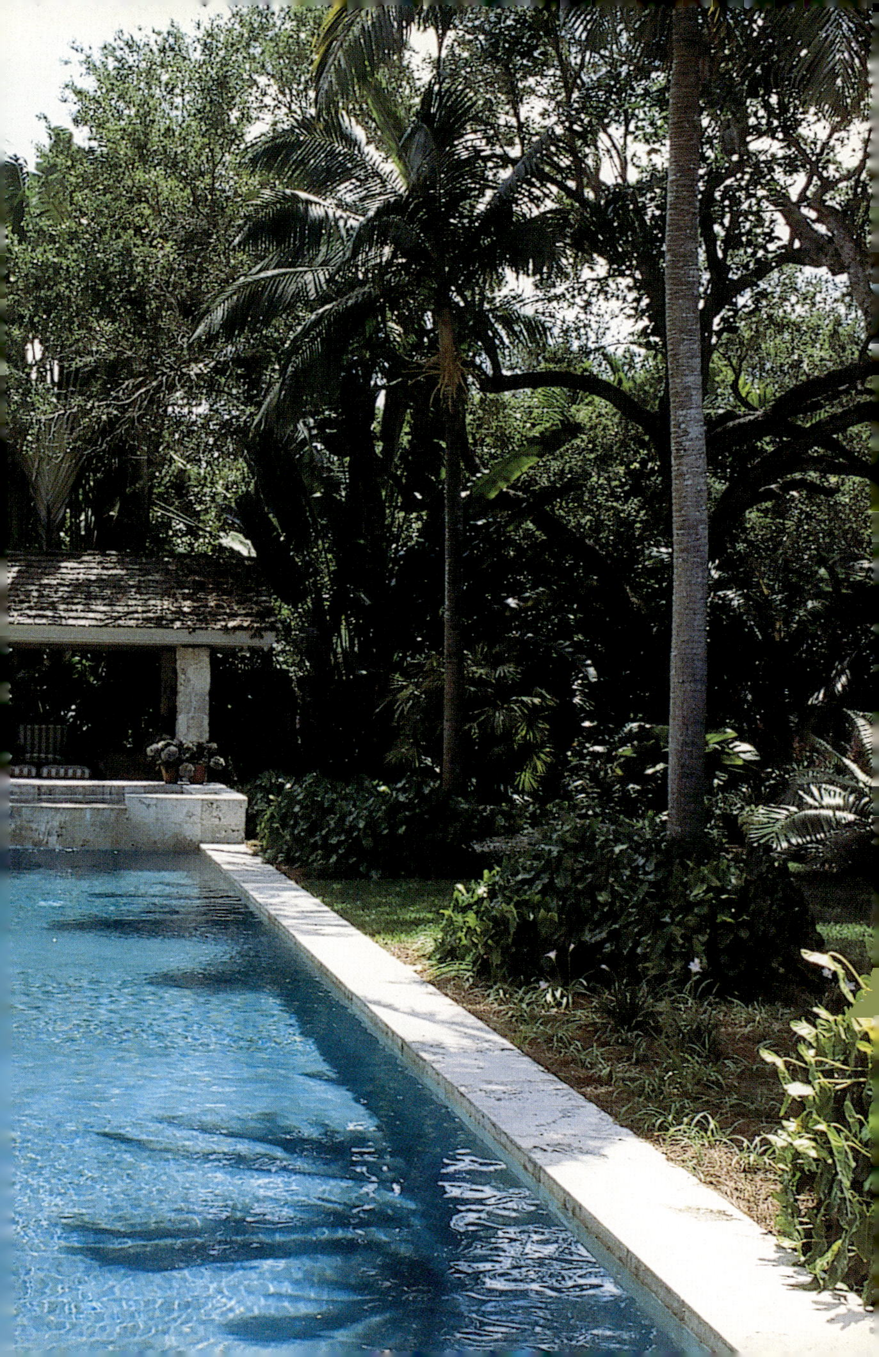

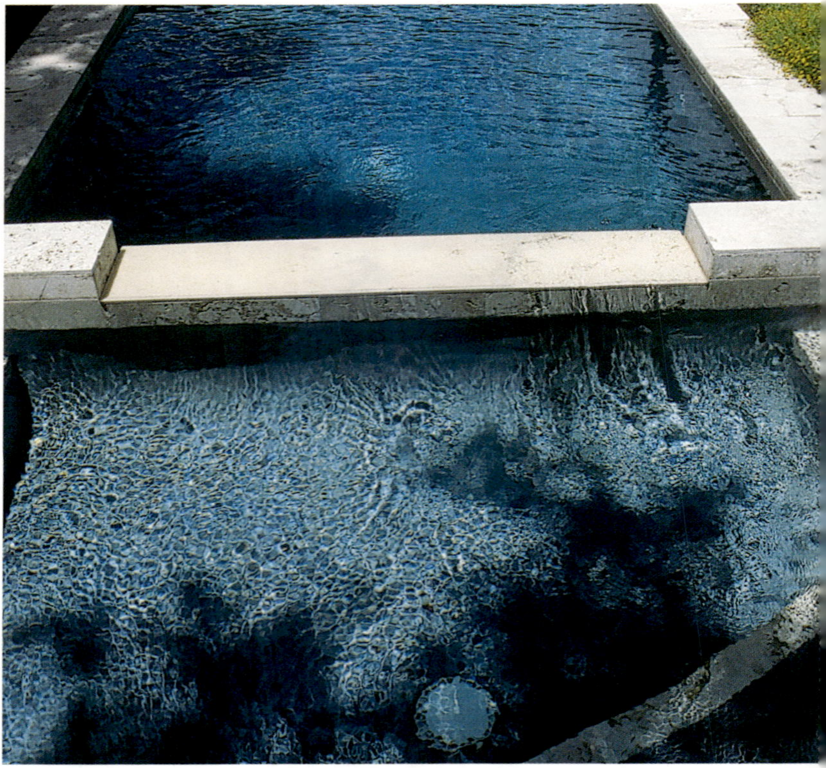

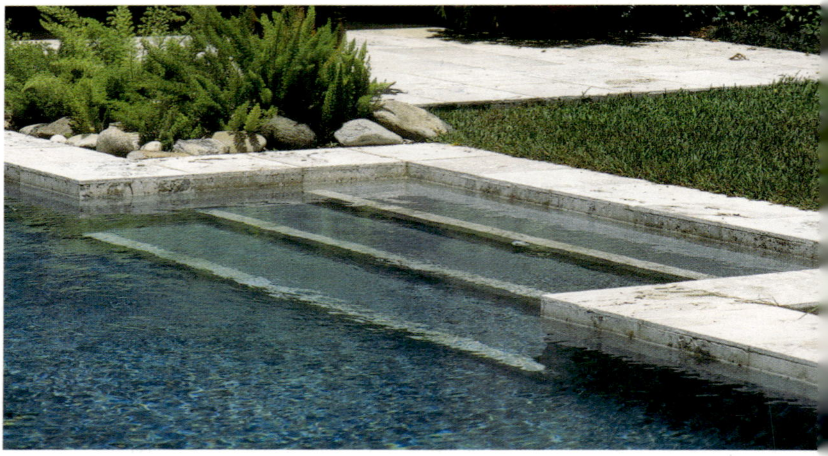

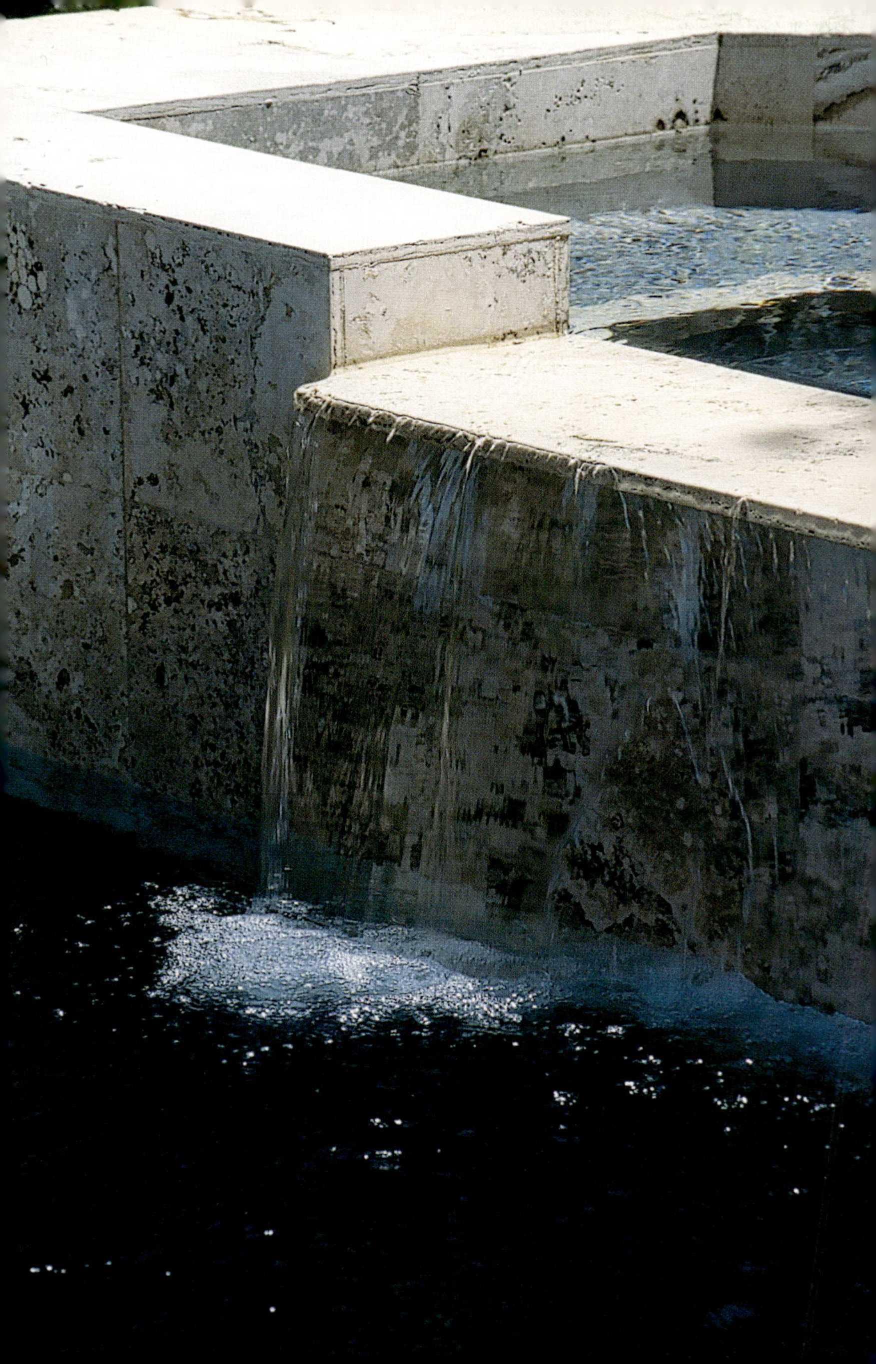

This swimming pool is located in the grounds of a house whose design is minimalist but has a certain rustic air. The house is on a slope and it is inside a construction of perfectly cut stone. An overflow extends along one end of the swimming pool and is designed so that its edges appear to dissolve into their surroundings.

Questa piscina si trova all'esterno di una casa dal design minimalista, seppur con una certa aria rustica. La residenza, situata su un pendio, trova collocazione all'interno di una struttura in pietra dal taglio perfetto Un debordamento lungo uno dei lati della piscina è concepito in modo che i bordi paiano dissolversi nell'ambiente circostante

RESIDENCE IN VALENCIA

Ramon Esteve / Estudio de Arquitectura

Valencia, Spain

Piscina construida en el exterior de una casa de diseño minimalista pero con cierto aire rústico. La vivienda está situada en una pendiente y se alza en el interior de una construcción de piedra de talle perfecto. Un desbordamiento de la piscina se extiende por un extremo y está diseñado de tal modo que sus límites parecen disolverse en el entorno.

Situa-se esta piscina nos jardins de uma casa de aparência minimalista, ainda que reflectindo uma certa rusticidade. O edifício fica numa encosta, erguendo-se numa construção de pedra cuidadosamente talhada. Num dos lados da piscina podemos observar um efeito de transbordo, dissolvendo os limites daquela com o ambiente circundante.

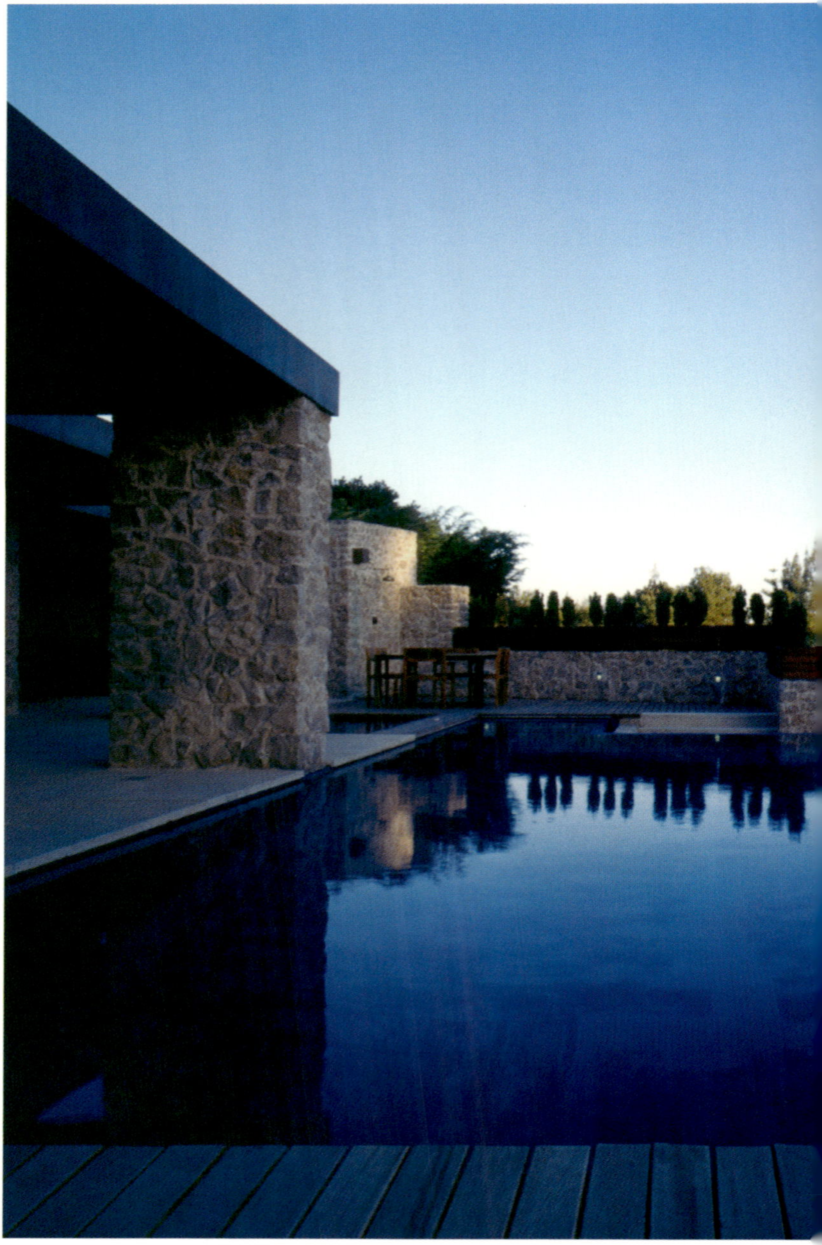

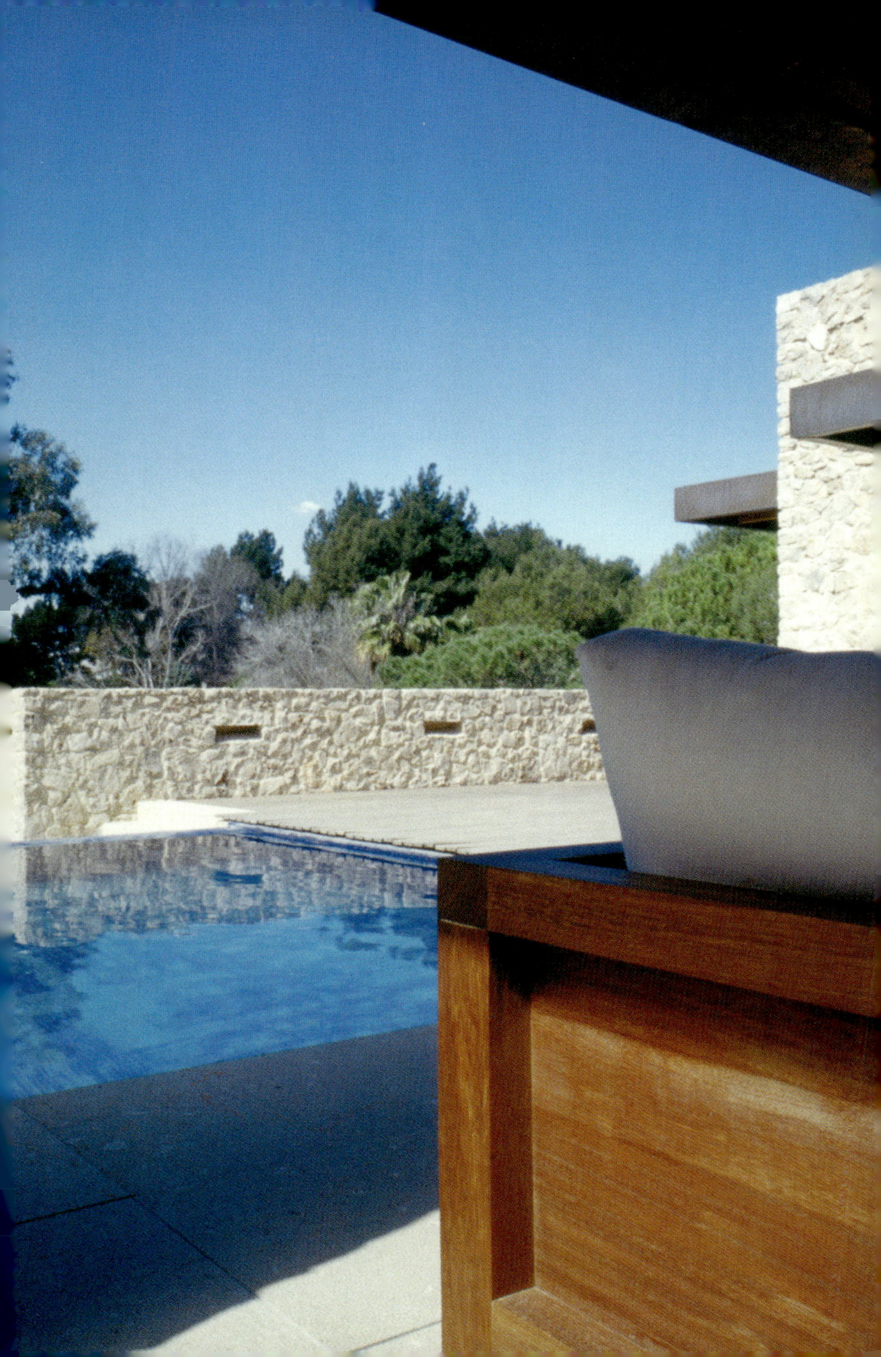

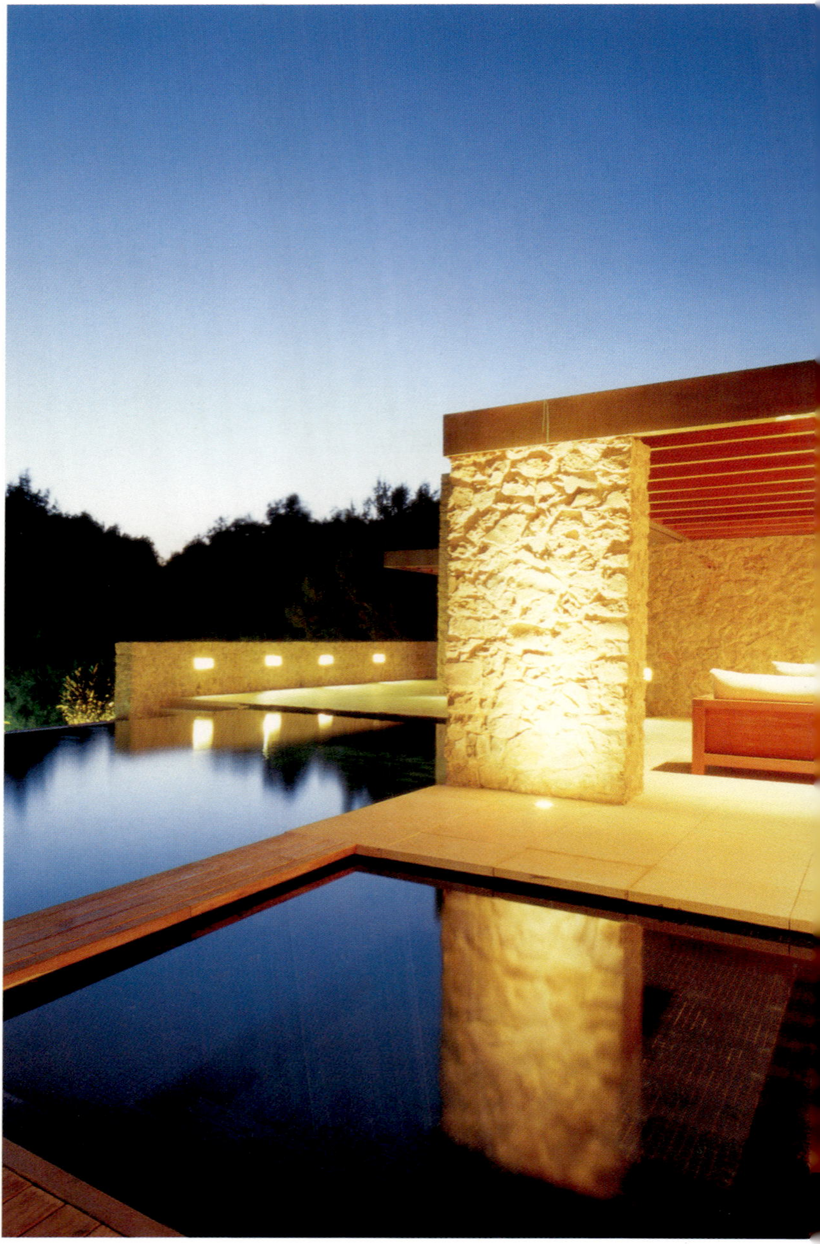

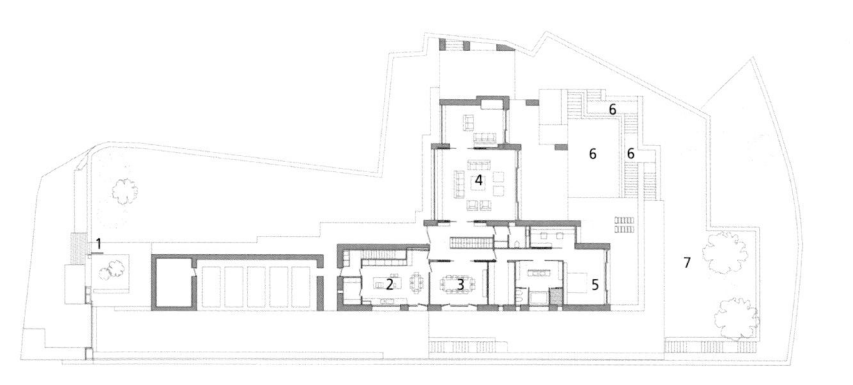

Site plan

1. Street entrance
2. Kitchen
3. Living room
4. Living room
5. Bedroom
6. Pool
7. Garden

This 'L' shaped swimming pool is connected to the terrace by a walkway, on one side of which is an outside Jacuzzi. Once again, stone is the base element in the construction.

La piscina, a forma di L, è collegata alla terrazza da una passerella al cui lato trova posto una vasca per idromassaggio da esterno. Ancora una volta, la pietra è l'elemento base della costruzione.

La piscina en forma de L conecta con la terraza por medio de un paso que en uno de sus extremos se convierte en un jacuzzi de exterior. Una vez más, la piedra es el elemento base de la construcción.

Esta piscina em forma de «L» comunica com o terraço por meio de uma passagem, junto à qual surge um jacuzzi exterior. Também aqui a pedra se assume como elemento base da construção.

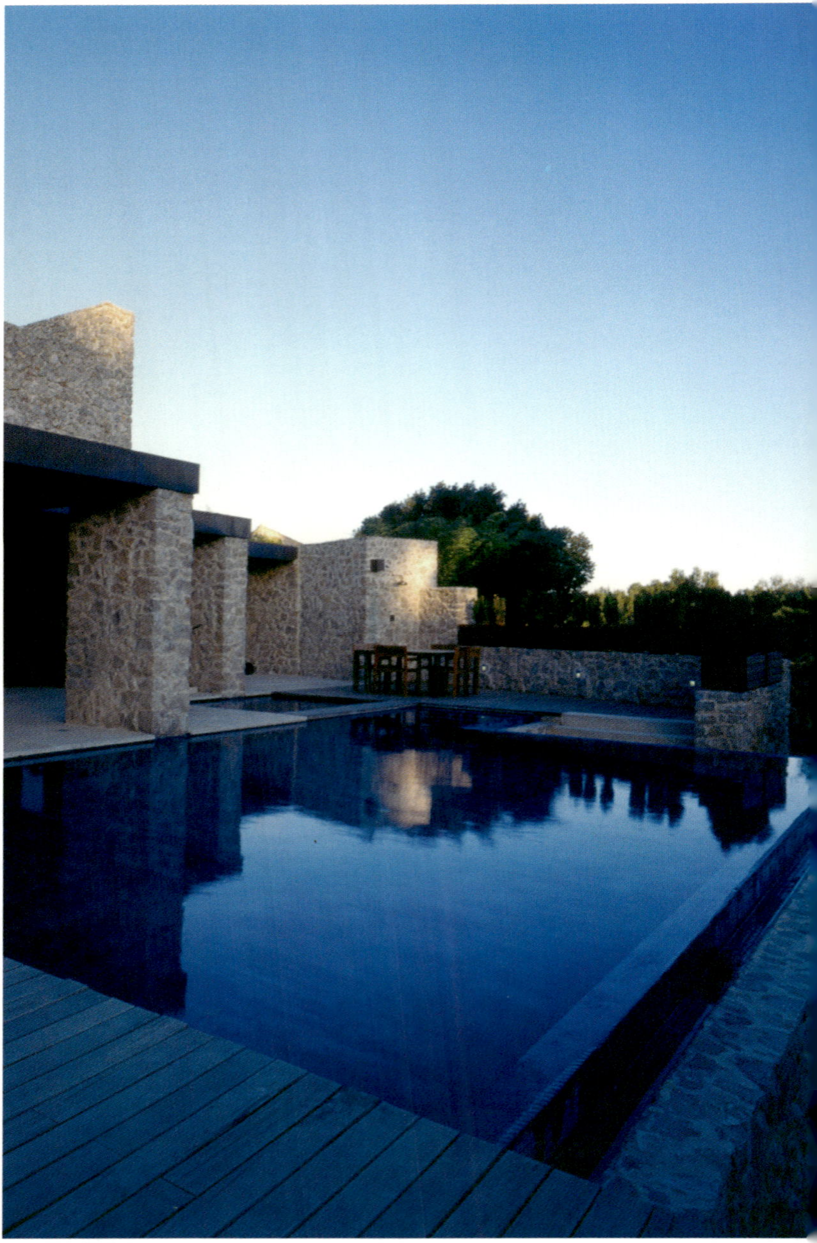

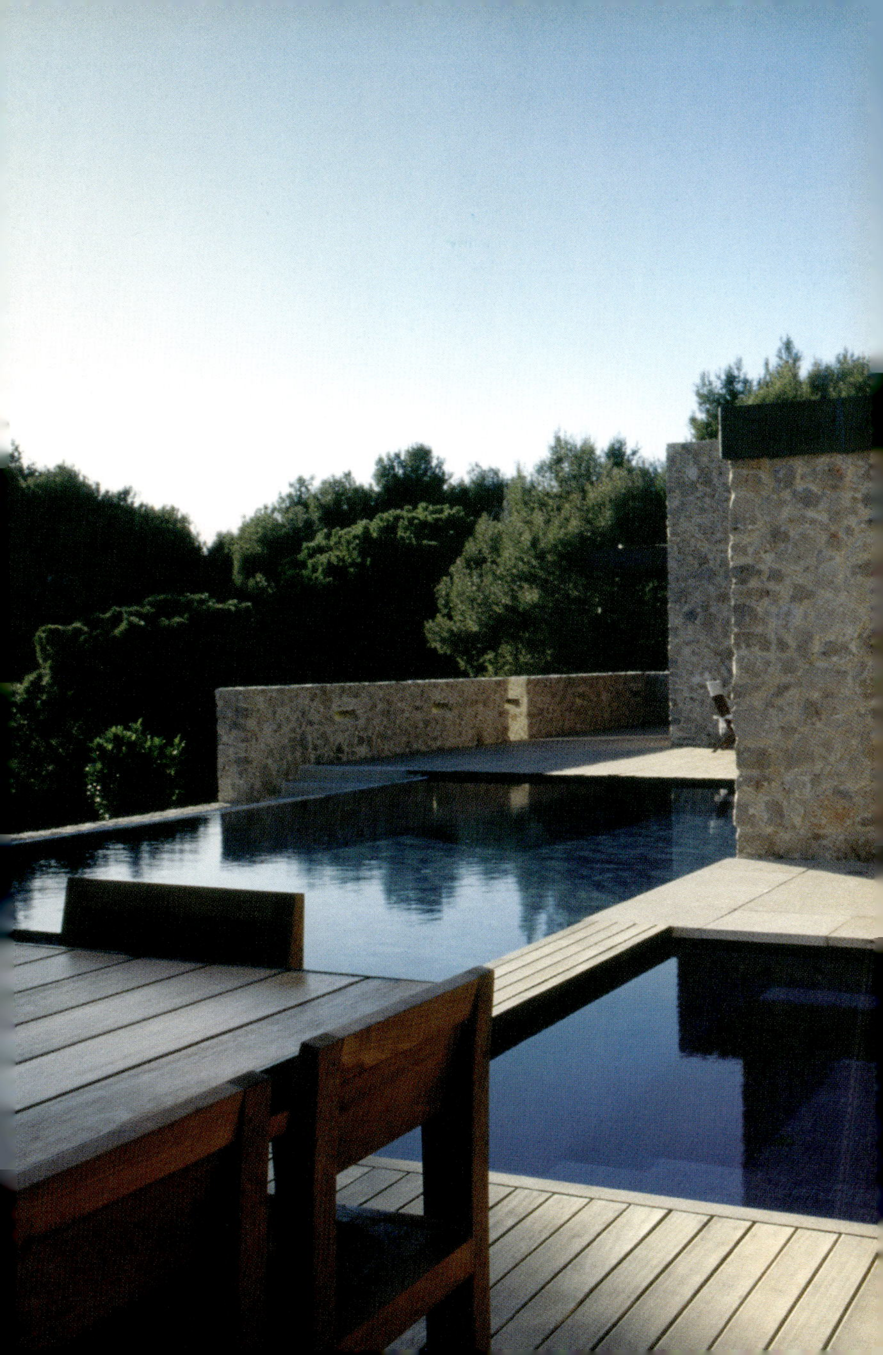

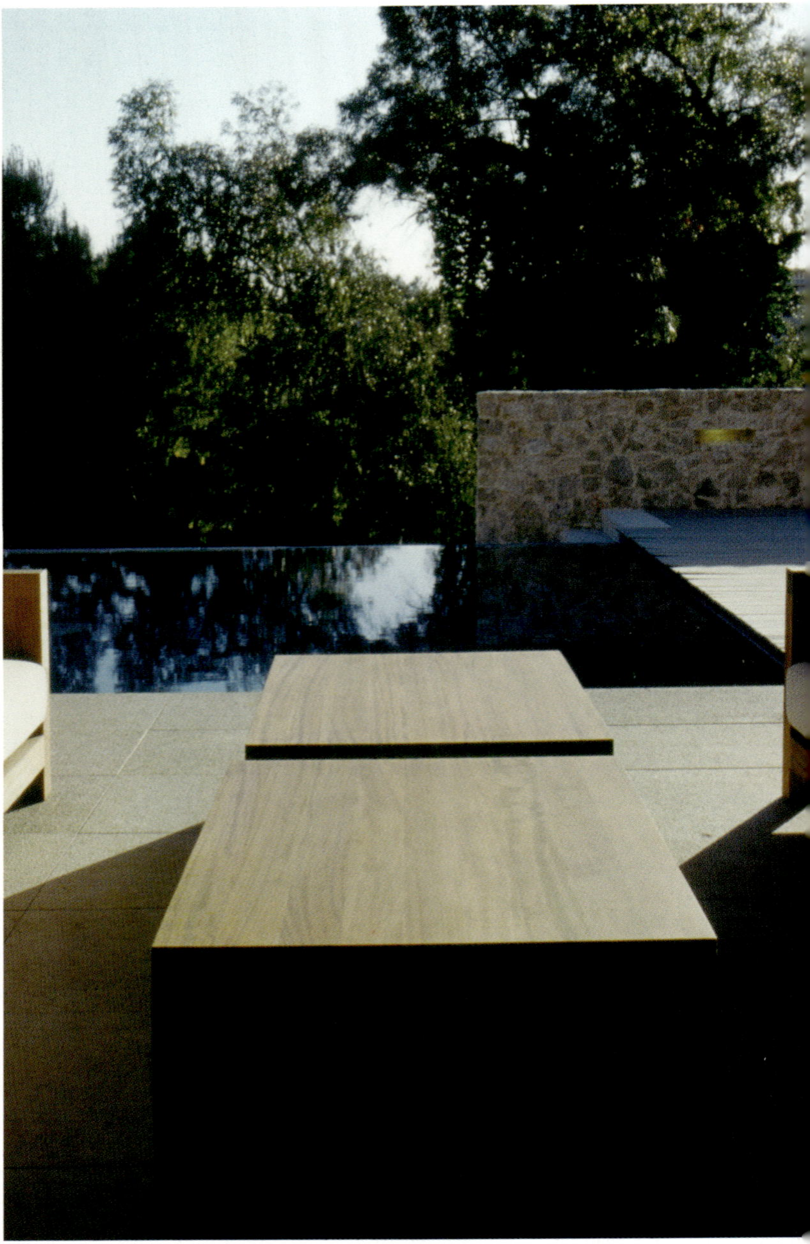

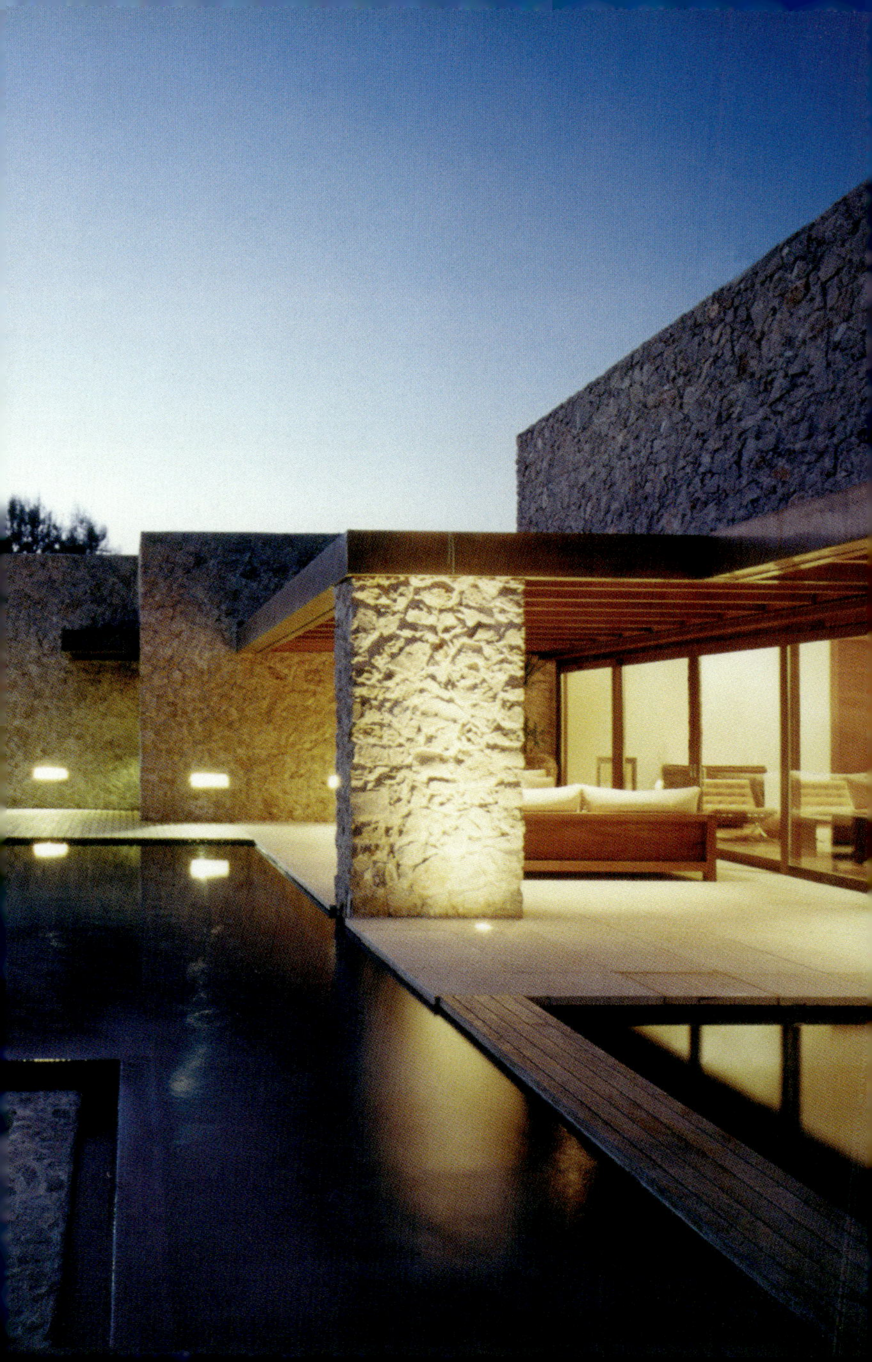

It is clear, in this case, that the architect intended to create an original pool with, above all, an unusual design. To achieve this a structure was built which acts as a fountain and from which flow music and jets of water directly into the pool. Different materials have been used, most noticeably mahogany and geometrically shaped ceramic tiles.

In questo caso, l'obiettivo dell'architetto risulta chiaro: creare una piscina originale e, soprattutto, dal design insolito. Per questo è stata concepita una struttura-fontana che diffonde musica e dalla quale zampillano getti d'acqua che arrivano direttamente alla piscina. Sono stati usati diversi materiali, tra cui spiccano il mogar e le piastrelle di ceramica di forma geometrica.

SUGERMAN HOUSE

Barry Sugerman

Miami, U.S.A.

El aspecto más notable de este caso es que el arquitecto tiene la intención de crear una piscina original y, sobre todo, de diseño poco común. Por ello, se construyó una estructura que actúa como una fuente de la que emana música y chorros de agua directamente hacia la piscina. Diferentes materiales son protagonistas: madera de caoba y azulejos cerámicos de formas geométricas.

É evidente, neste caso, que o arquitecto procurou criar uma piscina que fosse, acima de tudo, original. Neste sentido, foi construída uma estrutura que serve como fonte e da qual emanam música e jactos de água directamente para a piscina. Diferentes materiais foram aplicados, identificando-se imediatamente o recurso à madeira de mogno e aos mosaicos cerâmicos de forma geométrica.

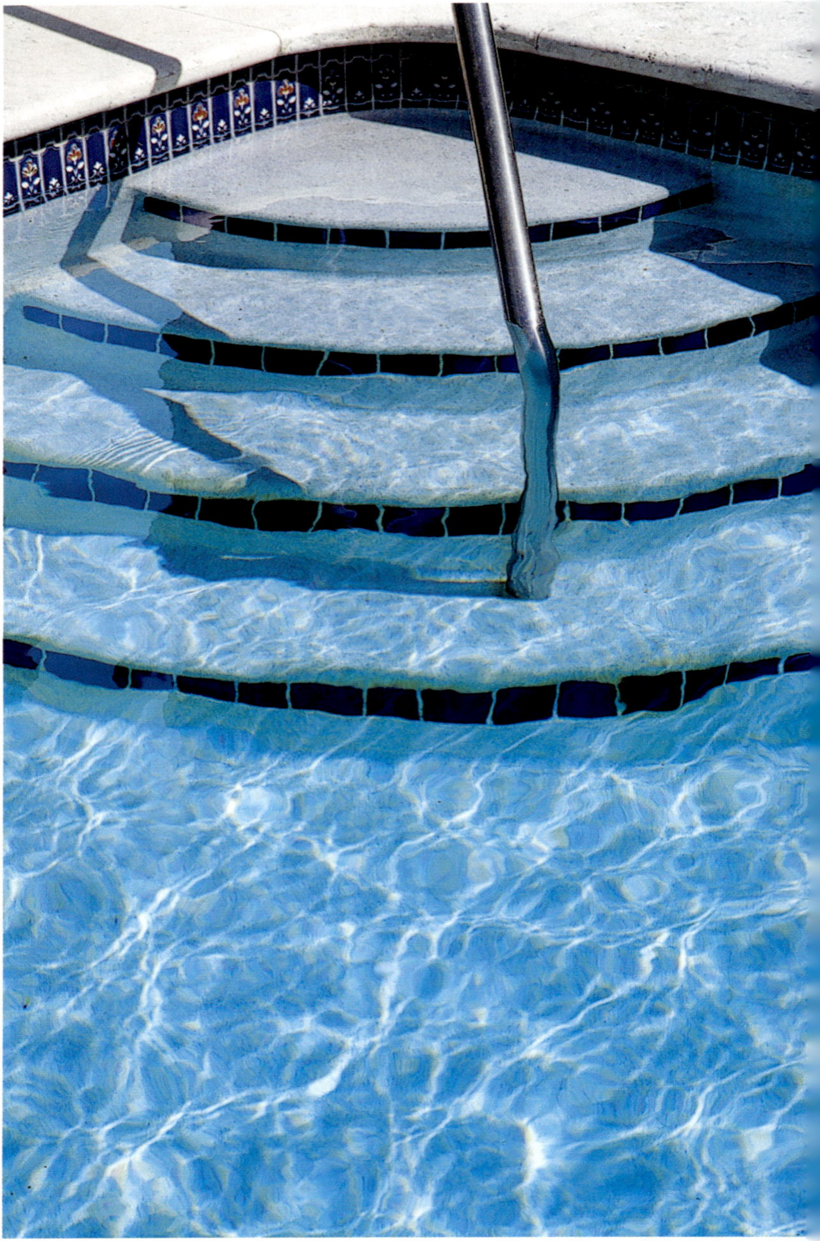

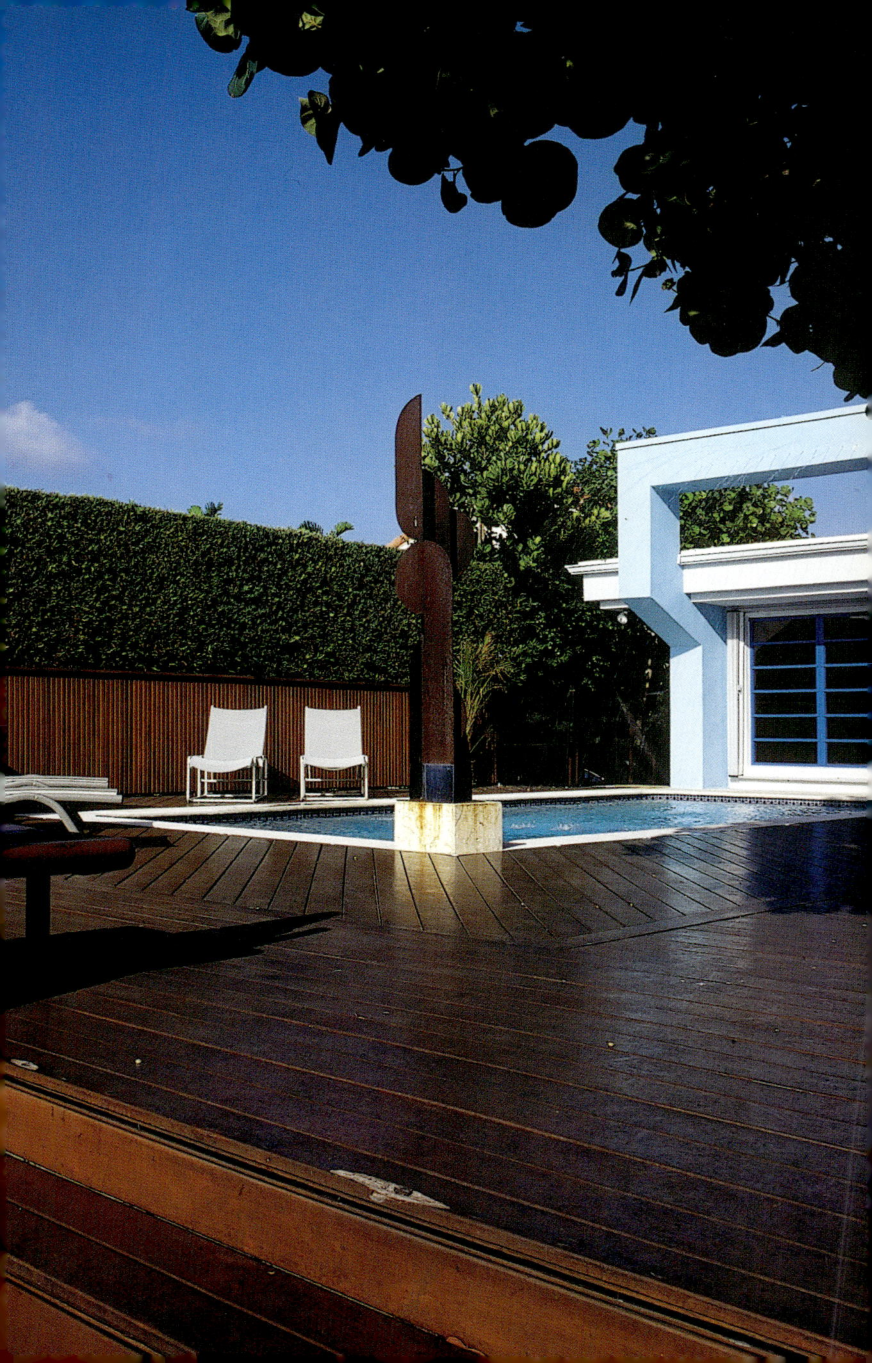

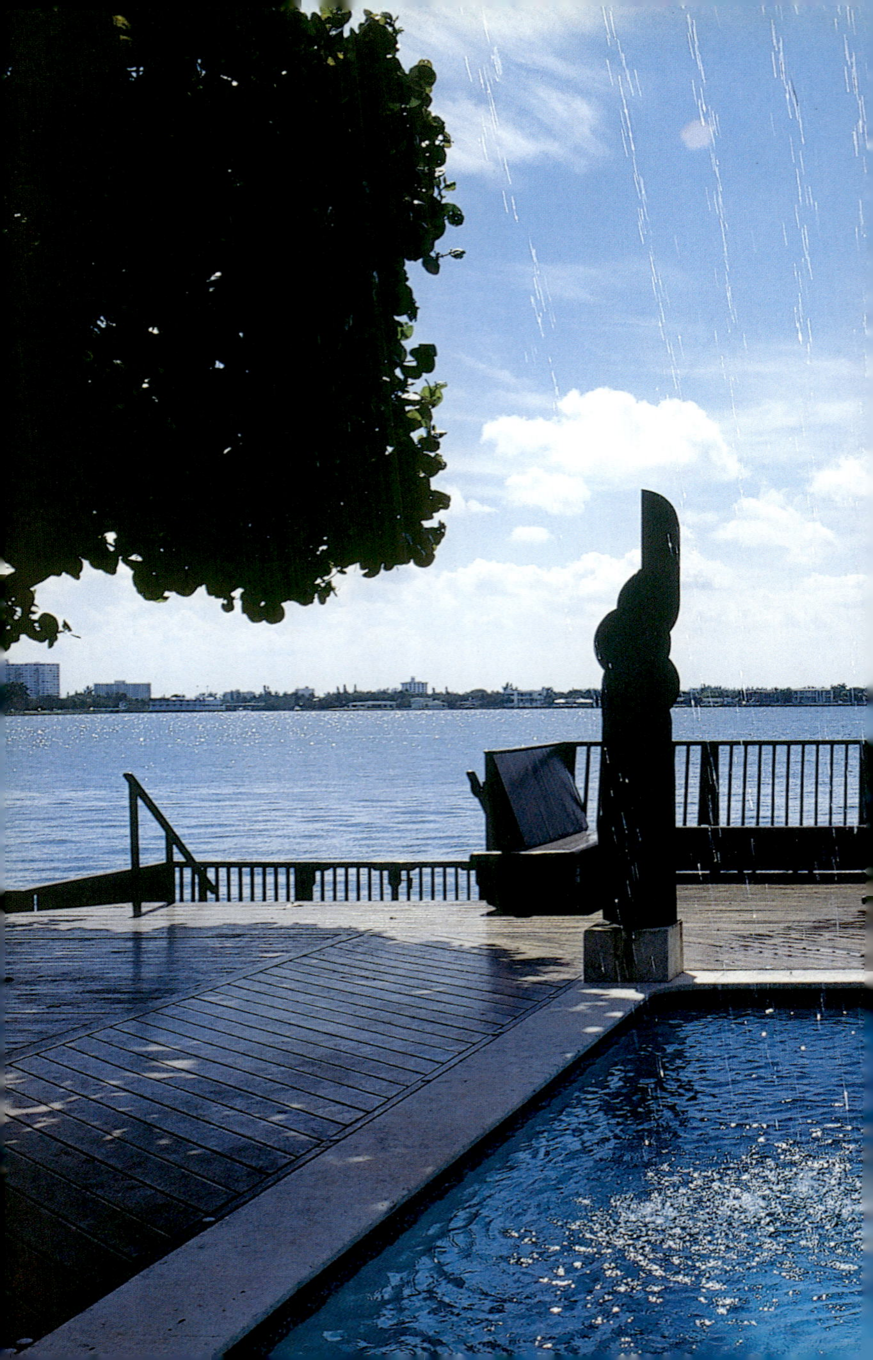

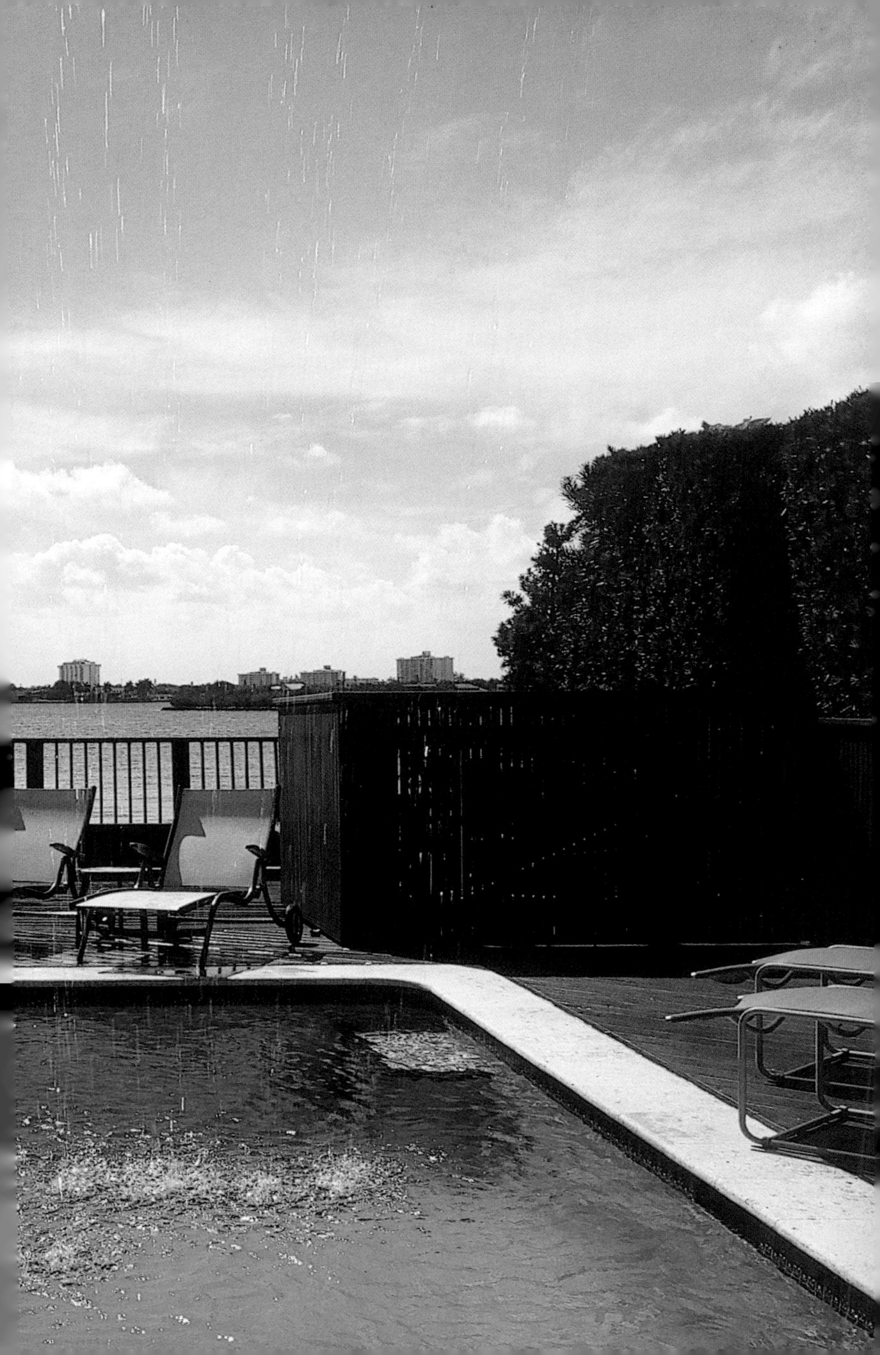

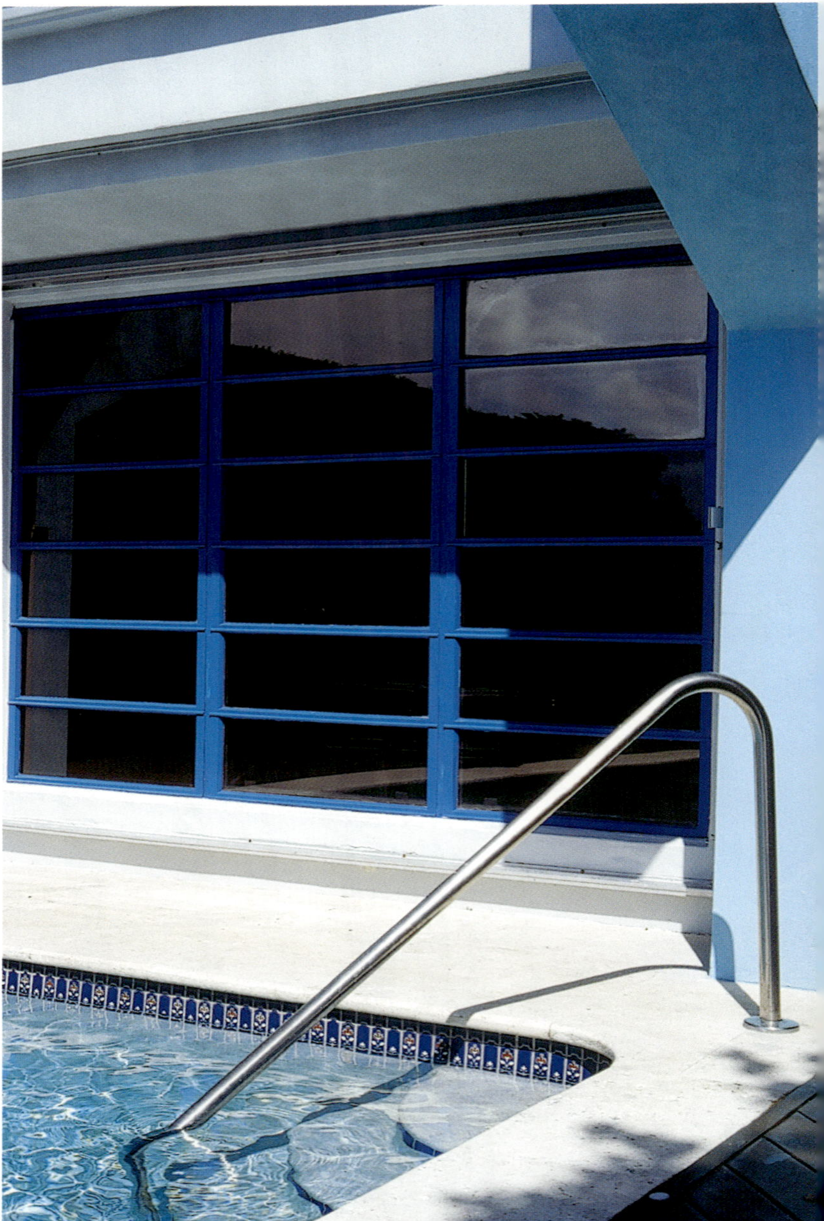

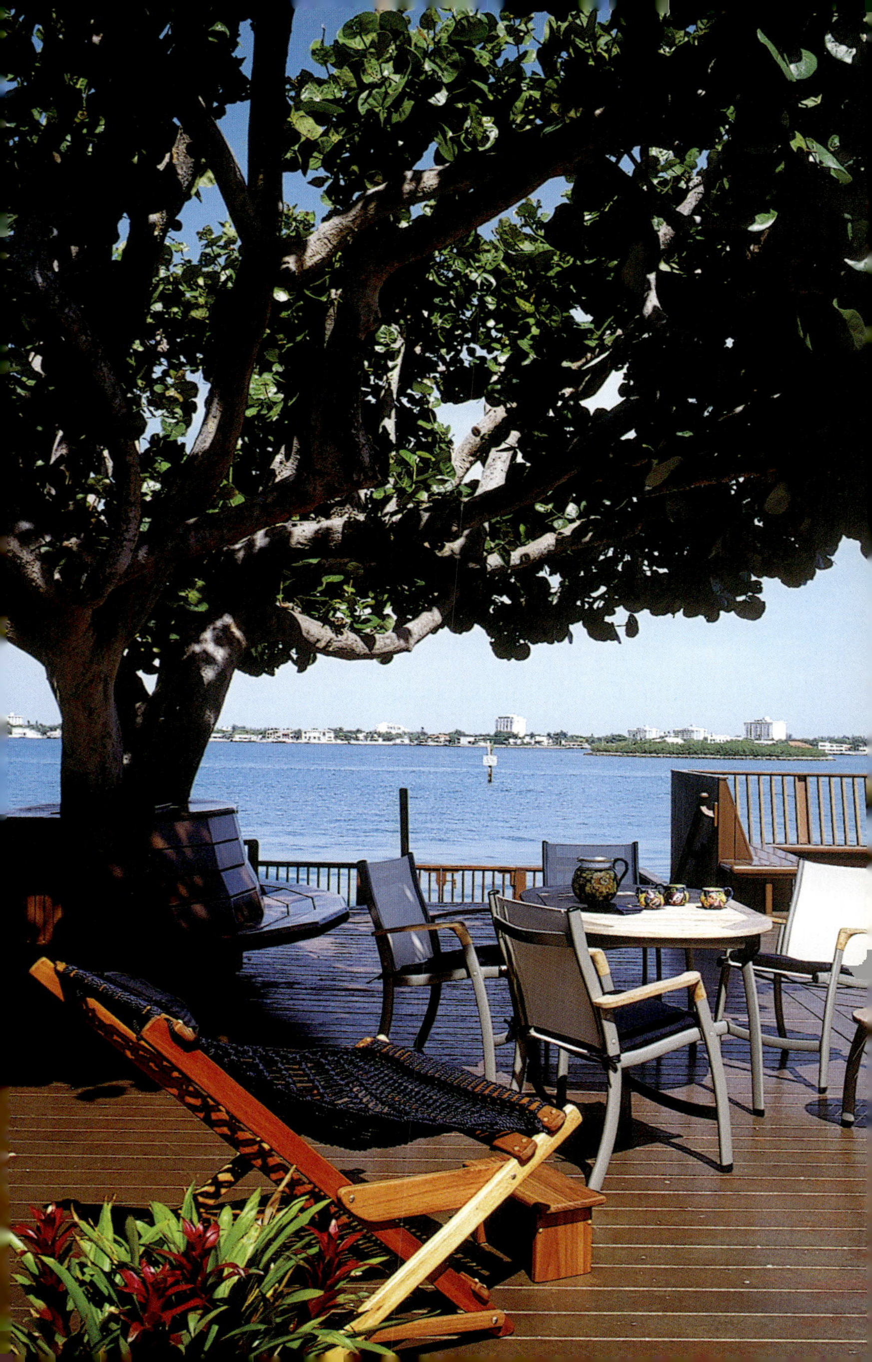

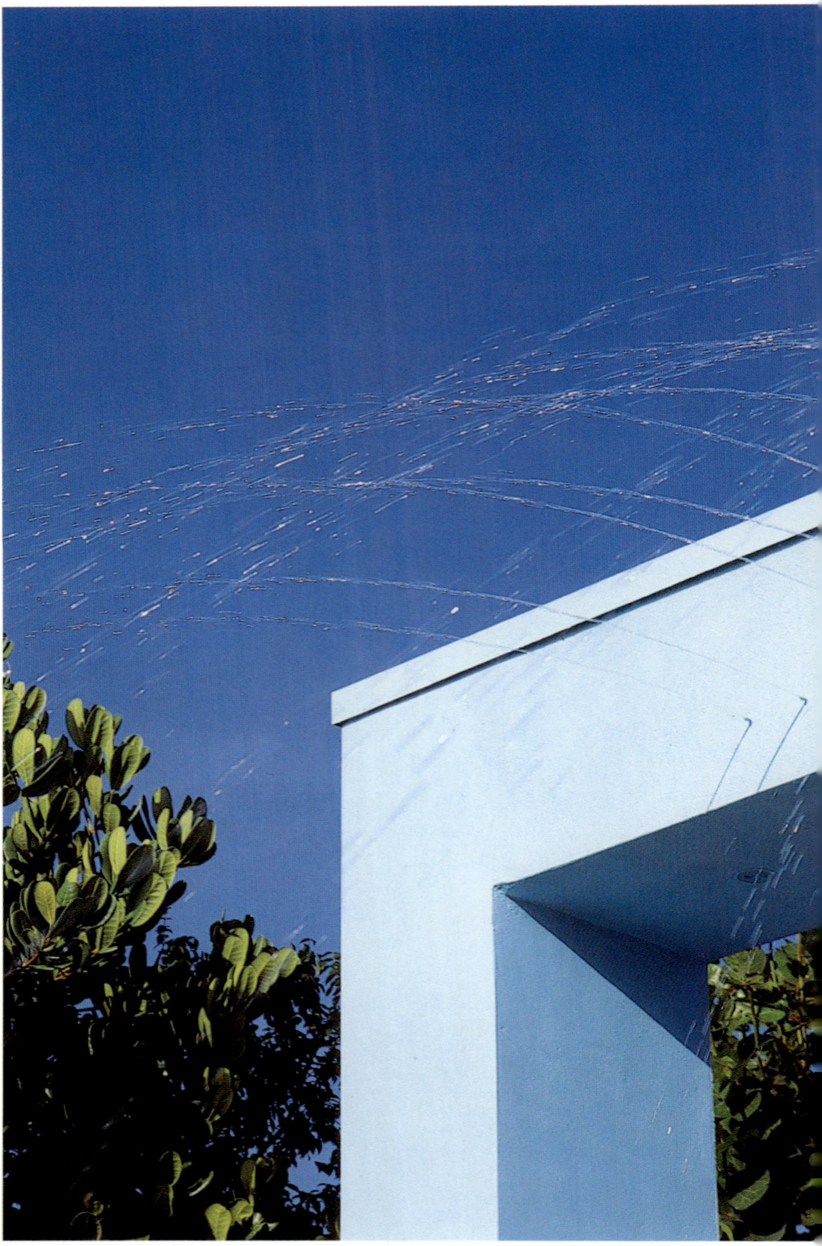

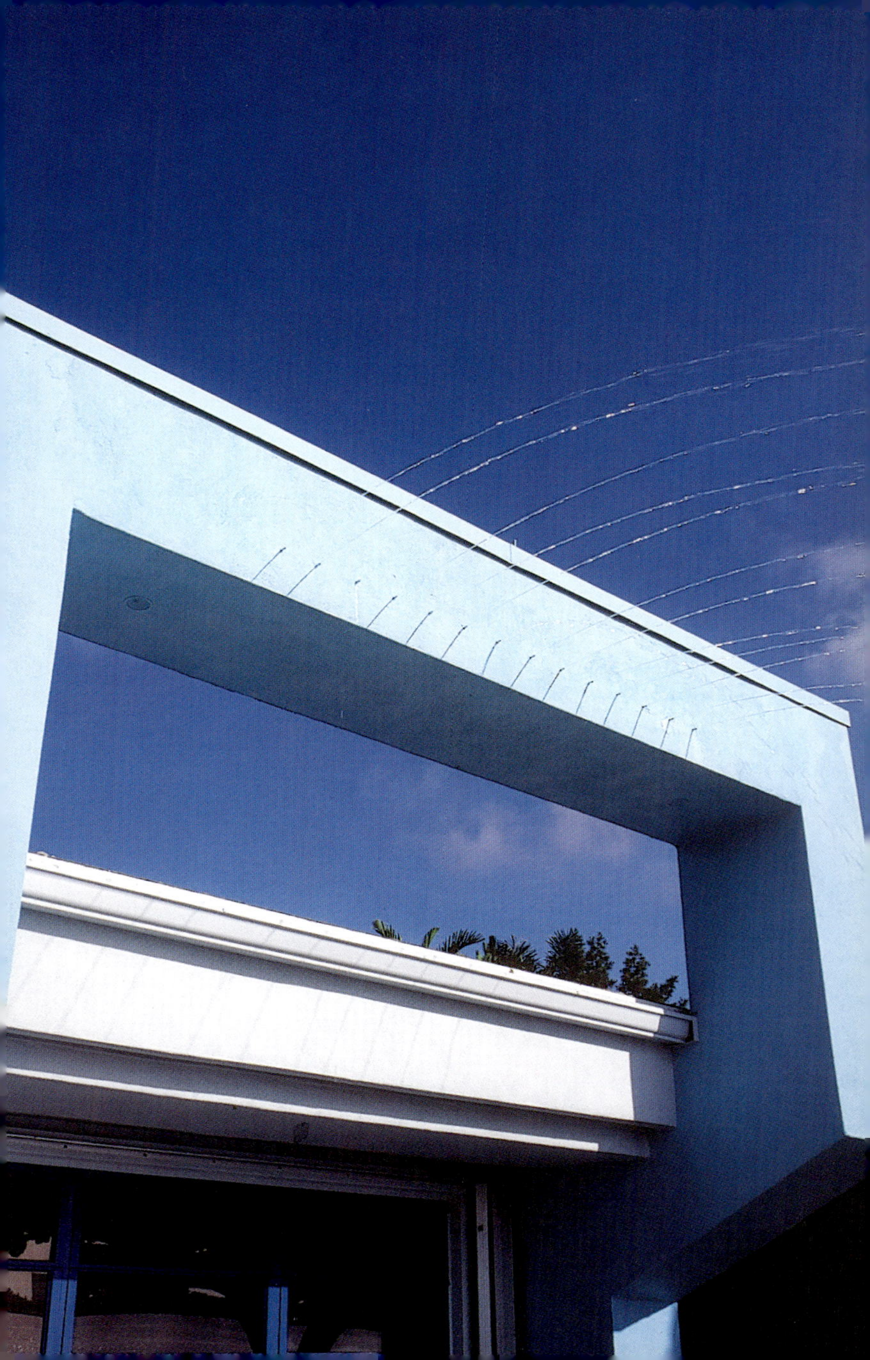

At this house, with its very obvious horizontal character, the swimming pool stands out for being circular in shape, and the white contrasts with the different blues and with the green of the surrounding vegetation. Following the premises of the design, the access to the swimming pool is also in keeping with the circular lines of the whole structure.

In questa residenza, il cui tratto distintivo è l'orizzontalità, risaltano le forme sinuose della piscina e il marcato contrasto tra il bianco, i diversi toni d'azzurro e il verde della vegetazione circostante.
Assecondando il progetto generale, anche l'accesso alla piscina si adegua alle linee curve dell'intera struttura.

SHERMAN RESIDENCE

Barry Sugerman

Miami, U.S.A.

En esta residencia de destacado carácter horizontal, resaltan las características de una piscina construida en sentido circular en la que el blanco marca un vistoso contraste con los distintos azules y el verde de la vegetación del entorno. Siguiendo con las premisas del diseño general, las medidas de acceso se ajustan a la línea circular de toda la estructura.

Nesta casa, de assumido carácter horizontal, a piscina destaca-se em razão da sua forma curvilínea e dos contrastes que estabelece entre os seus diferentes tons de azul e o verde da vegetação em volta. Em contexto com o conjunto estrutural, também no acesso à piscina foram contempladas formas circulares.

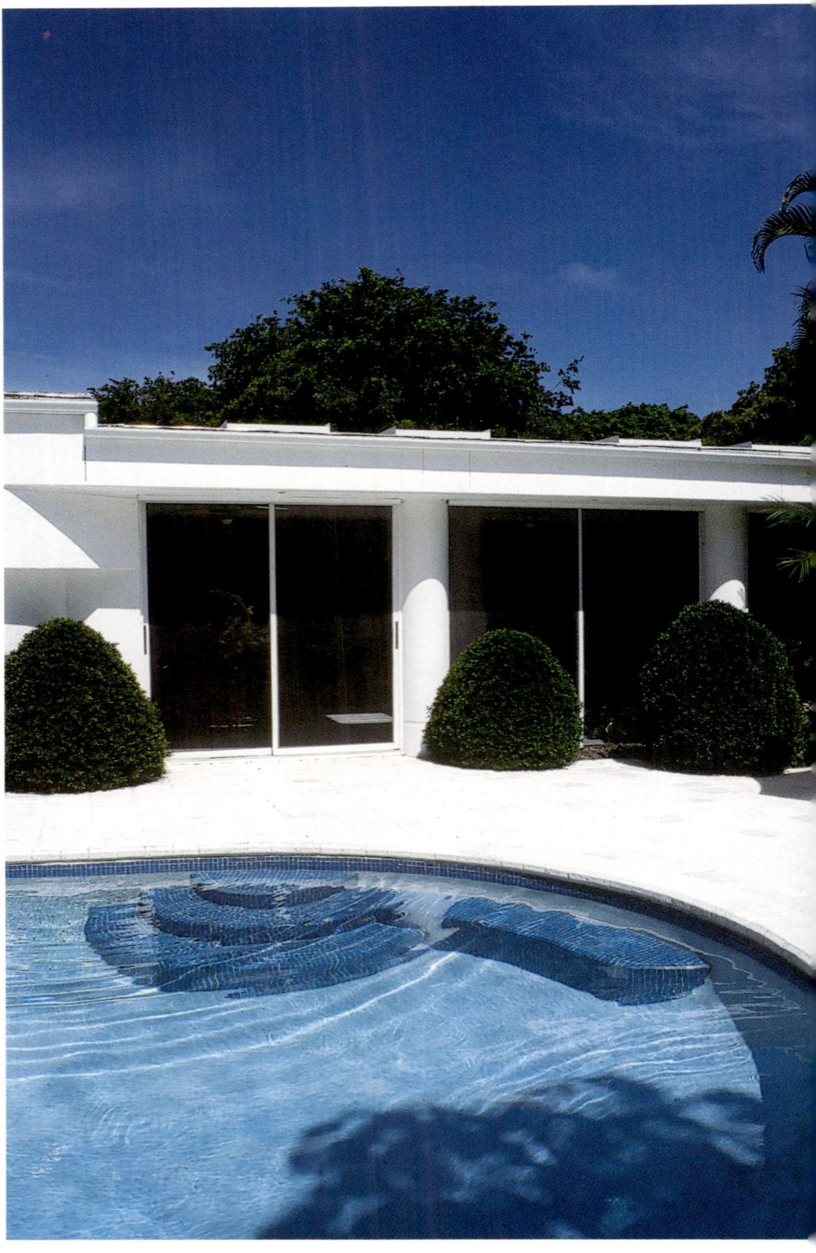

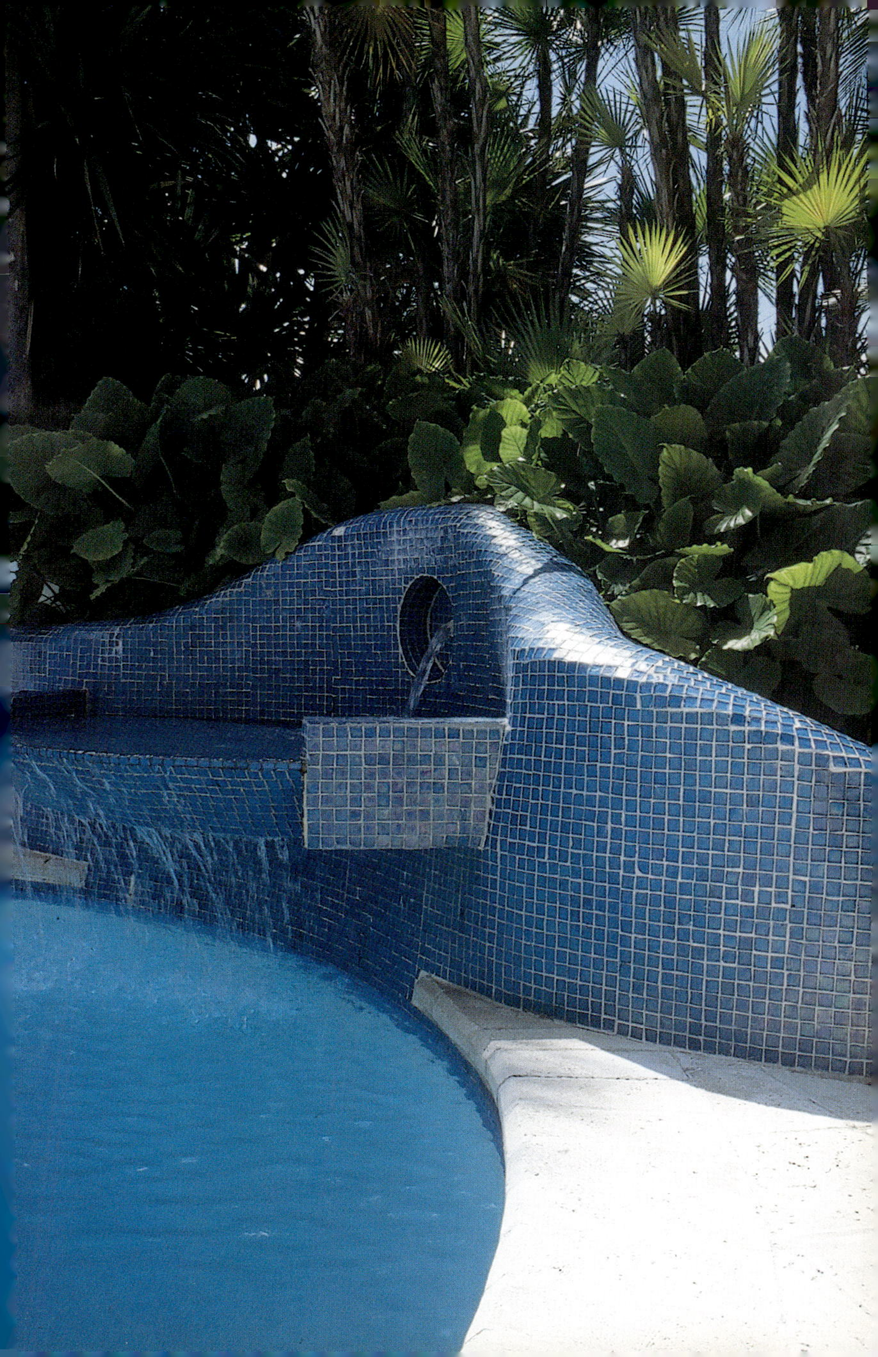

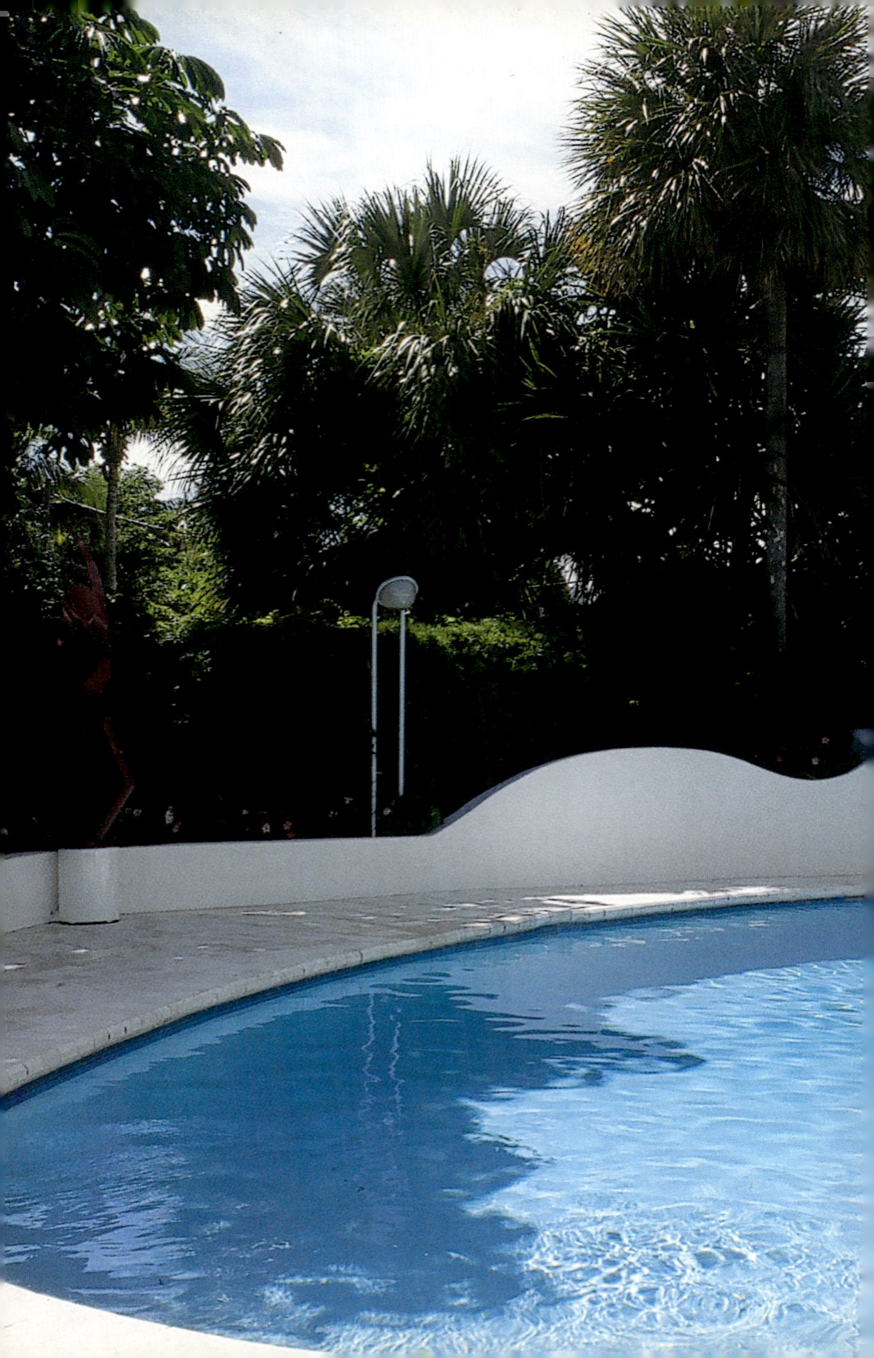

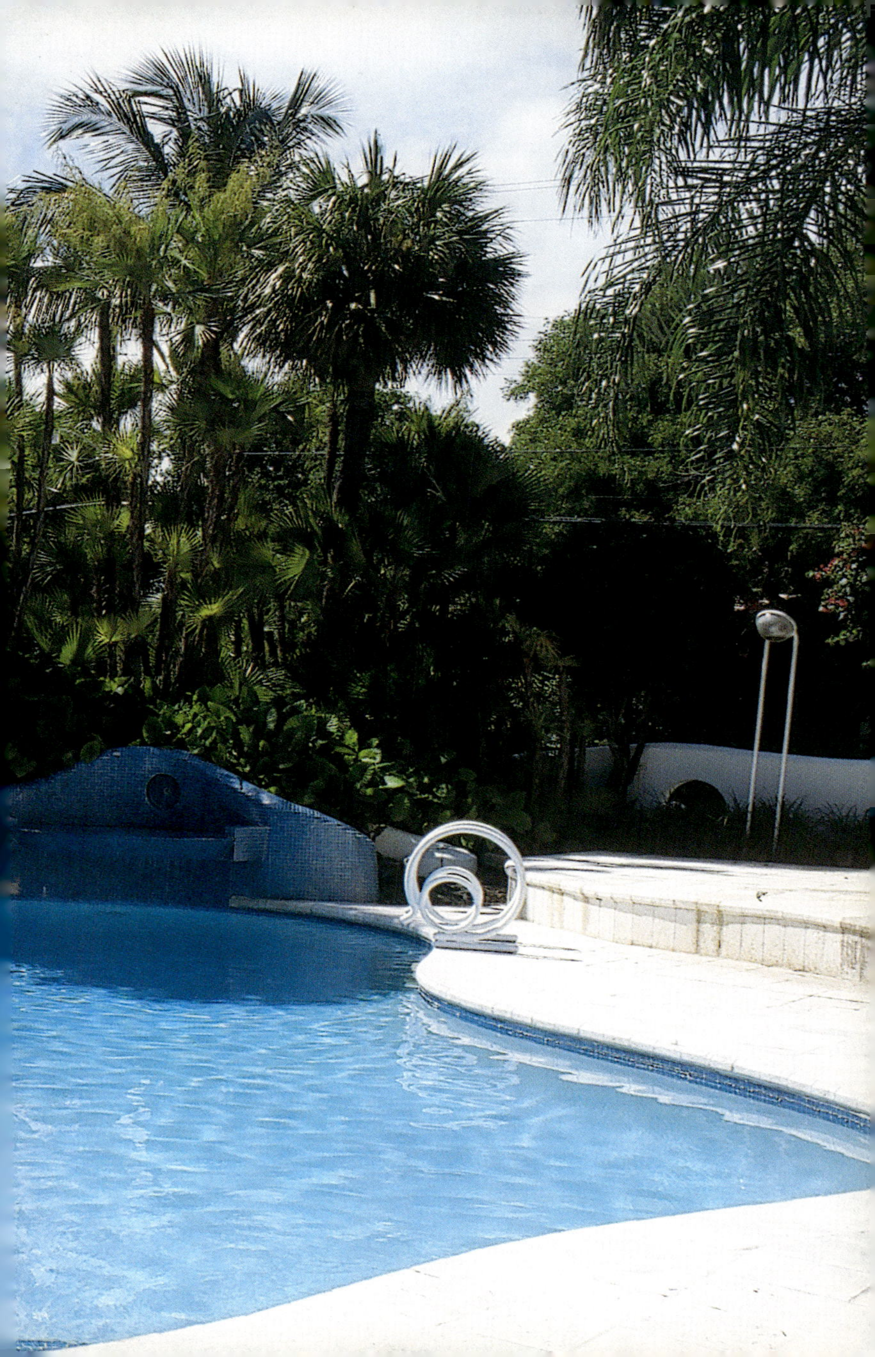

The principal materials used were concrete, ceramic blue gresite and white painted steel. As part of the aquatic environment, a low gresite wall was built from which spouts a jet of water, like a fountain.

Los principales materiales utilizados son el hormigón, el gresite cerámico azul y el acero pintado de blanco. Como parte del entorno acuático se ha construido un murete de gresite del que emana un surtidor a modo de fuente.

I principali materiali utilizzati sono il cemento, il mosaico di vetro-ceramica azzurra e l'acciaio verniciato di bianco. Fa parte dell'ambiente acquatico un muretto in mosaico di vetro da cui sgorga un getto d'acqua, come una fontana.

Quanto à escolha de materiais, foi predominantemente utilizado o betão, mosaicos cerâmicos azuis e aço pintado de branco. Integrando o ambiente aquático, foi erigida uma parede de mosaico de onde brota um jacto de água.

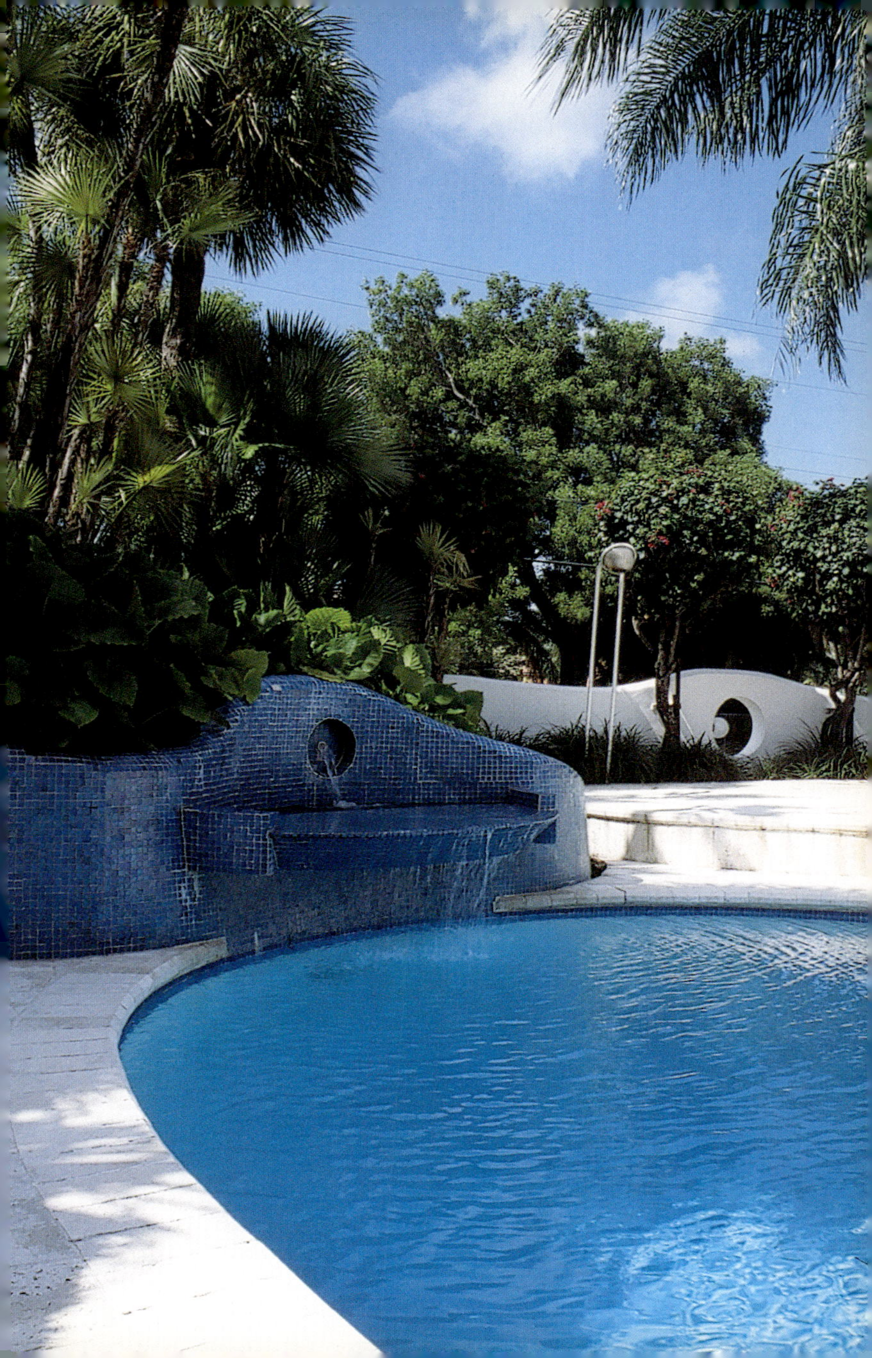

This considerably sized pool was built to make the most of the natural slope of the mountainside on which the house is constructed. The design creates a landscape like a natural lake, with rocks placed strategically like little islands. An oasis surrounded by luxuriant vegetation with species typical in this Costa Rican valley.

Questa piscina dalle dimensioni considerevoli è concepita per trarre il massimo vantaggio dal pendio naturale su quale si erge la dimora a cui appartiene. La struttura s'inserisce nel paesaggio come ur lago naturale, con rocce collocate in maniera strategica che sembrano isolotti. Un'oasi avvolta dalla vegetazione lussureggiante, con piante tipiche di questa valle della Costa Rica.

TEMPATE

Joan Roca Vallejo

Santa Cruz, Costa Rica

Esta piscina de considerables dimensiones se construyó aprovechando la pendiente natural del enclave en el que se alza la casa a la que pertenece. El diseño recrea un paraje particular, a modo de lago natural con piedras colocadas estratégicamente como pequeños islotes. Un oasis rodeado de una frondosa vegetación con especies típicas de este valle de Costa Rica.

Esta piscina de generosas dimensões foi pensada para tirar o máximo partido da encosta montanhosa onde a casa está implantada. As suas formas ajudam a criar um cenário próximo do de um lago natural, com rochas estrategicamente distribuídas, à maneira de pequenas ilhas. Um verdadeiro oásis rodeado de vegetação luxuriante, repleto de espécies autóctones deste vale costa-riquenho.

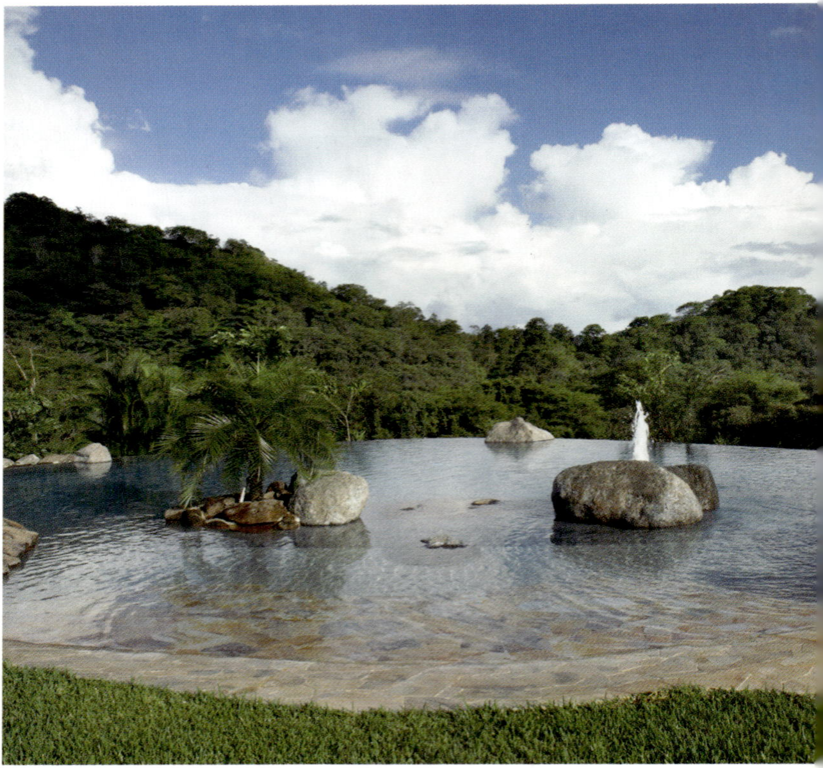

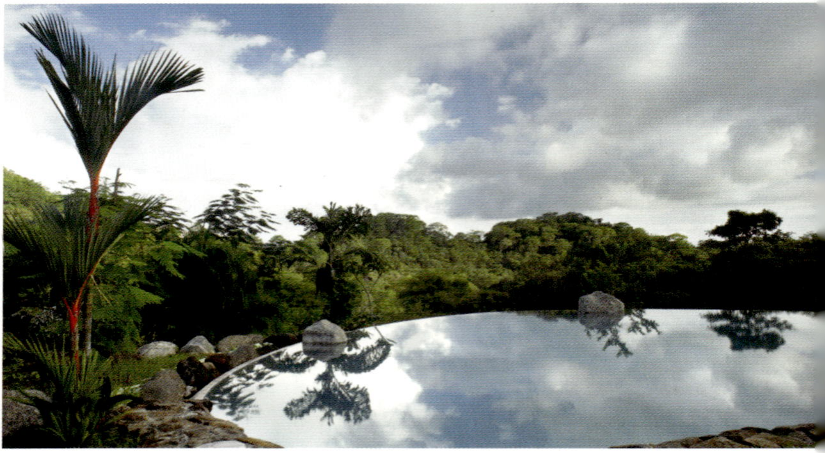

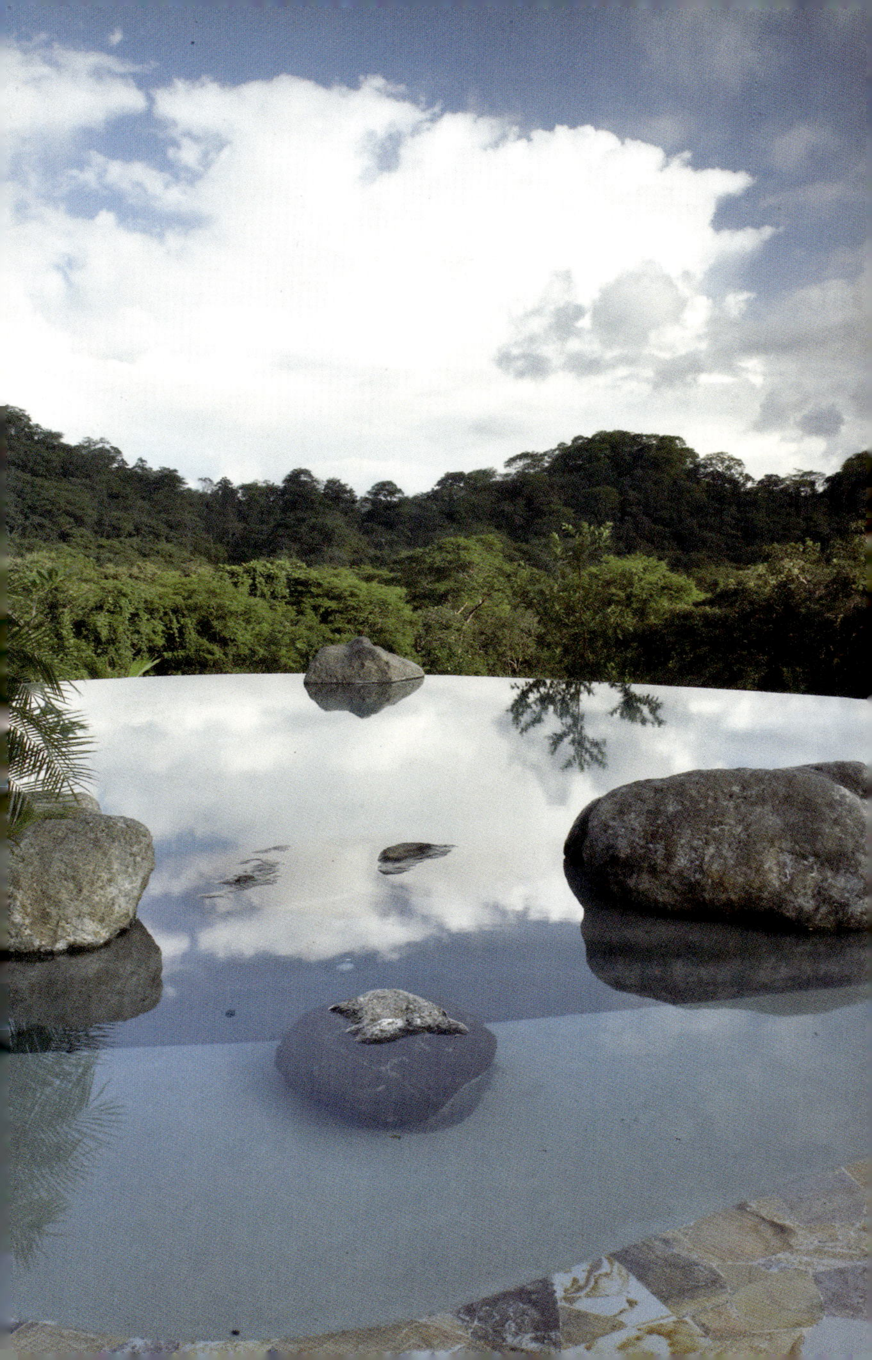

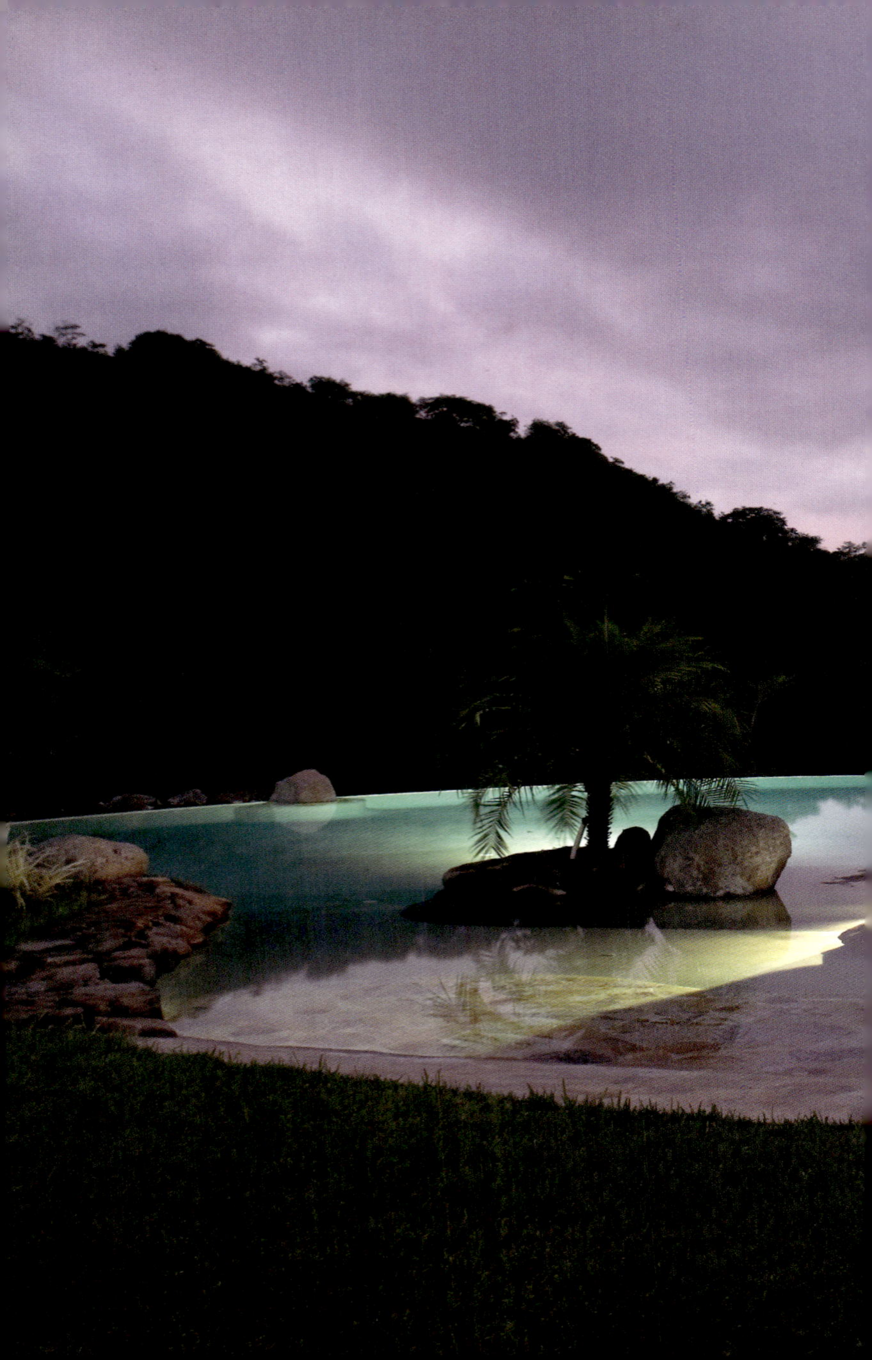

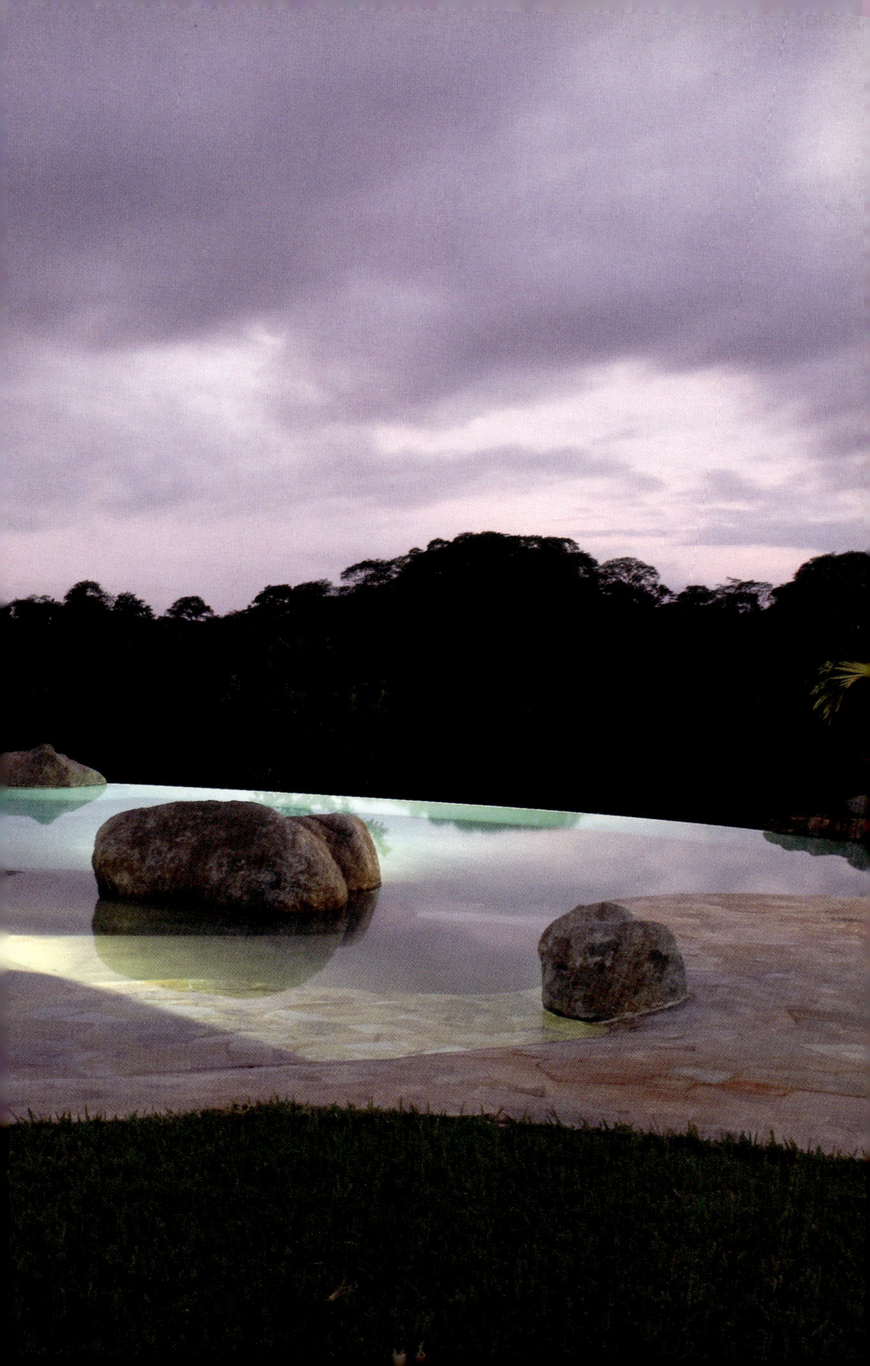

One of the characteristics of this majestic and spectacular construction is the use of special, untreated materials which give the pool a more natural appearance, an effect which is enhanced by the grey-blue of the water.

Una de las características de esta majestuosa y espectacular construcción es el uso de materiales especiales no tratados que confieren a la piscina una apariencia más natural, un efecto que se ve potenciado por el azul grisáceo del agua.

Una delle caratteristiche di questa struttura maestosa e spettacolare è il ricorso a materiali speciali non trattati che conferiscono alla piscina un aspetto più naturale, effetto intensificato dal grigio-azzurro dell'acqua.

Uma das características desta construção majestosa e espectacular reside na utilização de materiais não tratados, que conferem à piscina uma aparência natural, efeito esse que é ainda acentuado pelo azul acinzentado da água.

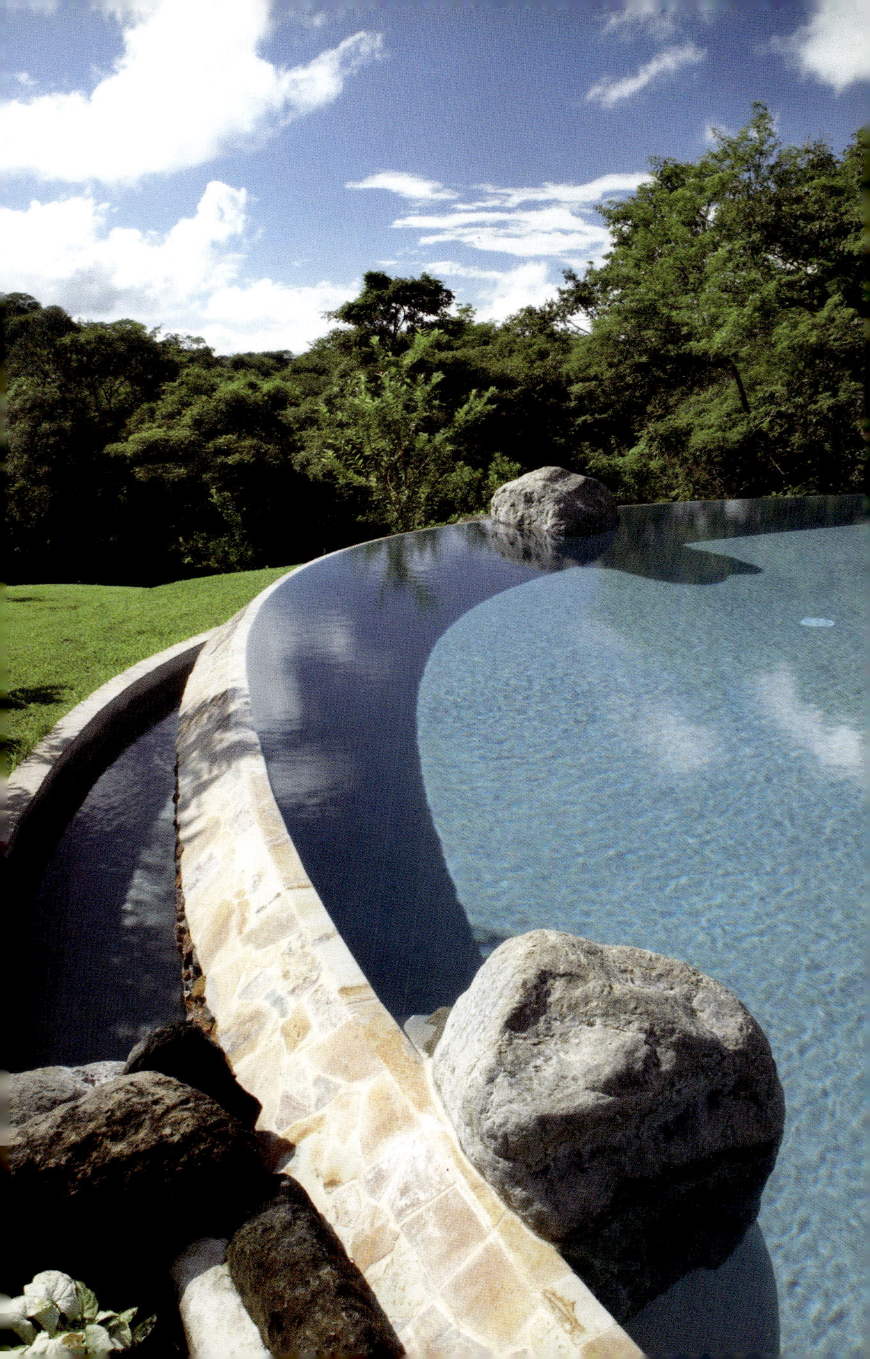

This rectangular swimming pool is located in the garden of a Moroccan style house on a Caribbean beach in Costa Rica. At one end of the pool there is an eye-catching structure housing an area in which to relax or to enjoy a quiet dinner. The terrace which extends around the swimming pool has been covered in mosaic ceramic tiles.

Questa piscina rettangolare si trova nel giardino di una casa in stile marocchino adagiata su una spiaggia caraibica della Costa Rica. A un lato della piscina trova collocazione un'area che può essere utilizzata per il relax o per una cena intima. La terrazza che costeggia la piscina è rivestita da un mosaico in ceramica.

VILLA MARRAKECH

Joan Roca Vallejo, Abraham Valenzuela

Playa Langosta, Costa Rica

Esta piscina de forma rectangular está situada en el jardín de una residencia de estilo marroquí, frente a una playa caribeña de Costa Rica. Destaca la construcción en uno de los extremos de una zona de descanso para el relax o el disfrute de una cena en la intimidad. La terraza que se extiende alrededor de la piscina se ha pavimentado con mosaico de azulejos de cerámica.

Podemos encontrar esta piscina rectangular nos jardins de uma casa de estilo marroquino situada numa praia caribenha da Costa Rica. Numa das pontas da piscina encontra-se uma atractiva estrutura que alberga uma área de relaxamento onde se pode saborear tranquilamente uma refeição. O terraço que se estende em redor de toda a piscina foi revestido com placas cerâmicas.

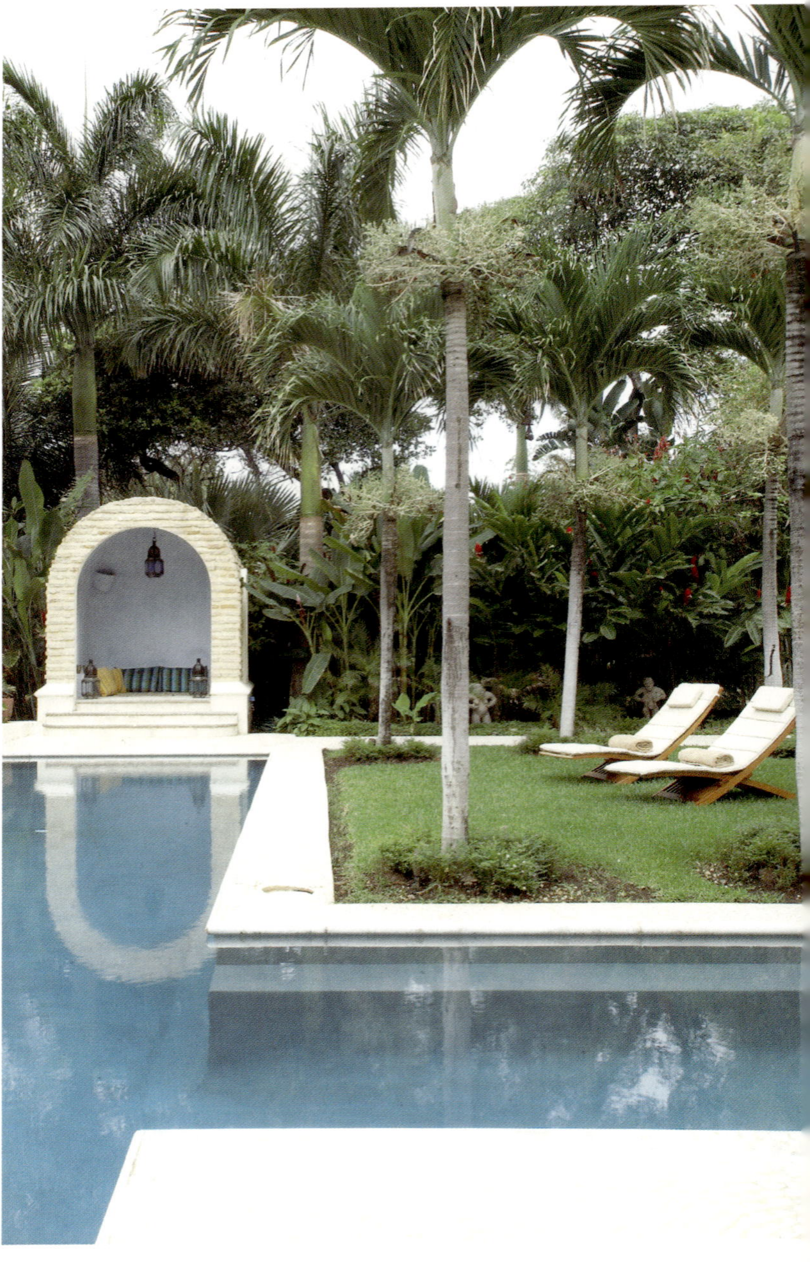

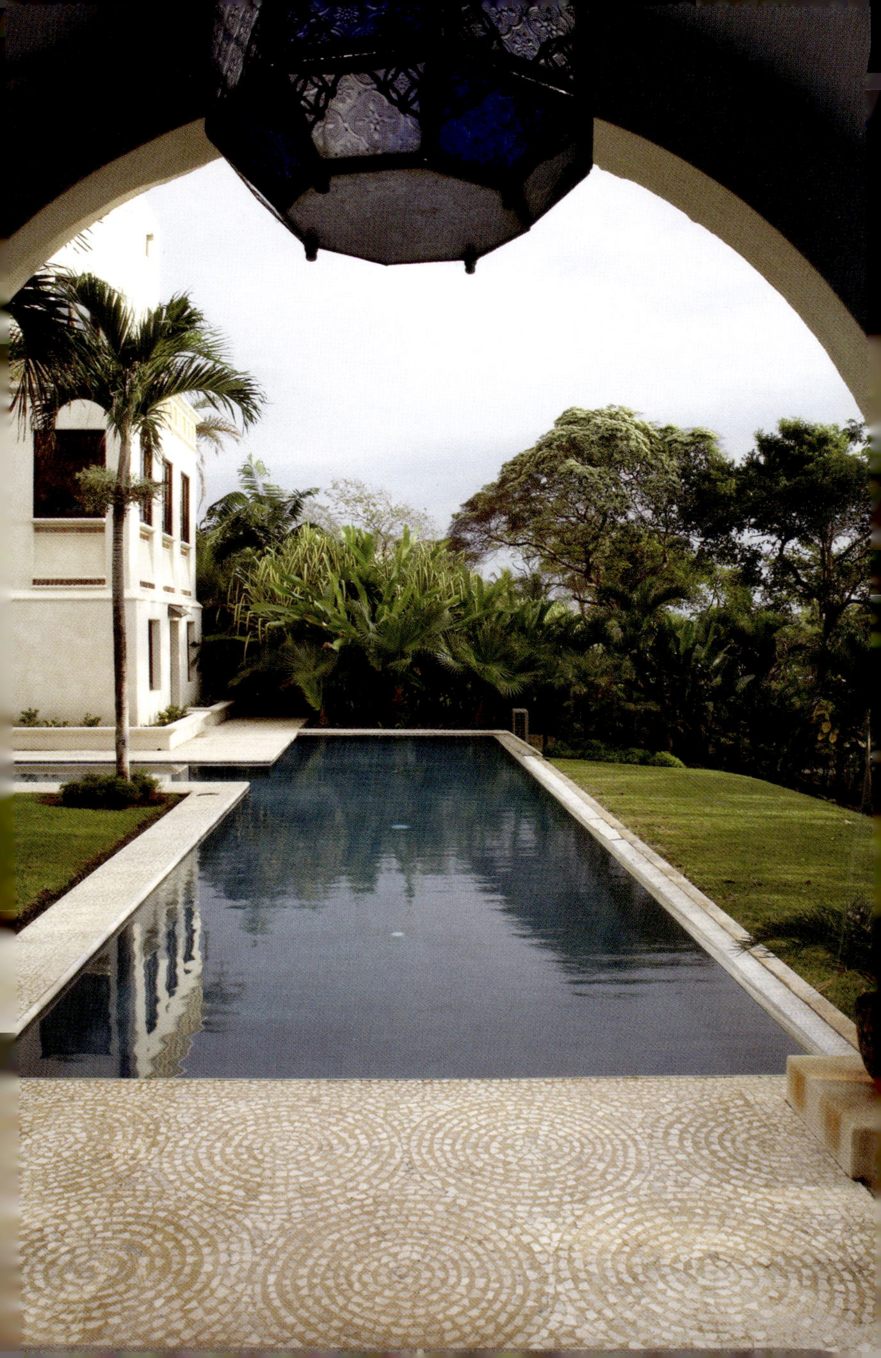

The finish covering the inside of the pool is a mixture of powdered marble, white cement and black quartz. The result of this combination creates a chromatic surface similar to the sea.

Il rivestimento interno della piscina è un miscuglio di polvere di marmo, cemento bianco quarzo nero. Il risultato di questa combinazione una superficie cromatica che richiama quella marina.

Los acabados que cubren el interior de la piscina se han creado con una mezcla de polvo de mármol, cemento blanco y cuarzo negro. El resultado de esta combinación crea una superficie cromática similar a la del mar.

O acabamento do interior da piscina é uma mistura de marmorite, cimento branco e quartz negro. O resultado desta combinação redunda num efeito cromático à superfície próximo daquele que observamos no mar.

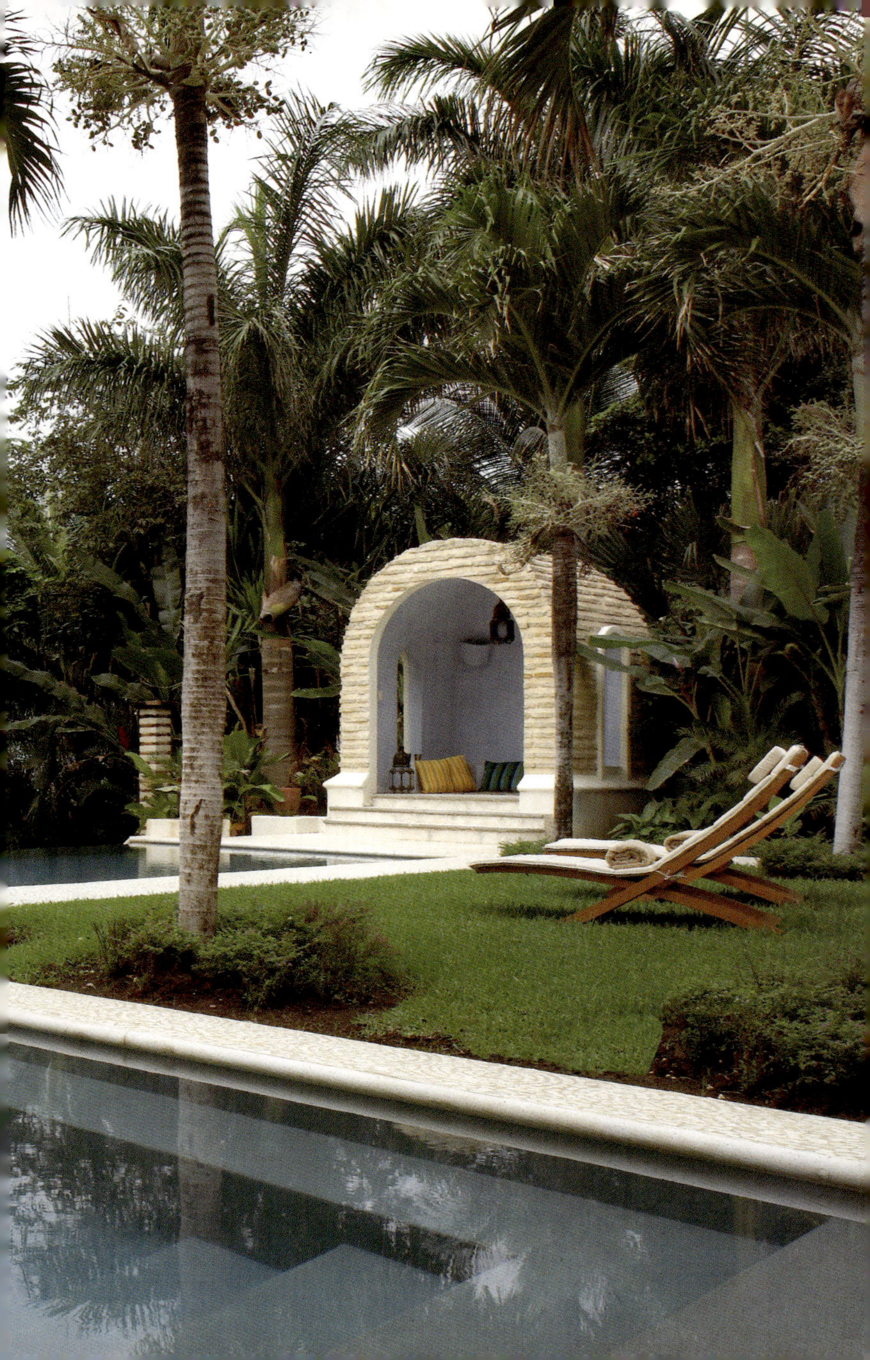

A rectangular swimming pool constructed of concrete and covered in dark blue gresite. The result is the design style wanted as much by the architect as by the owners: a perfect, measured combination of being functional, pragmatic and totally unified with the natural environment surrounding the house.

Una piscina rettangolare di cemento rivestito con mosaico di vetro blu. Il risultato è lo stile voluto dall'architetto e dai proprietari: un matrimonio perfetto tra funzionalità, pragmaticità e fusione assoluta con l'ambiente naturale in cui è immersa l'abitazione.

CASA VARELA

Carlos Nieto, Jordi Tejedor (interior designer)

Sant Cugat del Vallés, Spain

scina de estructura rectangular, construida ɔn hormigón y chapado en gresite de color ɛul oscuro. El resultado se acoge al estilo ɛ diseño deseado tanto por el arquitecto ɔmo por los propietarios: una combinación ɛrfecta y mesurada de funcionalidad, ɾagmatismo y comunión total con el ɾtorno natural que rodea la casa.

Trata-se de uma piscina rectangular construída em betão e revestida a mosaico em pastilha azul-escuro. O resultado final soube assim conjugar as vontades do arquitecto e dos proprietários: uma sensata e perfeita combinação entre a funcionalidade, o pragmatismo e uma total harmonia em relação ao ambiente natural circundante.

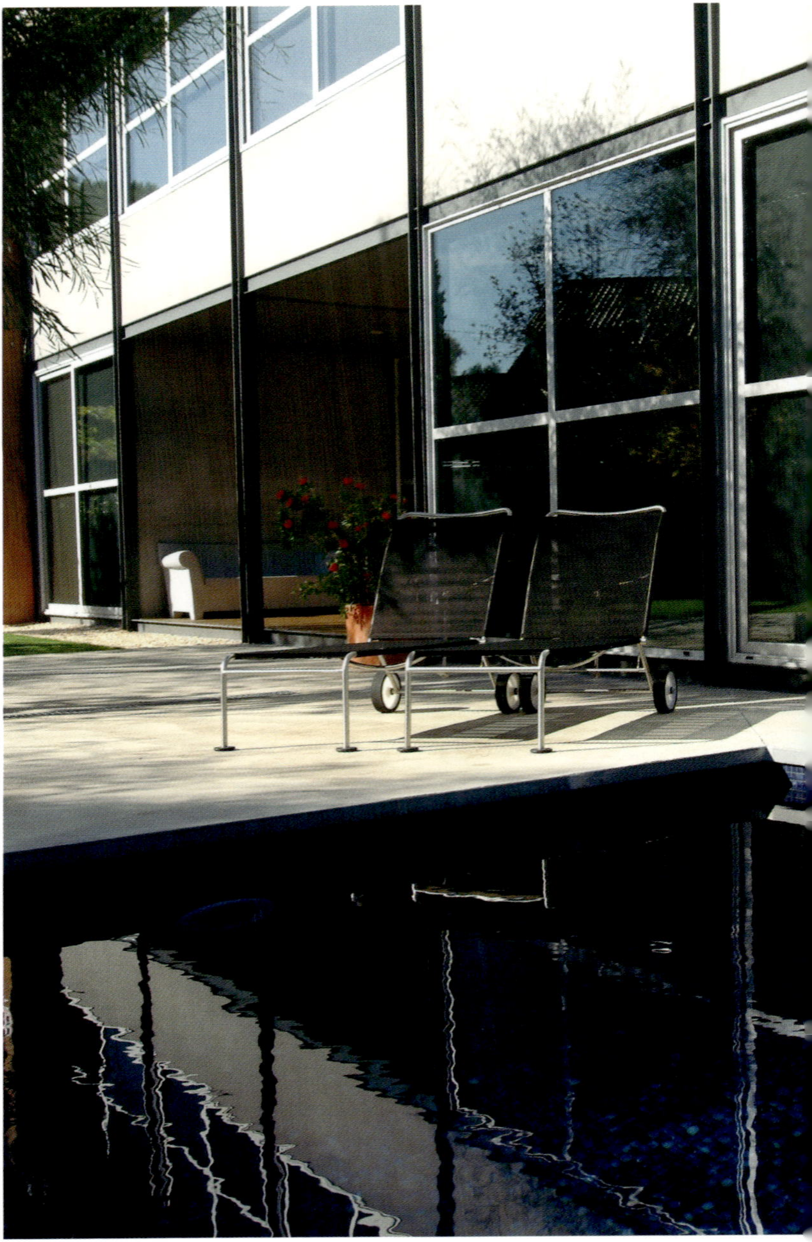

135

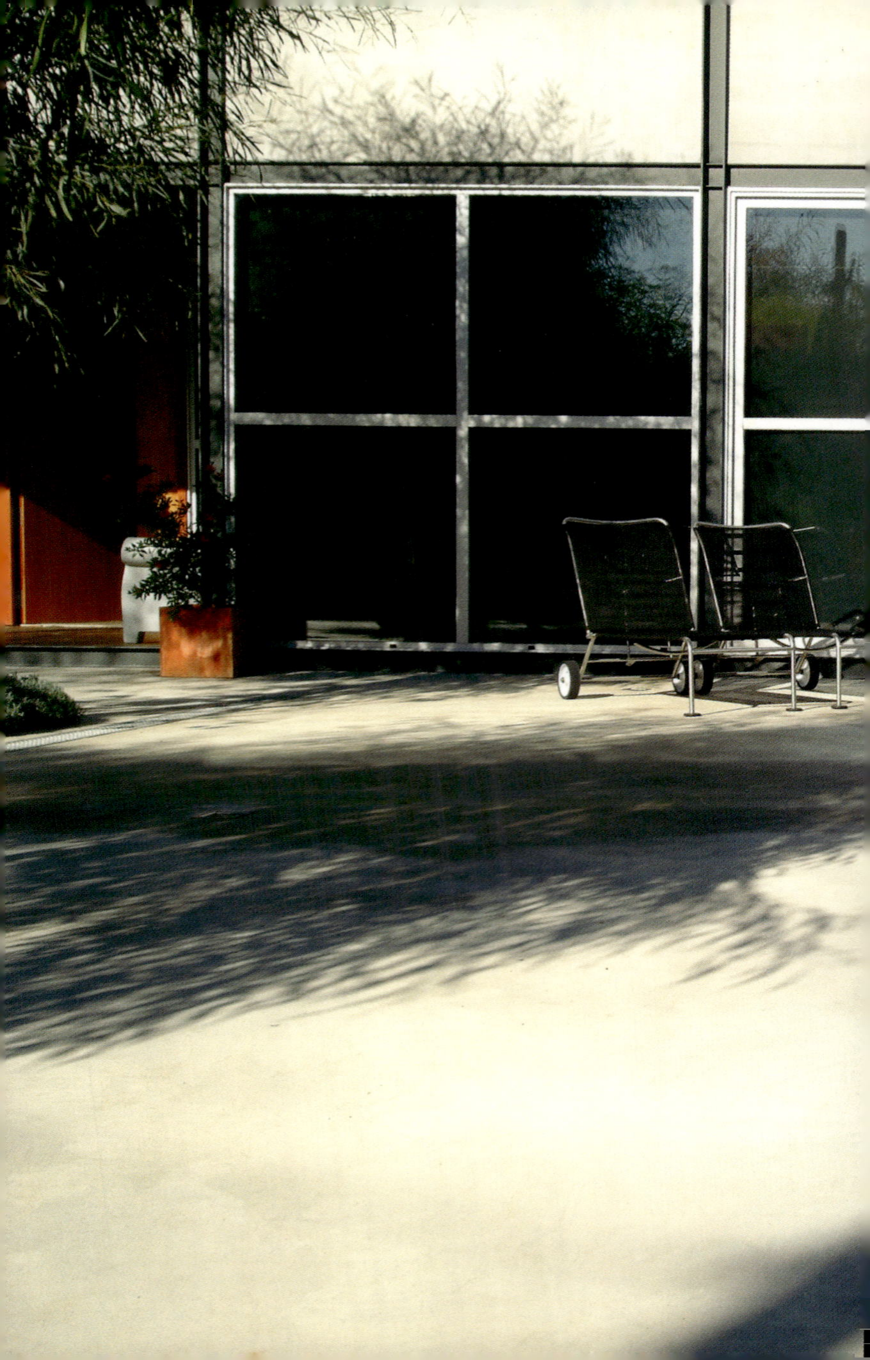

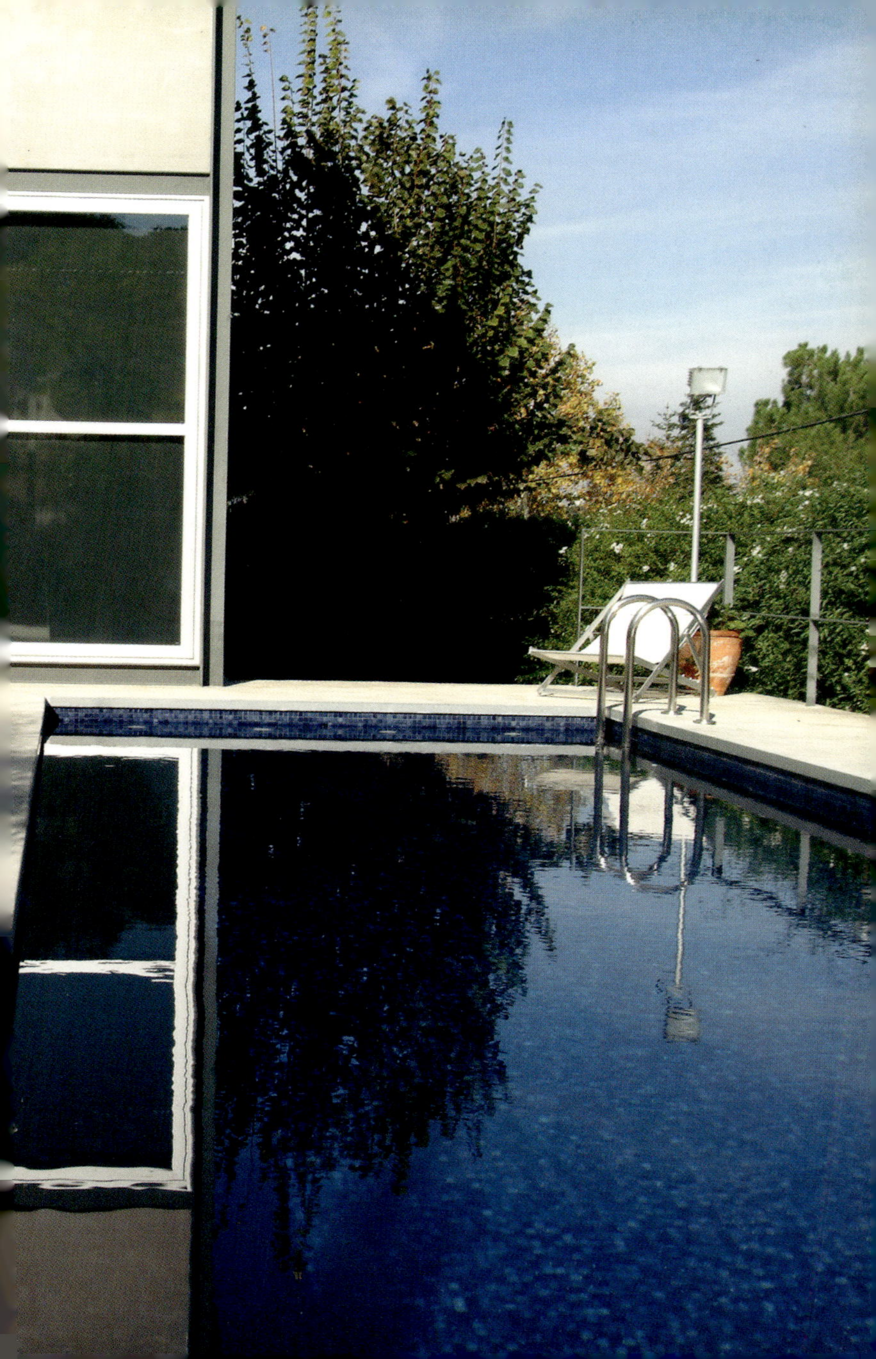

This aquatic recreational area was built to match the character of the house and the rural environment which is typical in this Mediterranean region. Consequently, there is nothing ostentatious about the 'L' shaped pool or the simple lines of the pergola. The area is paved with baked clay tiles which are typical from this part of Spain.

Questo spazio acquatico e ricreativo è stato concepito per coniugare lo stile dell'abitazione e l'ambiente rurale tipico dell'area mediterranea in cui è ubicato. Perciò si è optato per la semplicità delle linee nel design della piscina a forma di L della pergola. La pavimentazione è in cotto, materiale tradizionale della regione.

COUNTRY HOUSE IN GIRONA

VIRIDIS

Girona, Spain

Este espacio de recreación acuática se ha construido para conservar el carácter de la casa y de su entorno rural, típico de esta zona mediterránea. La construcción carece de ostentación y presenta una piscina en forma de L y una pérgola de líneas sencillas. El pavimento que rodea la zona de agua es de tejas de arcilla cocida, típicas de la región.

Este espaço de recreação aquática foi pensado no sentido de estabelecer uma máxima sintonia com a casa e o ambiente rural típico desta região mediterrânica. Por consequente, nada há de ostensivo na piscina em forma de "L" ou nas linhas simples da pérgula. A área foi pavimentada com tijoleira, um material típico desta região.

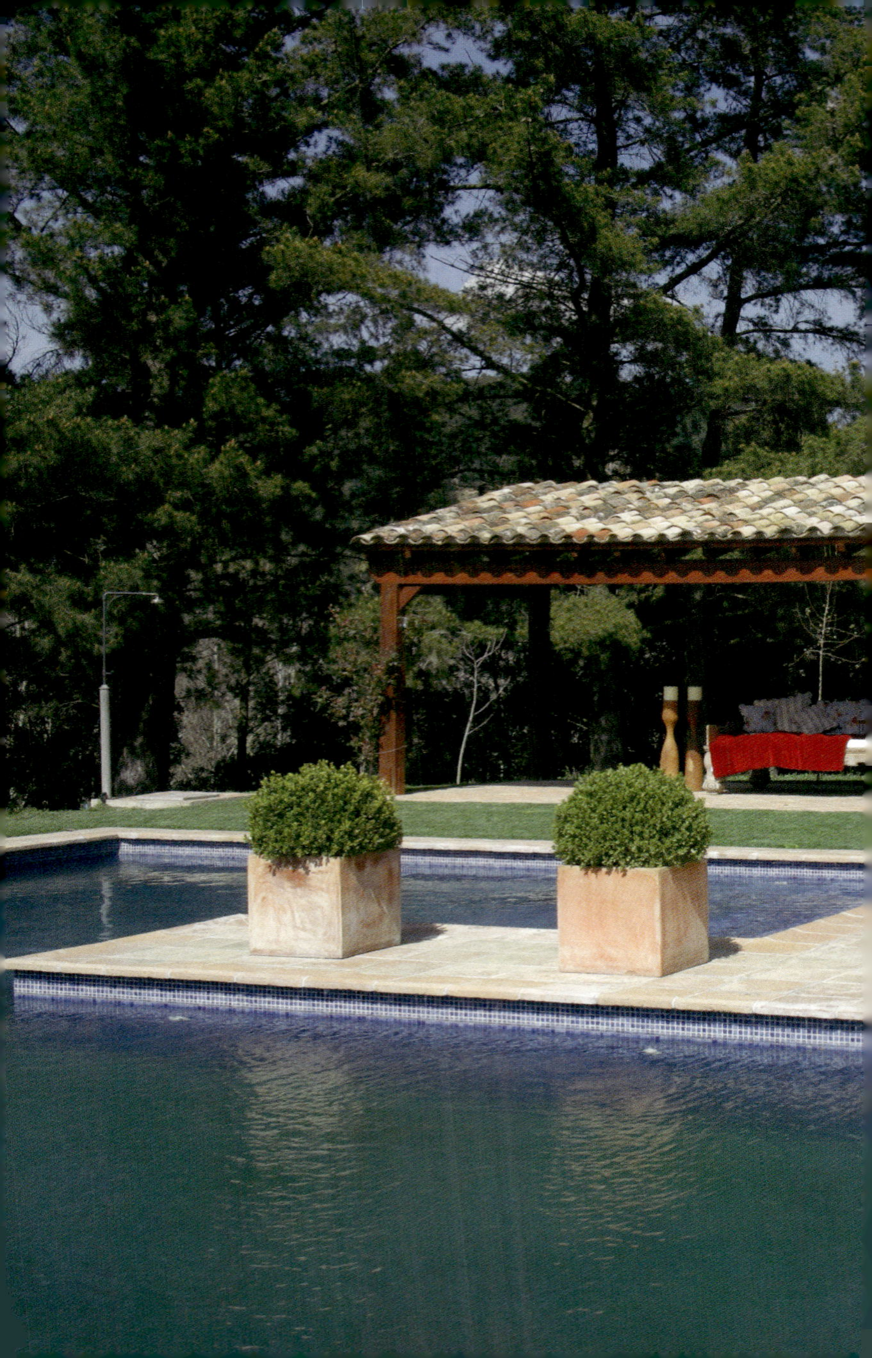

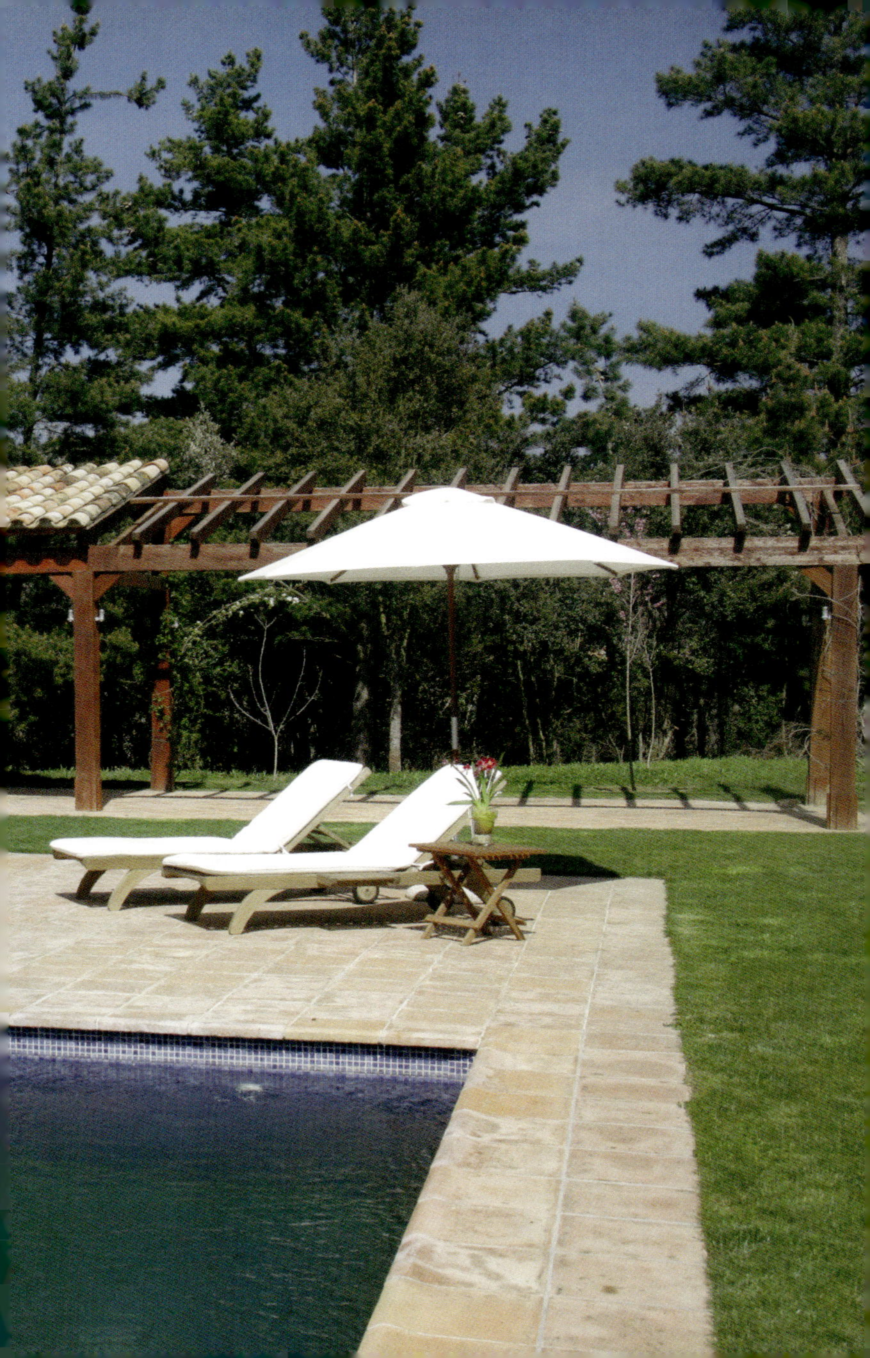

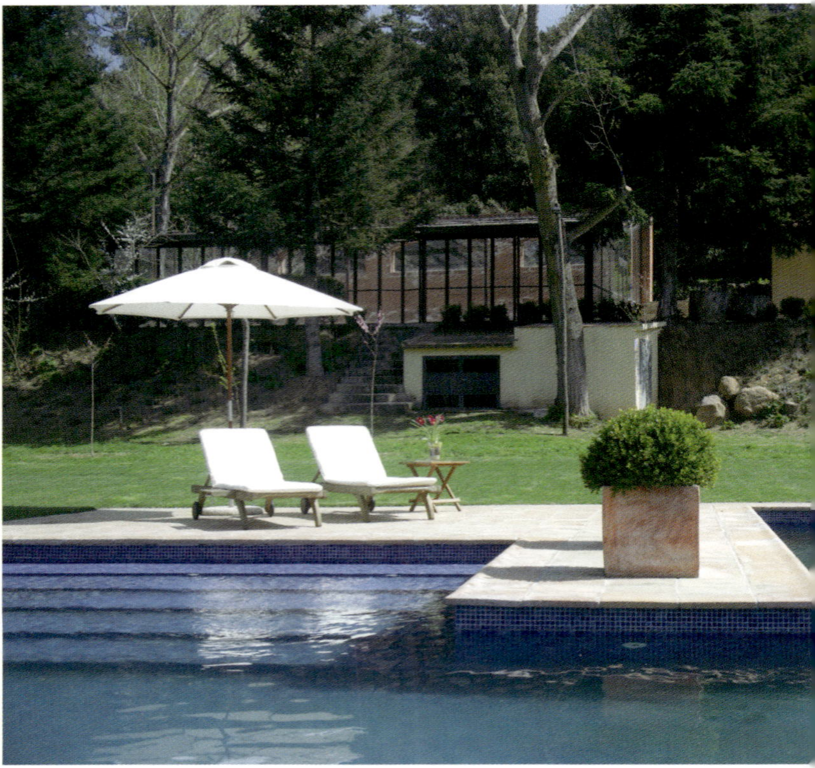

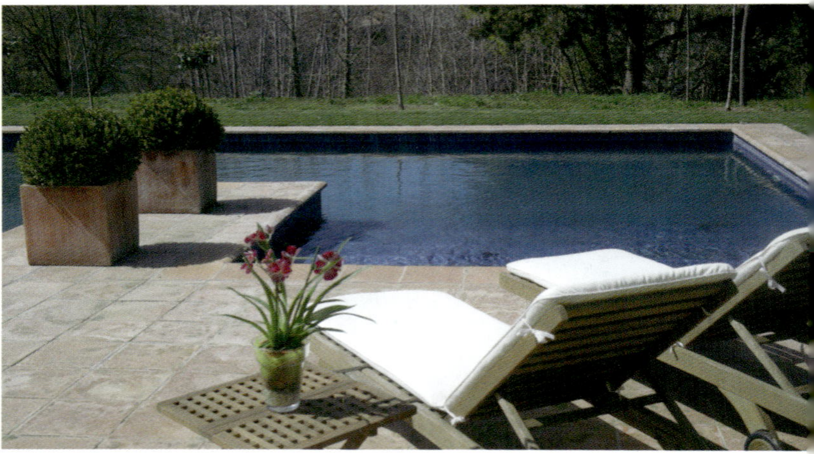

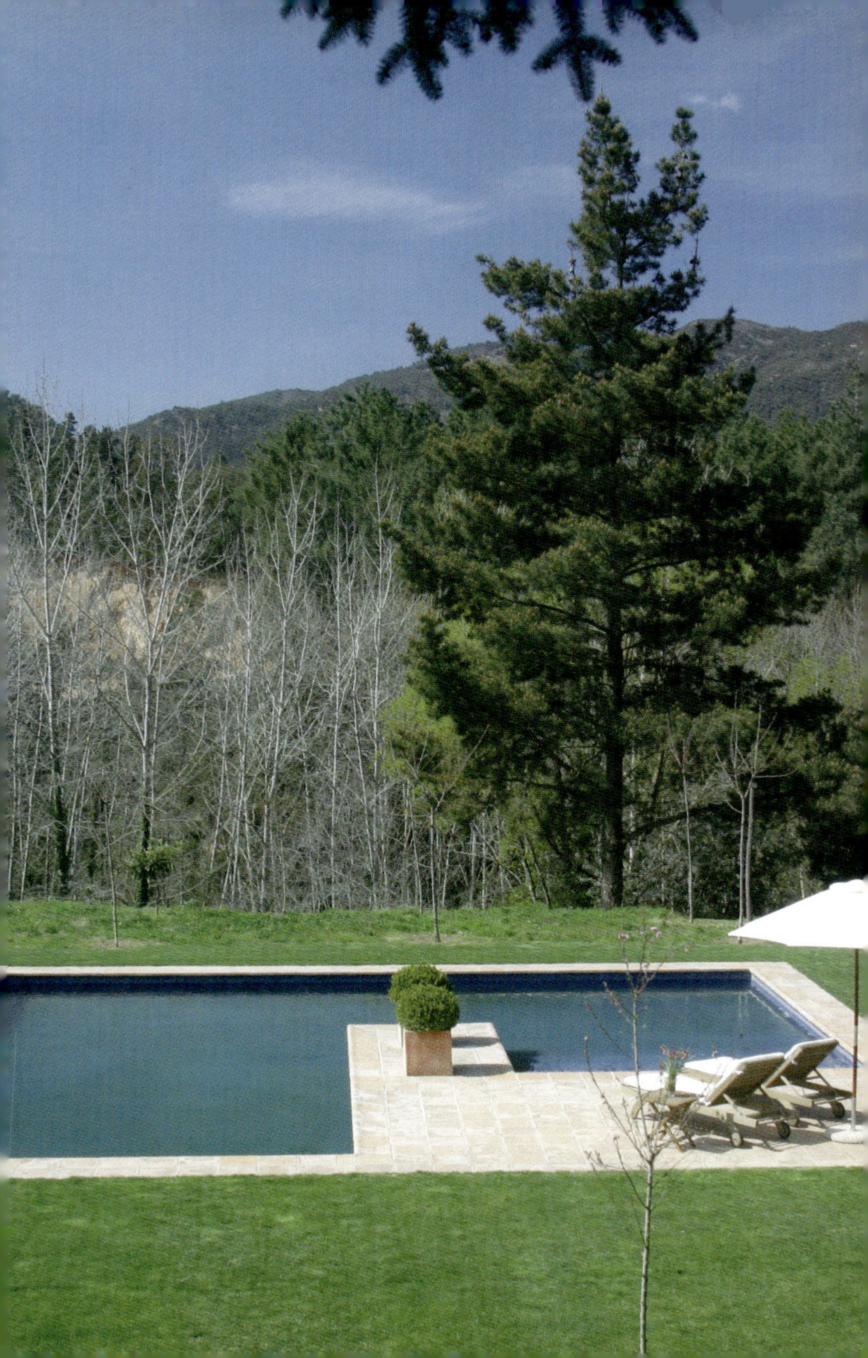

The swimming pool has submerged steps at the side, like a Jacuzzi.

L'accesso alla piscina avviene attraverso gradini degradanti nell'acqua, come una vasca idromassaggio.

La piscina cuenta con unas escaleras de acceso laterales sumergidas, a modo de jacuzzi.

A piscina conta com um lance lateral de escadas submerso, à maneira de um jacuzzi.

area for relaxing around the pool enables enjoyment of the installation and the surrounding landscape.

Una zona relax accanto alla piscina permette di godere appieno della struttura e del paesaggio circostante.

a zona de descanso acondicionada alrededor la piscina permite disfrutar de la construcción el entorno.

Em redor da piscina, uma zona de lazer permite o desfrute das instalações e da paisagem circundante.

With a colonial air, the whole of the outside of this house follows the same aesthetic lines as the inside. The swimming pool, with classic lines, a border of white tiles, and surrounded by a teak deck, is built in front of a minimalist pergola which provides protection from the sun and is fitted out as a relaxing area with wicker garden furniture.

L'esterno di questa abitazione segue la stessa linea estetica dall'atmosfera coloniale dell'interno. La piscina dalle line classiche, con bordo in ceramica bianca e pavé in tek, è situata di fronte a una pergola minimalista che protegge dalla luce solare ed è stata attrezzata a zona relax con mobili da giardino in fibre naturali.

HOUSE IN PEDRALBES

oan Puig / Ayguavives, Arborètum
landscape architecture)

arcelona, Spain

ontagiado de un aire colonial, toda la
ona exterior de esta casa sigue la misma
ea estética que el interior. La piscina, de
ea clásica y pavimentada con borde
erámico color blanco y madera de teca, se
za frente a una pérgola minimalista, que
otege de la luz solar y está decorada a
odo de zona de relax con muebles de
xterior de fibra natural.

De aparência colonial, o conjunto exterior desta casa harmoniza-se, esteticamente, com as opções definidas para o seu interior. A piscina, de linhas clássicas, rebordo cerâmico branco e rodeada por madeira de teca, foi instalada junto a uma pérgula minimalista que garante protecção solar e se afirma, com recurso ao mobiliário em vime, como zona de relaxamento.

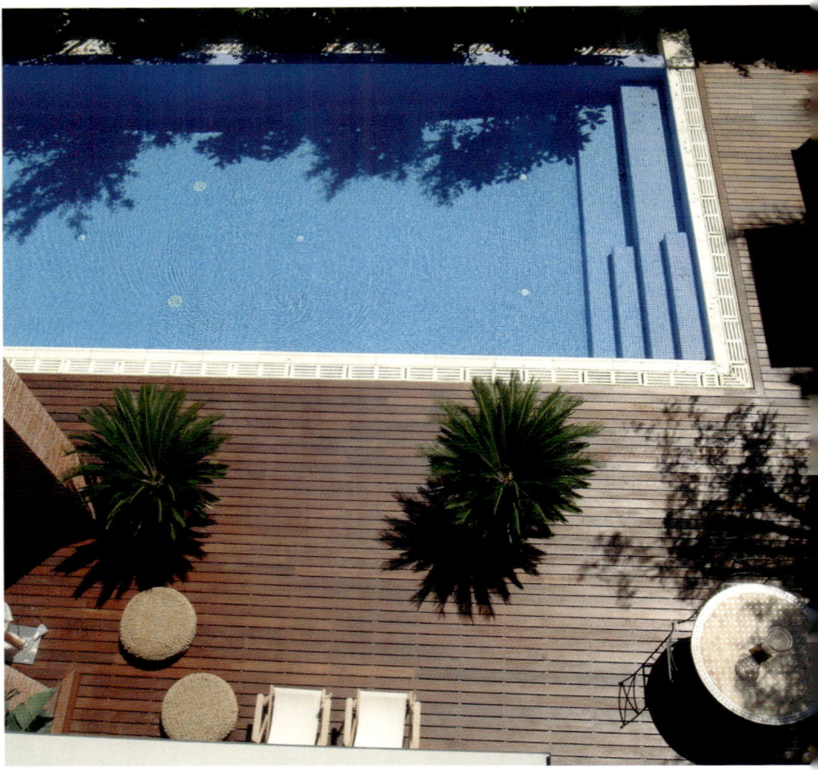

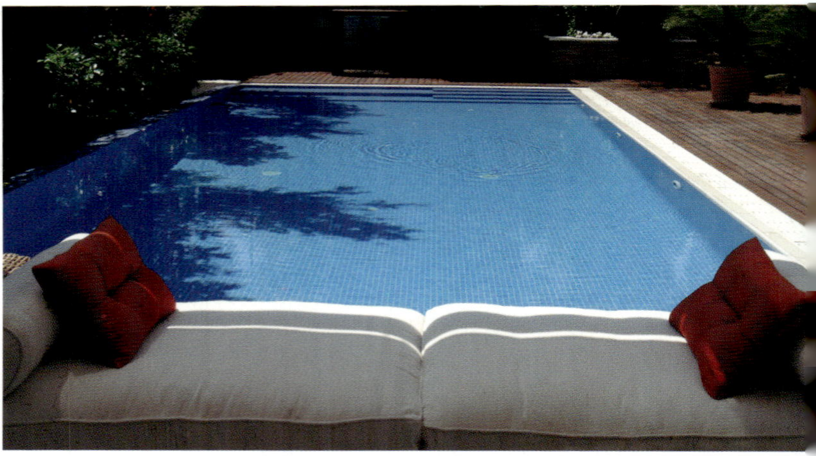

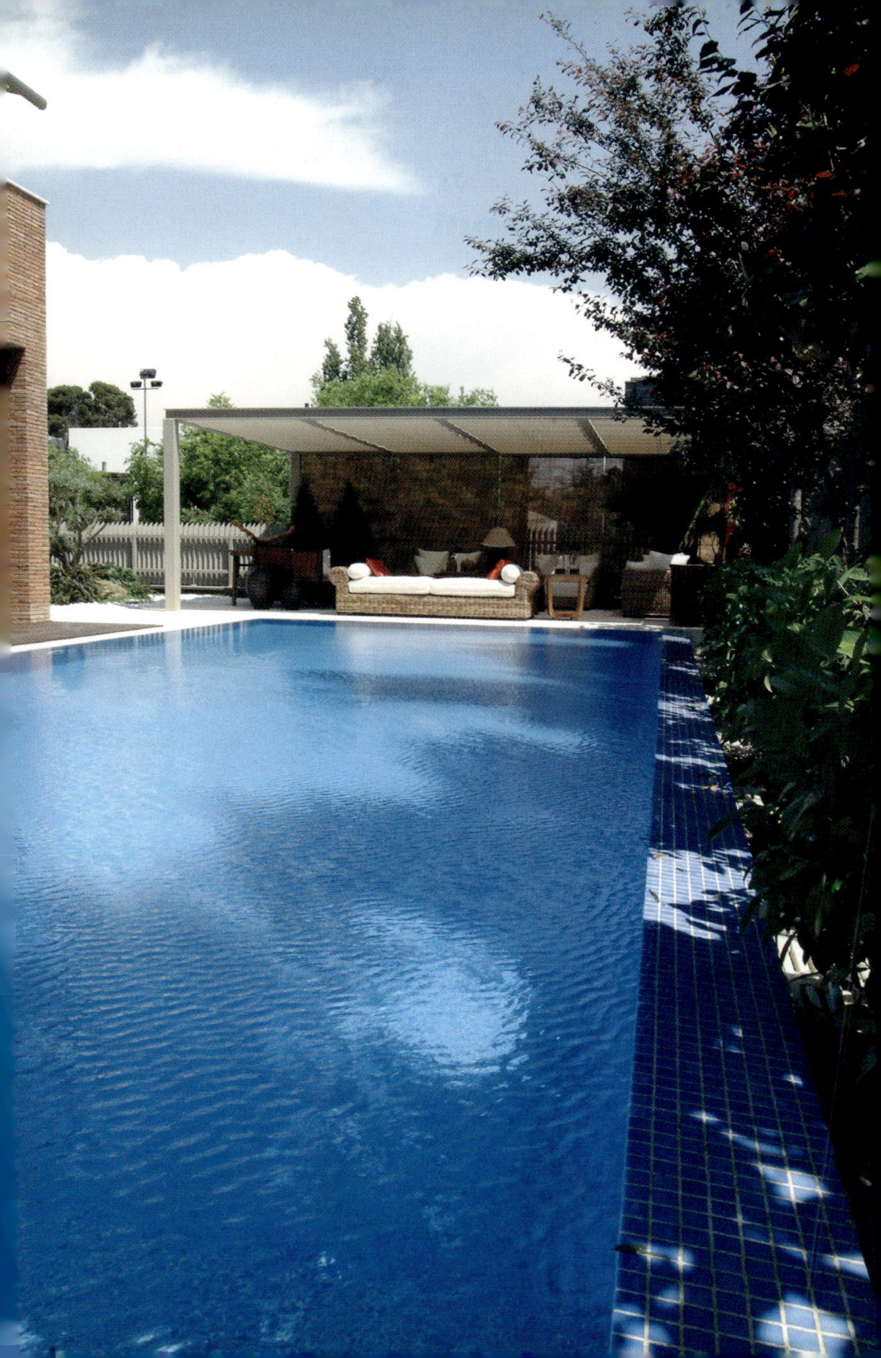

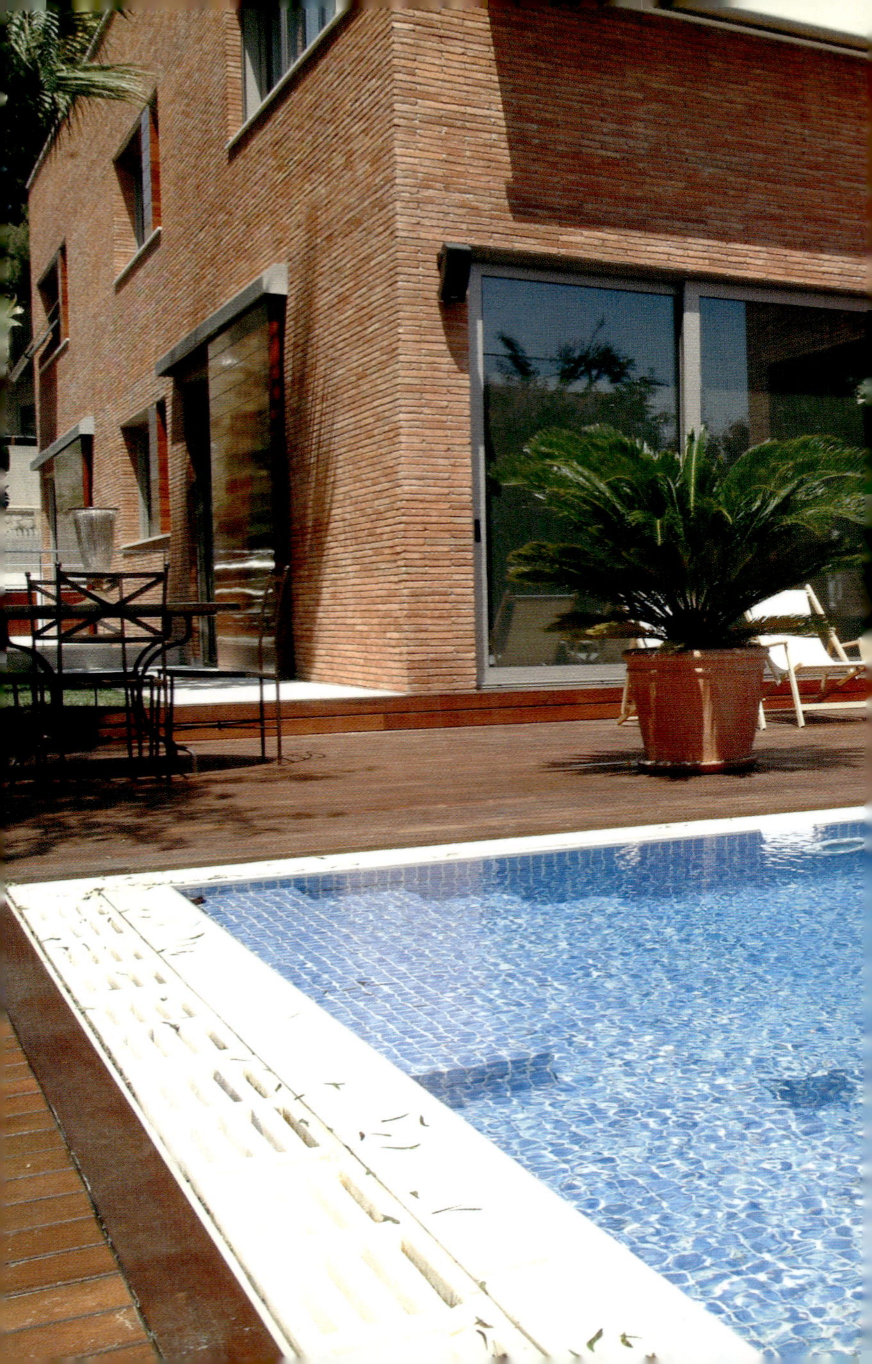

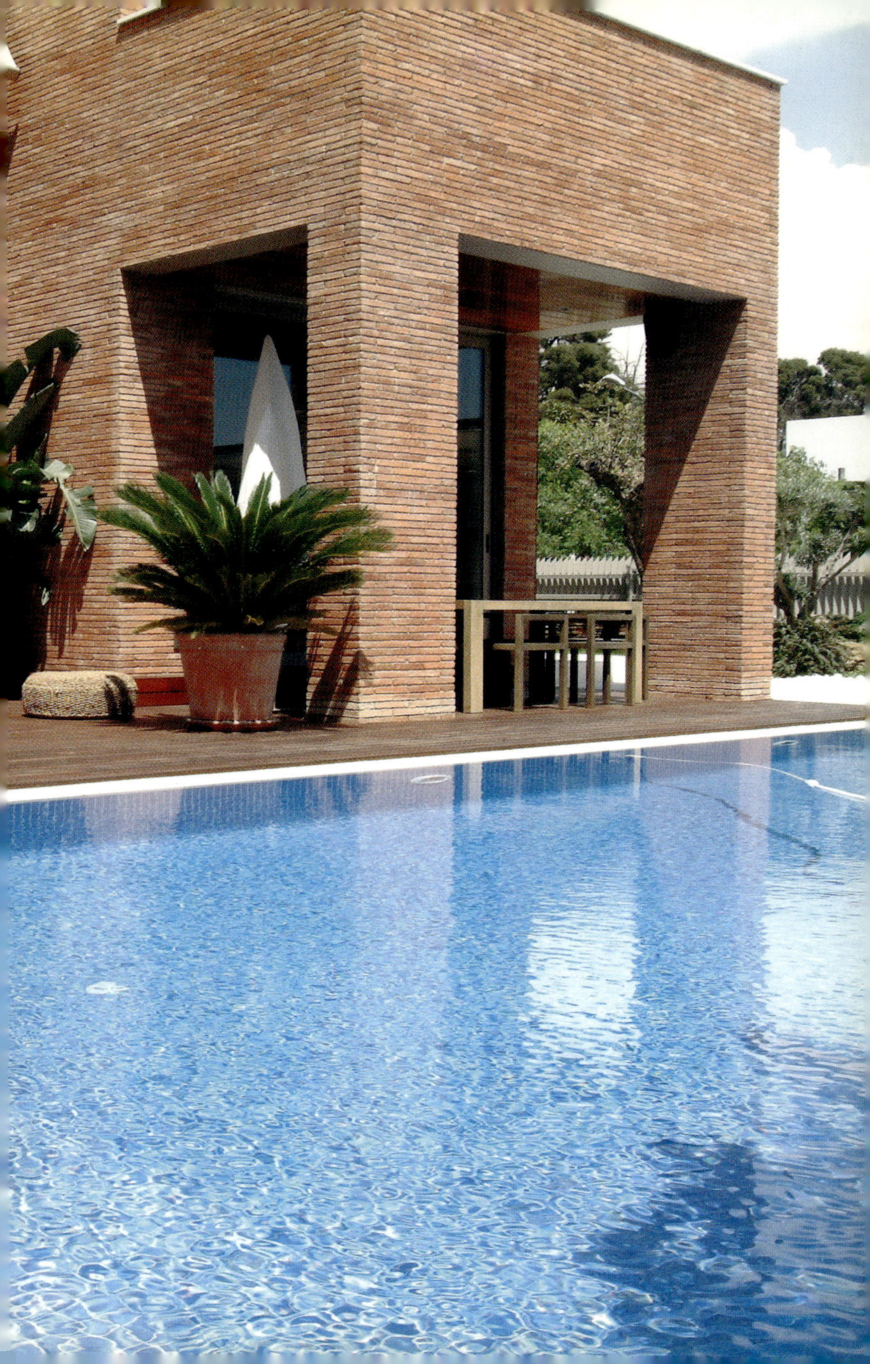

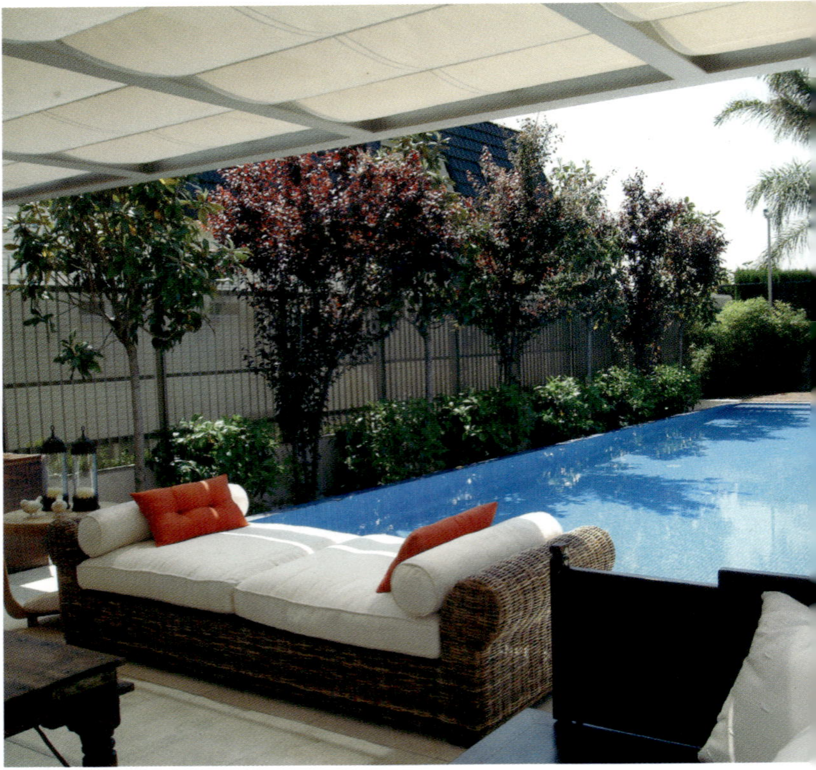

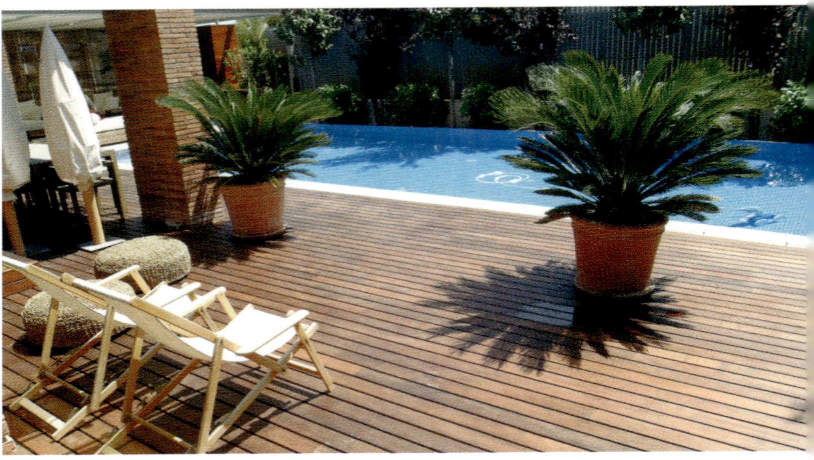

The pool is lined with blue gresite tiles and the same material covers the steps into the water. Teak is predominant in all the outside flooring, including the area around the water.

La piscina è rivestita con mosaico di vetro azzurro e lo stesso materiale è usato per i gradini d'accesso. Il tek predomina nella pavimentazione esterna, inclusa l'area a bordo piscina.

La piscina está cubierta en su interior por baldosas de gresite azul. El mismo material cubre la escalera de acceso. La teca es la protagonista del pavimento de todo el exterior y también de la zona acuática.

O interior da piscina é em pastilha azul, sendo também este o material aplicado nos degraus de acesso à água. A madeira de teca é o pavimento que predomina no exterior, mesmo na zona em redor da piscina.

A swimming pool of considerable dimensions, constructed in a classic style at a house which was built in 1900 in the city of Alicante, by the Mediterranean Sea. The pool is made of reinforced concrete and covered with a thin layer of white, impermeable mortar. At the back a wall serves to preserve the privacy of the inhabitants of the house.

Una piscina di notevoli dimensioni costruita in cemento armato, rivestito di un sottile strato di malta impermeabile di colore bianco, e progettata in stile classico per una casa del '900 ubicata nella città di Alicante, sul mar Mediterraneo. Un muro sul fondo protegge la privacy dei proprietari.

JOAQUÍN GALLEGO RESIDENCE

Joaquín Gallego

Alicante, Spain

Piscina de considerables dimensiones, de estilo clásico, en una casa erigida en 1900 que está situada entre la ciudad de Alicante y el mar Mediterráneo. La piscina está construida en hormigón armado y cubierta con una capa muy fina de mortero impermeable color blanco. Al fondo, un muro frontal sirve como elemento separador y preserva la intimidad de los habitantes de la casa.

Podemos observar uma piscina de dimensões consideráveis, projectada num estilo clássico junto a uma casa edificada em 1900, na cidade de Alicante, sobre o mar mediterrânico. A piscina foi construída em betão armado e coberta por uma fina camada de argamassa impermeável branca. Nas traseiras, um muro ajuda a manter a privacidade da casa.

A covering of local limestone was used for the two sets of steps into the pool, which also complements chromatically with the range of colors of the house. White and sand are the two predominant colors.

Para las dos escaleras de acceso a la piscina, se utilizó un revestimiento de piedra local caliza que, además se complementa cromáticamente con la gama de colores de la casa. Blanco y arena es el dúo protagonista.

Le due scale di accesso alla piscina sono rivestite in pietra calcarea locale, che si sposa perfettamente con le tonalità della casa, tra cui predominano il bianco e il sabbia.

Nos dois lanços da escada que acede à piscina fo aplicada pedra calcária local, numa perfeita complementaridade cromática em relação à casa Predominam os brancos e os tons arenosos.

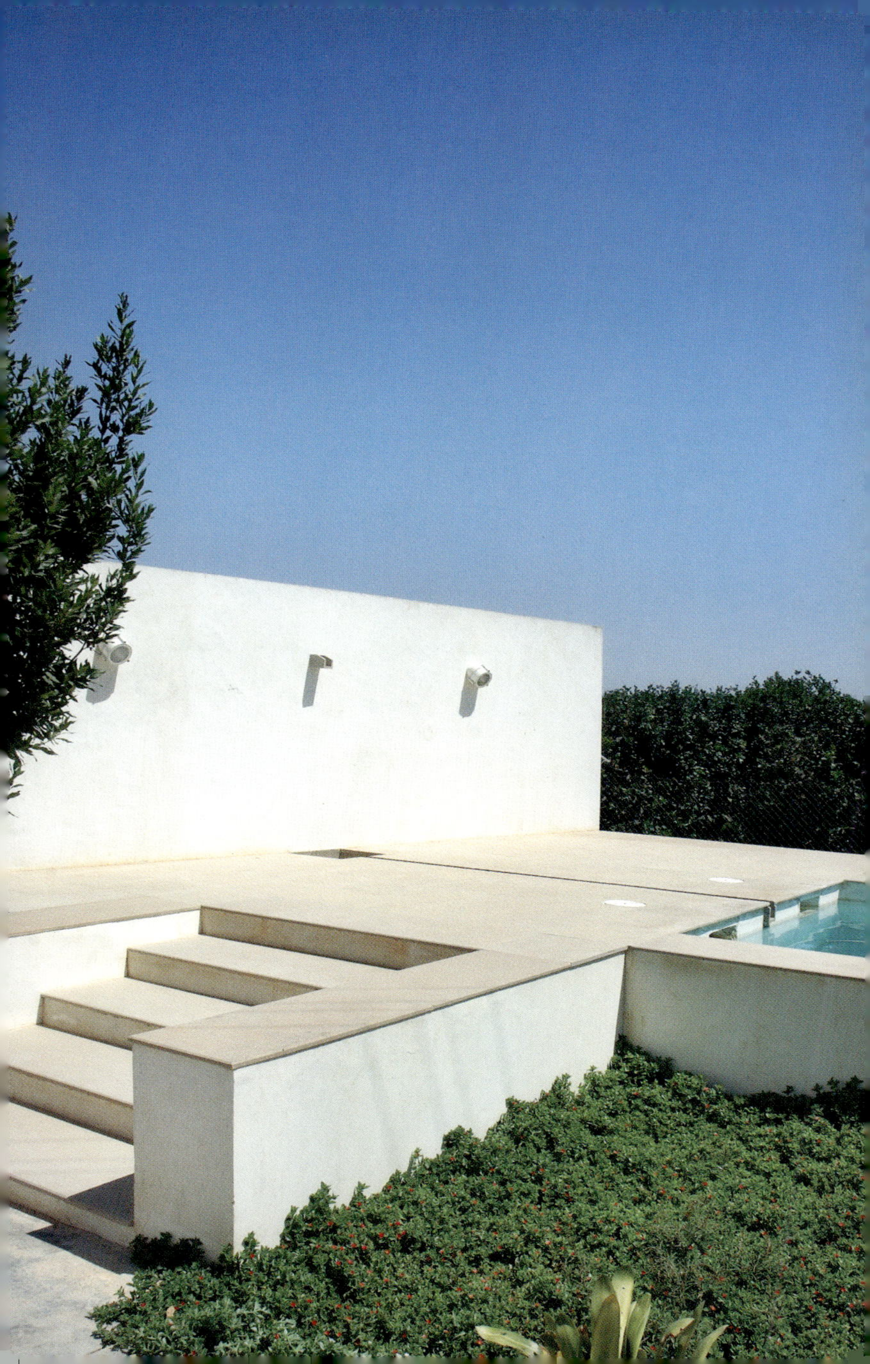

White is the dominant color in this whole space, contrasting with the earthy color of the wall which in turn contrasts with the tones of the wood of the surrounding trees. The pool, which has clearly been constructed in the minimalist style, is designed for a standard family to enjoy, and its size meets the needs of the owners perfectly.

Il bianco domina l'intero spazio, in contrasto con il recinto color terra che richiama la tonalità degli alberi circostanti. La piscina, in chiaro stile minimalista, è stata progettata per una famiglia standard e le sue dimensioni rispondono perfettamente alle esigenze dei proprietar

MATTURUCCO

Mira Martinazzo

Melbourne, Australia

blanco es el color dominante de todo este espacio, en contraste con el color de tierra de la pared, que coincide con el tono de la madera de los árboles circundantes. La construcción de la piscina, claramente de estilo minimalista, está diseñada para el disfrute de una familia estándar y tiene unas dimensiones ajustadas a las necesidades de los propietarios.

O branco é a cor que domina todo este espaço, contrastando com as cores térreas da parede, que por sua vez contrastam com os tons de madeira das árvores em volta. A piscina, claramente construída num estilo minimalista, foi pensada para uma utilização familiar, sendo as dimensões que ostenta suficientes para corresponder às necessidades dos seus proprietários.

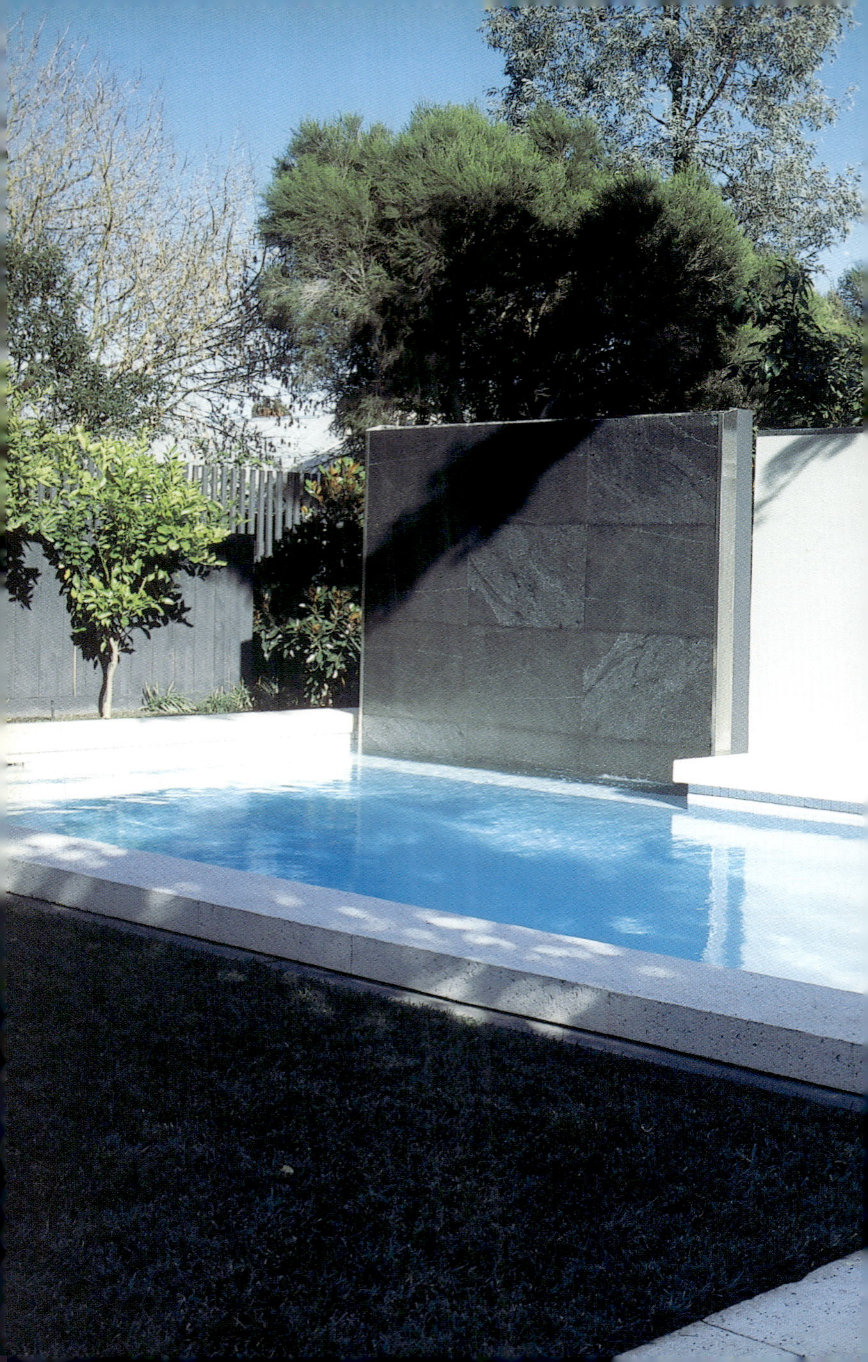

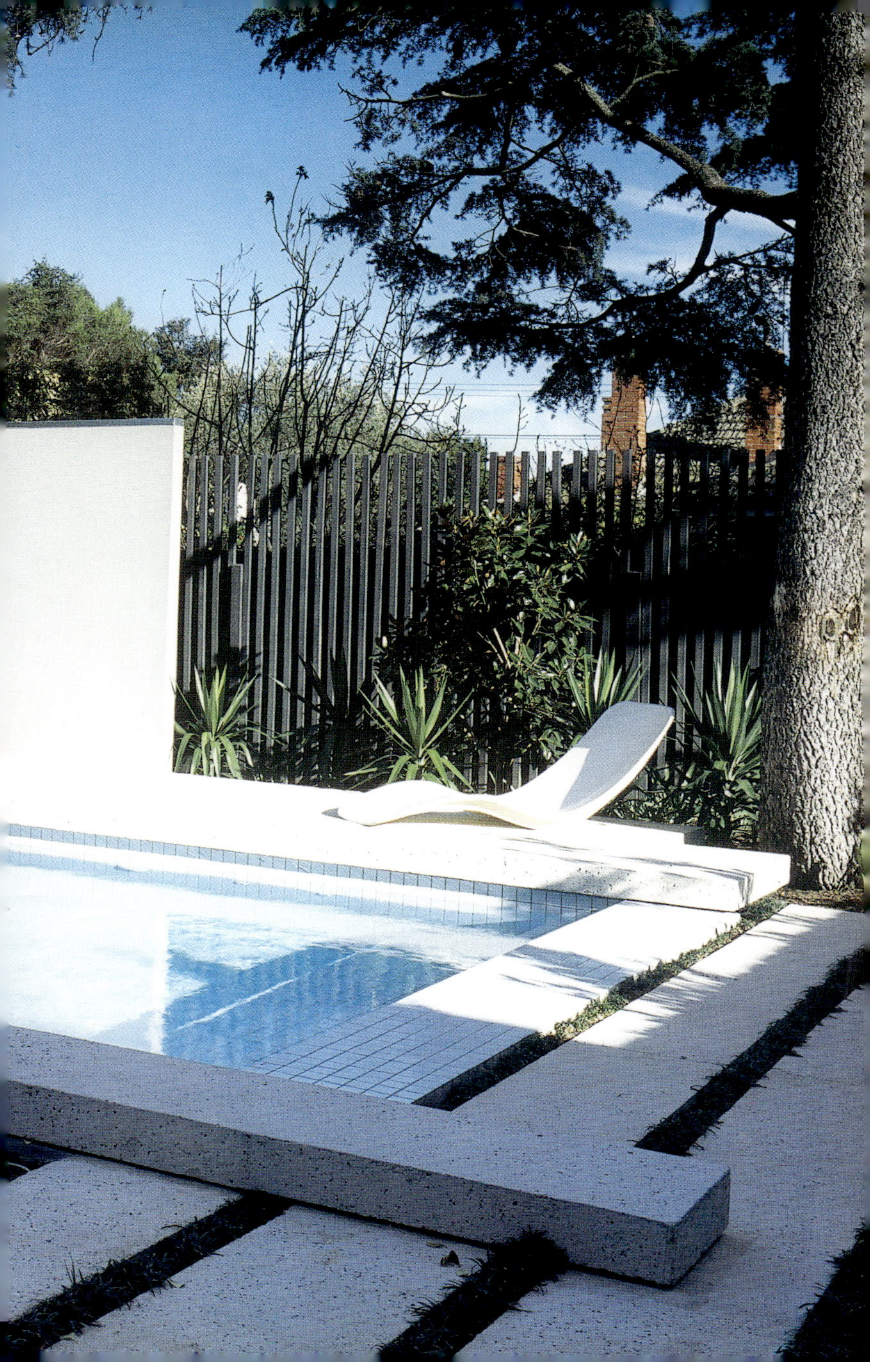

The wall of lead grey marble which has been constructed at the side of the pool is not only decorative but also accommodates a shower with hot and cold water, built at the back.

Il muro di marmo grigio piombo a lato della piscina non ha soltanto una funzione decorativa ma nasconde sul retro una doccia con acqua calda e fredda.

El muro de mármol color gris plomo levantado en el lateral de la piscina es, además de un elemento decorativo, la antesala de una ducha de agua fría y caliente construida en la parte posterior.

A parede de mármore cinzento-chumbo adjacente à piscina cumpre uma função decorativa, mas também funcional, já que acomoda um chuveiro de água quente e fria na sua face escondida.

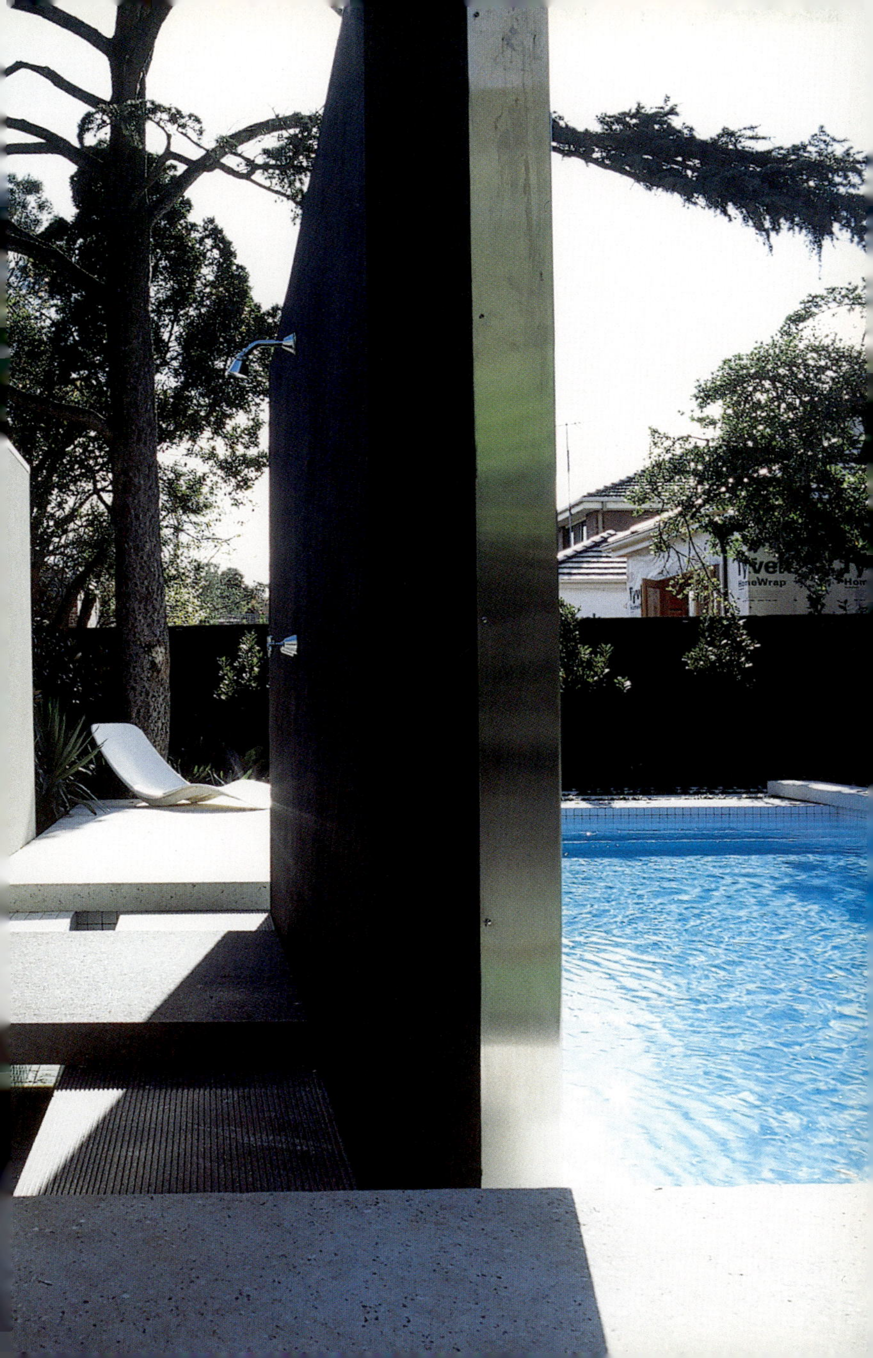
HomeWrap

This aquatic construction has been built in particularly beautiful natural surroundings and designed in such a way that it appears to be part of the countryside. The gresite used for the bottom of the pool is of several shades of blue and creates a visual effect which generates a chromatic sensation. The terrace is made up of a combination of paving stones and lawn.

Circondata da uno spettacolo naturale di rara bellezza, questa struttura acquatica è progettata in modo da confondersi visivamente con il paesaggio. Il mosaico di vetro usato per rivestire il fondo della piscina in differenti tonalità di blu crea un effetto ottico di grande impatto cromatico. La terrazza combina mattonelle in pietra e prato naturale.

RESIDENCE IN RIO

Bernardes Jacobsen Arquitetura

Río de Janeiro, Brasil

En un entorno de gran belleza natural, se alza esta construcción acuática diseñada de tal manera que se confunde visualmente con el resto del paraje. El gresite del fondo de la piscina es de diferentes tonalidades de azul y crea un juego visual que genera una gran sensación cromática. A su vez, en la terraza se combina el pavimento pétreo con zonas de césped.

Num cenário de inesperada beleza natural foi erigida esta piscina, desenhada de maneira a dissolver-se na paisagem circundante. O mosaico em pastilha utilizado no revestimento do fundo da piscina reflecte uma vasta paleta de azuis, criando um efeito visual gerador de sensações cromáticas. O terraço resultou da combinação de pequenas lajes em pedra e intervalos relvados.

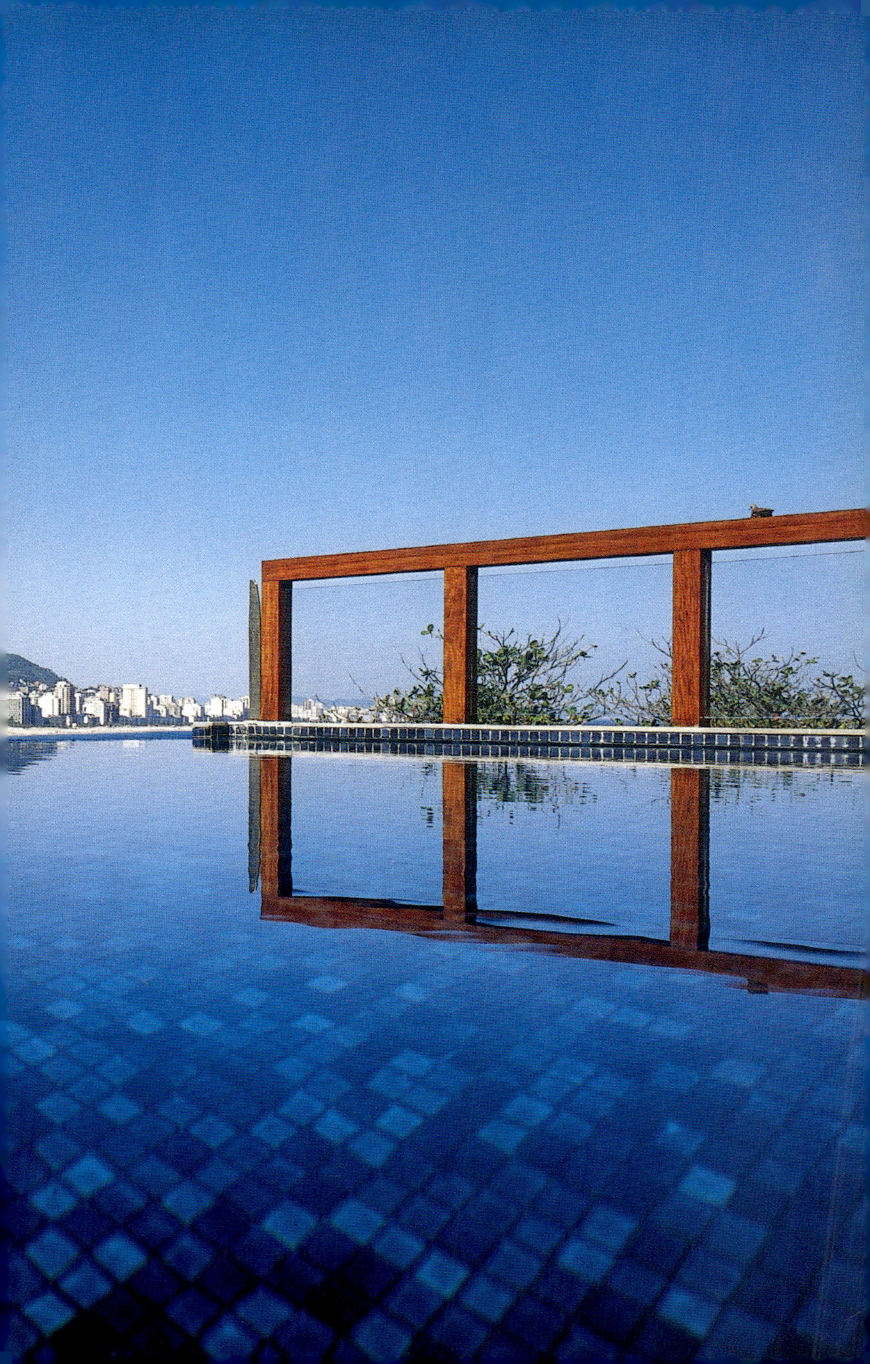

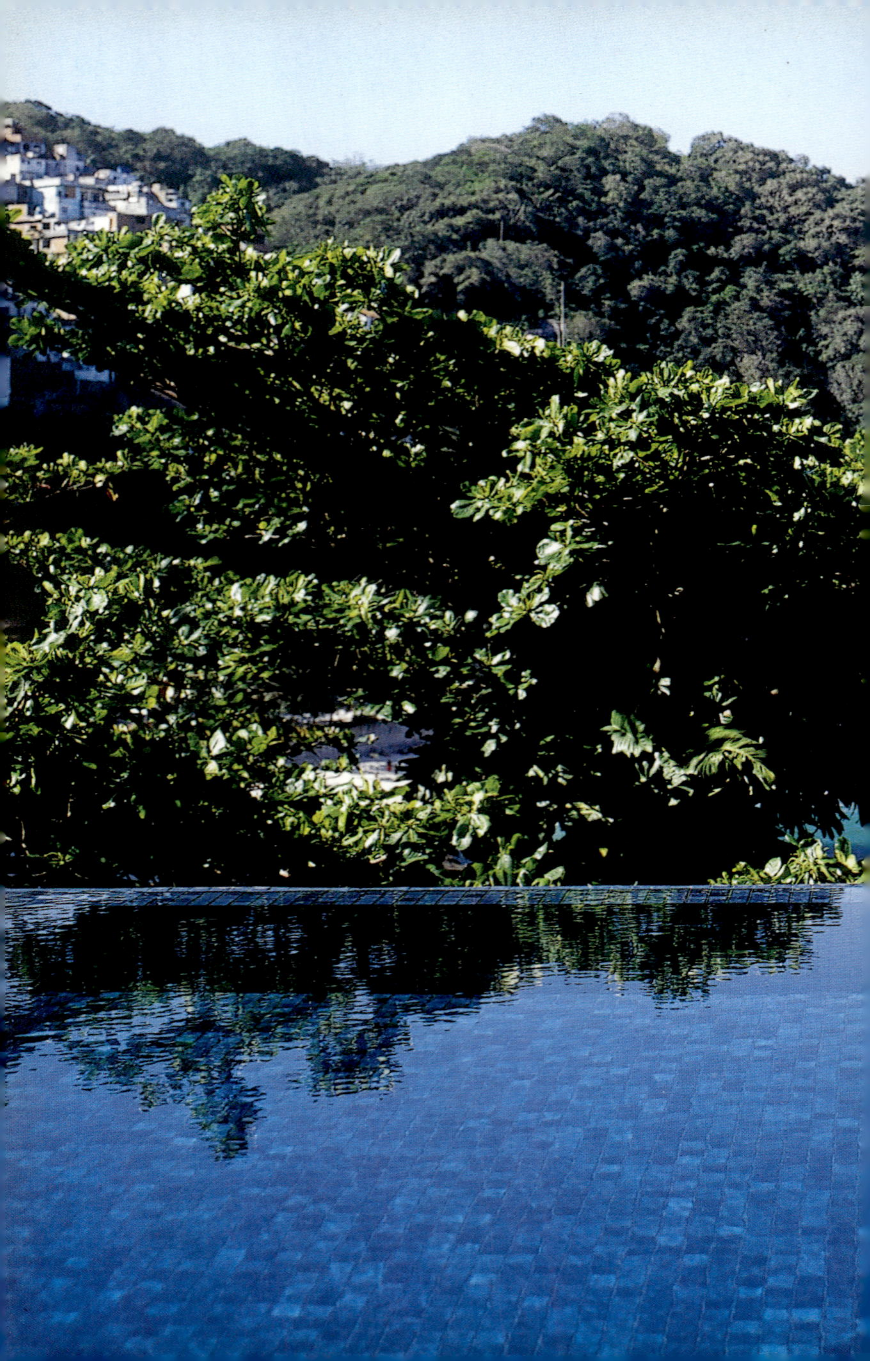

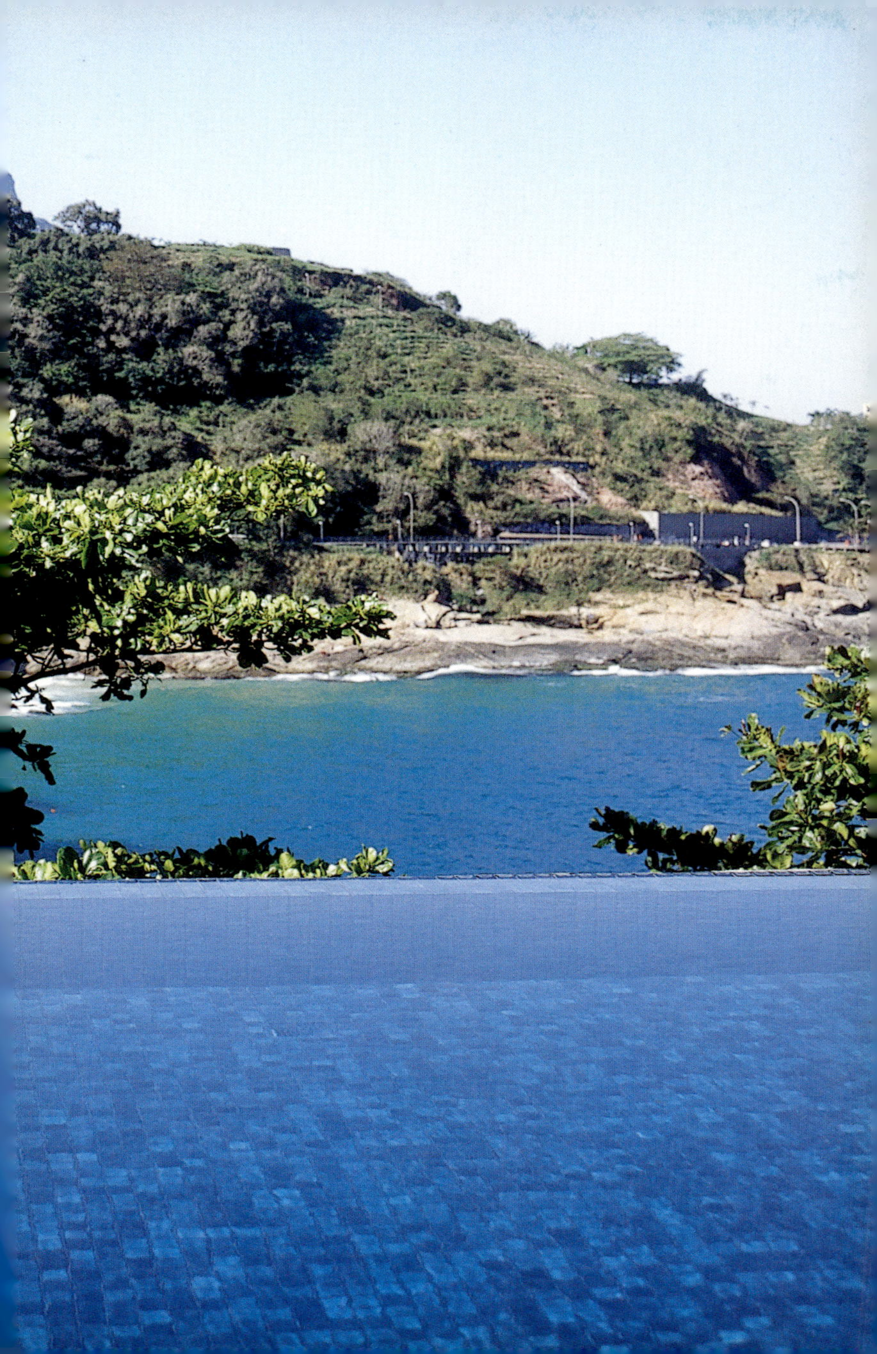

At this property, which is located in one of the most up-market areas of Sitges, the pool was built with a classic appearance and rectangular shape, following the horizontal and vertical lines of the house. White is the dominant chromatic element and limestone flagstones surround the pool area, making an attractive contrast with the green of the lawn next to them.

La piscina di quest'abitazione, situata in una delle zone più lussuose di Sitges, è stata progettata per avere un aspetto classico e una forma rettangolare, seguendo le linee orizzontali e verticali della casa. Il bianco è l'elemento cromatico dominante anche per le lastre di pietra calcarea che circondano la piscina, giocando sul piacevole contrasto con il verde del prato circostante.

HOUSE IN SITGES

Alfons Argila

Sitges, Spain

En esta casa, que se encuentra en una de las zonas más lujosas de Sitges, se construyó una piscina de apariencia clásica y formas rectangulares, siguiendo las líneas horizontales y verticales de la residencia. Blanco como elemento cromático dominante y losas de piedra caliza que rodean la zona de aguas y ven resaltado su atractivo en contraste con el verde del césped que las acompaña.

Nesta propriedade, localizada numa das mais luxuosas áreas de Sitges, a piscina foi construída em estilo clássico e com uma forma rectangular, em contexto com as linhas verticais e horizontais da casa. O branco é o elemento cromático predominante. Em volta da piscina o chão foi pavimentado com lajes de pedra calcária, num atractivo contraste com o verde do relvado adjacente.

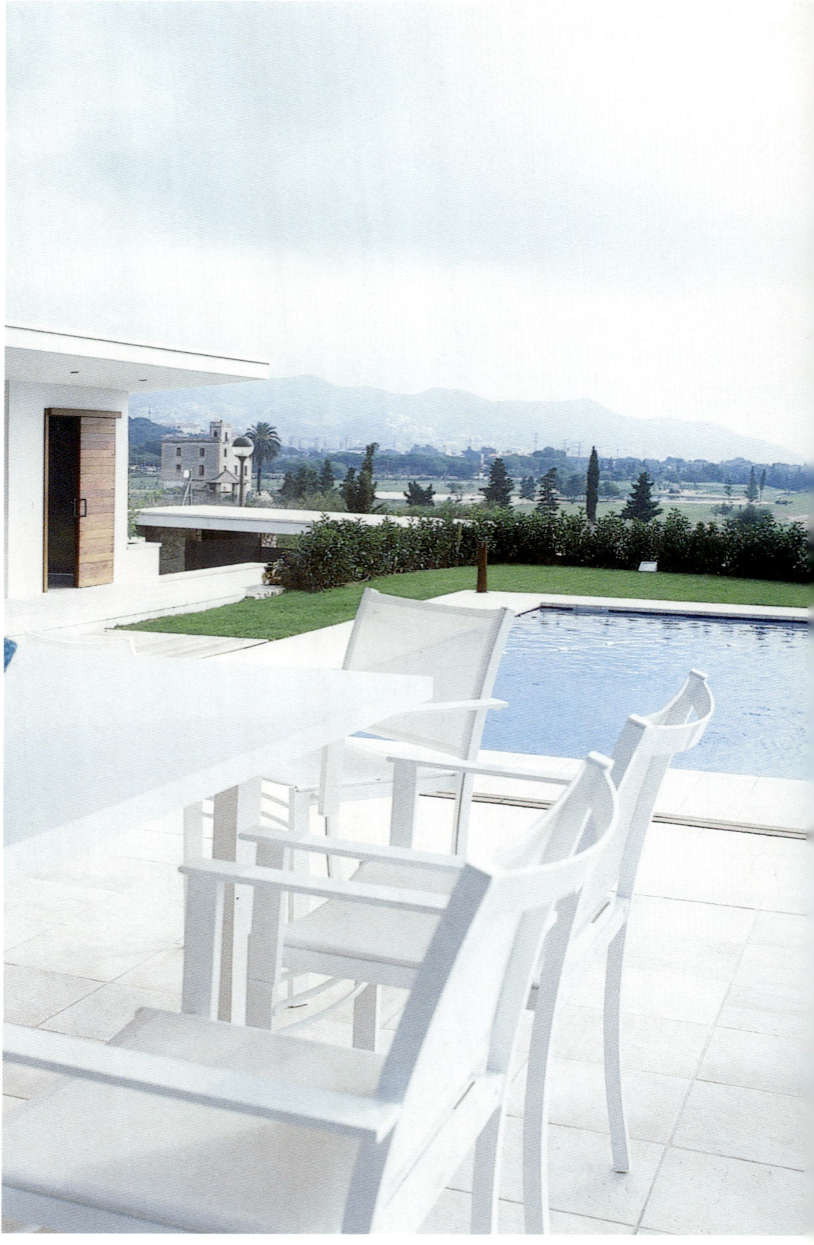

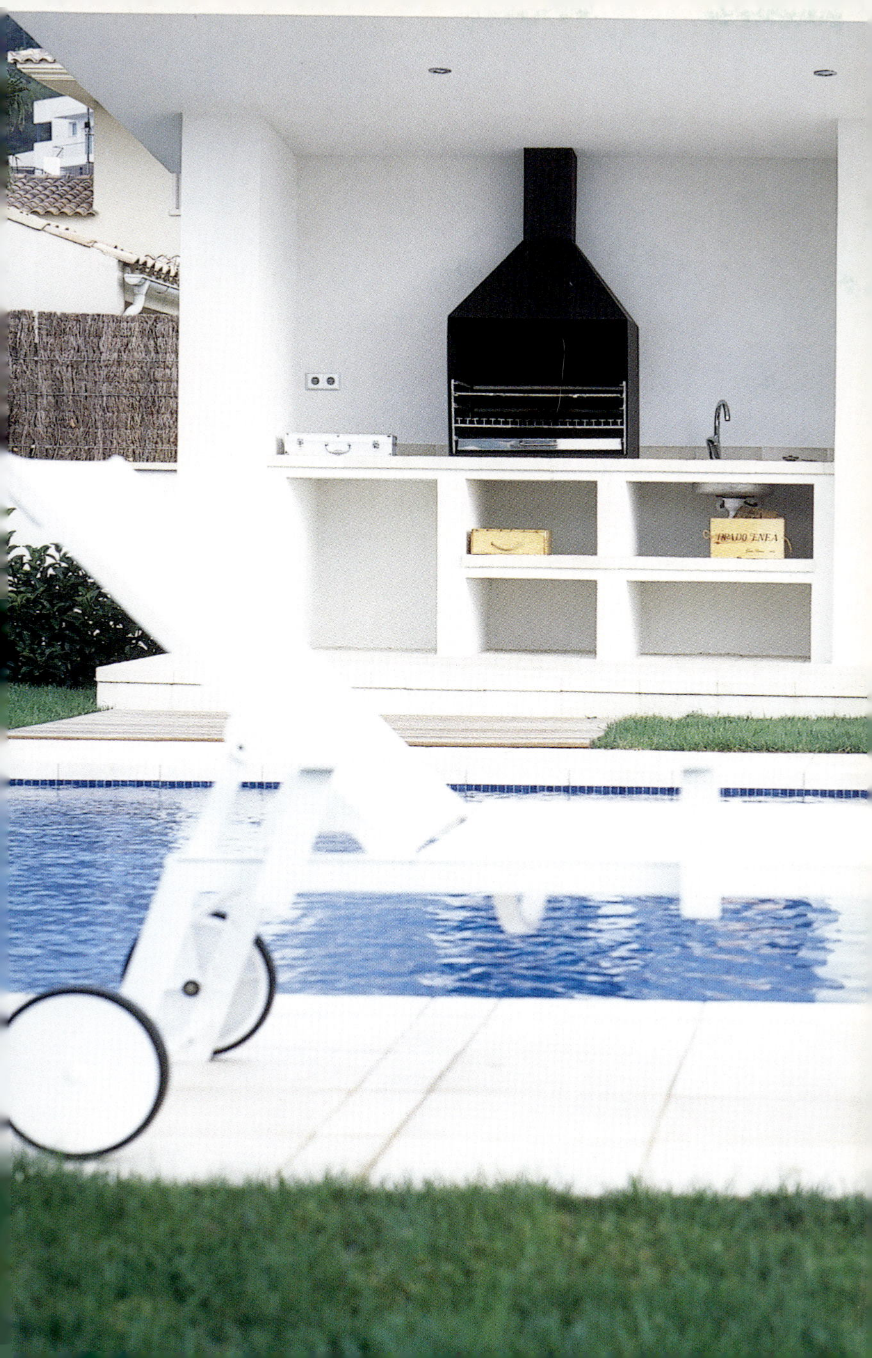

This swimming pool, with its curved design, was built on a mountainside. At one end an overflow was created which provides visual integration and union of the countryside with the water area, typical of avant-guarde constructions. The dark green gresite stands out and contrasts with the wood covering the terrace and the natural wood finishes.

Questa piscina dalle linee curve è costruita sul fianco di un pendio. A uno dei lati è stato creato un debordamento per integrare visivamente e unire l'area acquatica al paesaggio, com'è tipico dello stile avanguardista. Il mosaico di vetro verde scuro risalta per contrasto con la pavimentazione in legno della terrazza e le rifiniture in pietra naturale.

HOUSE IN BELLATERRA

Antonio Piera, Miquel Gres, Cuca Vergés

Cerdanyola del Vallès, Spain

De diseño ondulado, esta piscina se construyó en la ladera de una pendiente. En uno de los extremos, se creó un desbordamiento que permite la integración visual y la unión entre el paisaje y la zona de agua, típico de las construcciones vanguardistas. A resaltar el gresite color verde oscuro, que contrasta con la madera de la cubierta de la terraza y los acabados de piedra natural.

Esta piscina de formas curvilíneas está adossada a uma encosta montanhosa. Numa das suas extremidades foi criado um efeito de transbordo, pertinente para a integração e união da paisagem com a zona da água, característica típica das construções vanguardistas. A pastilha verde-escura destaca-se e contrasta com a madeira do terraço e demais acabamentos.

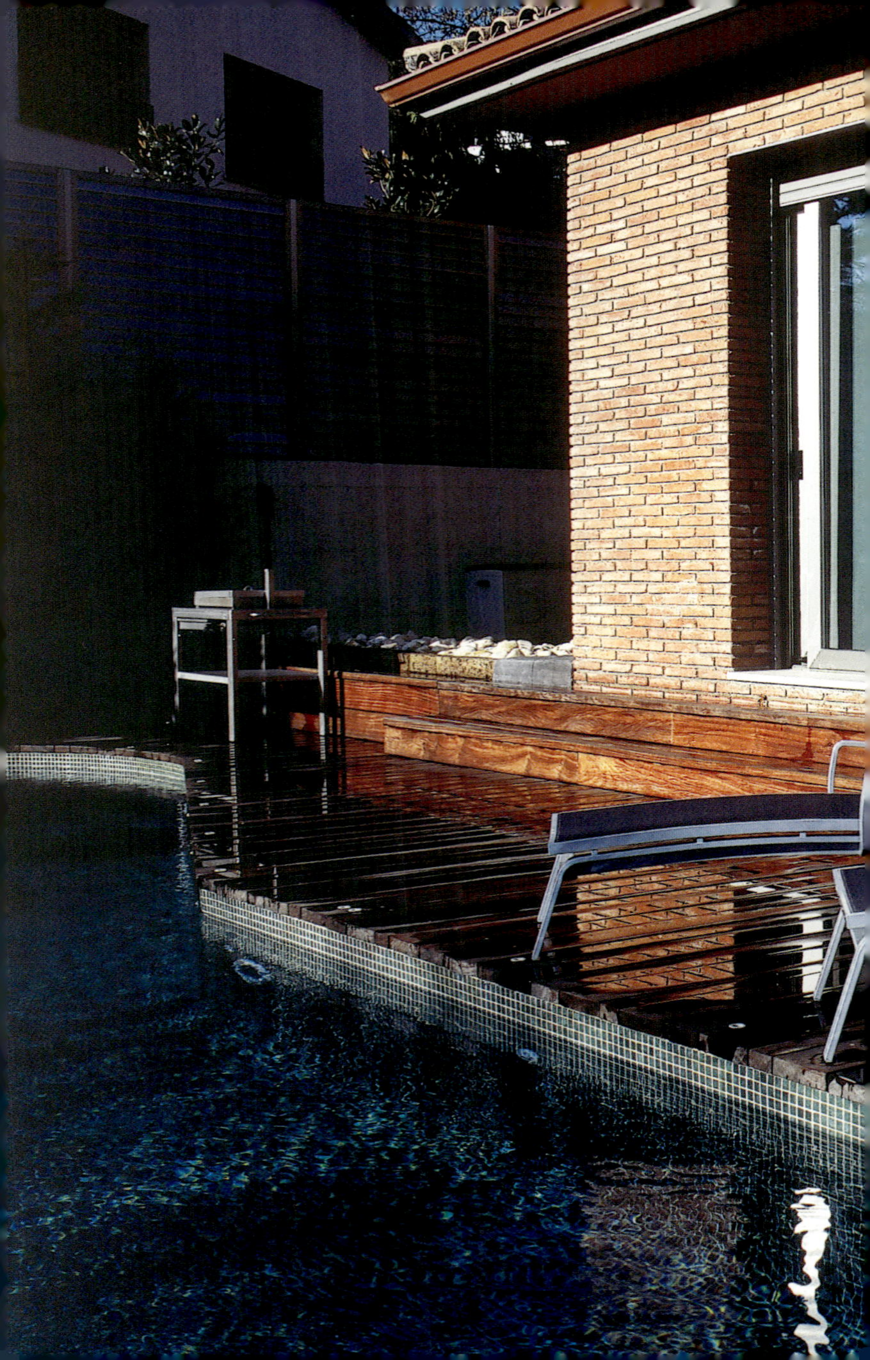

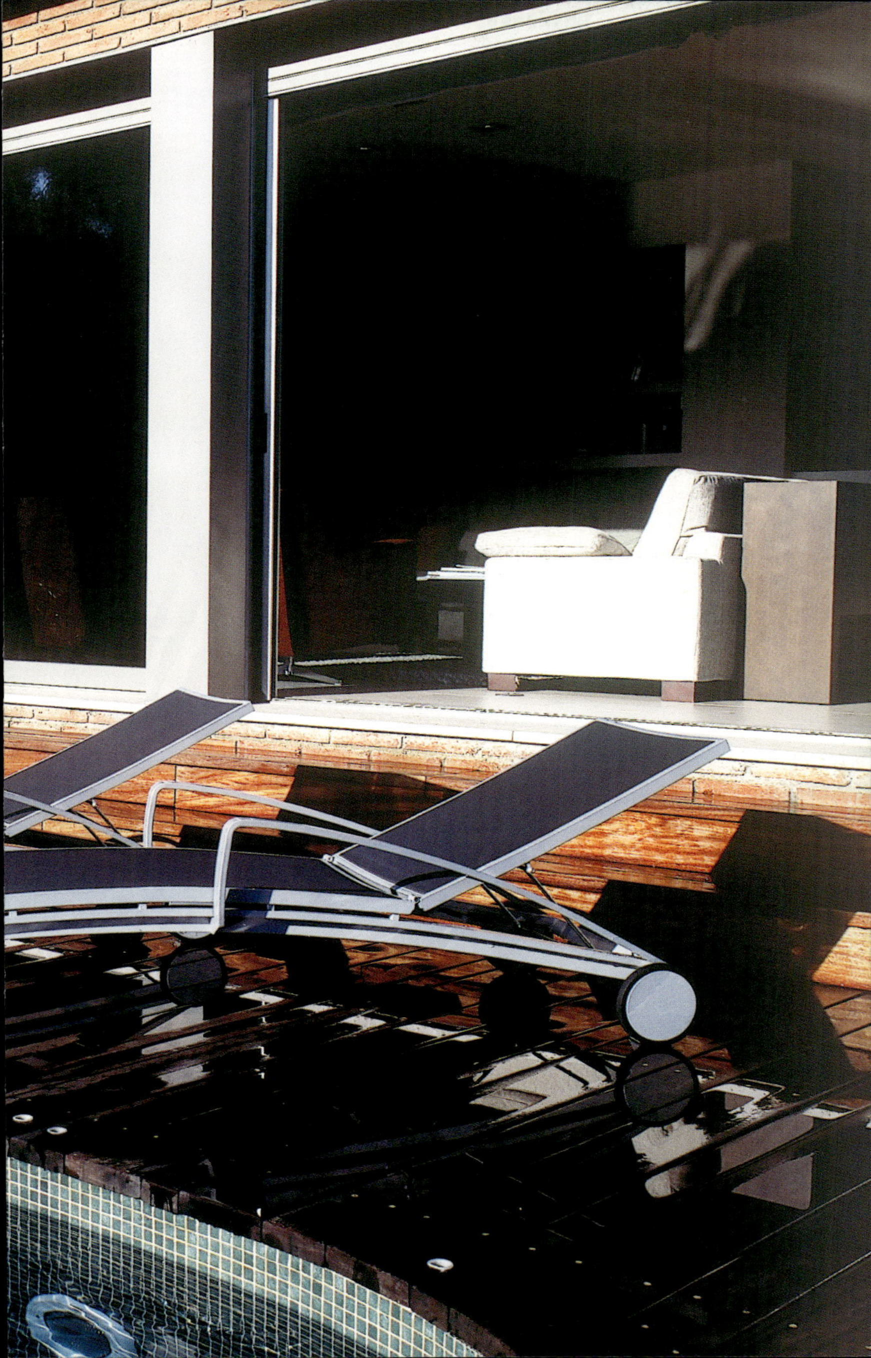

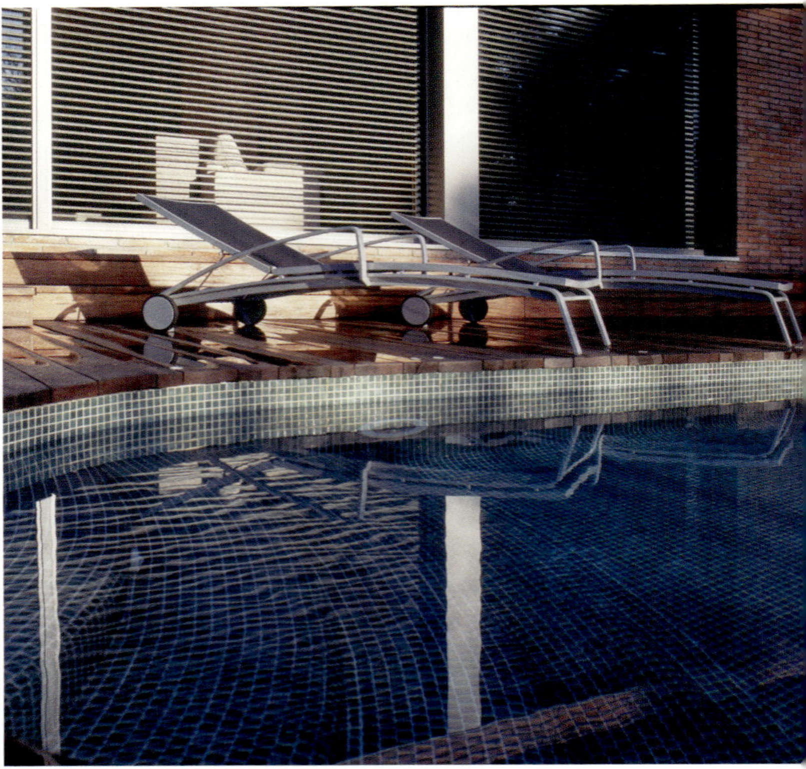

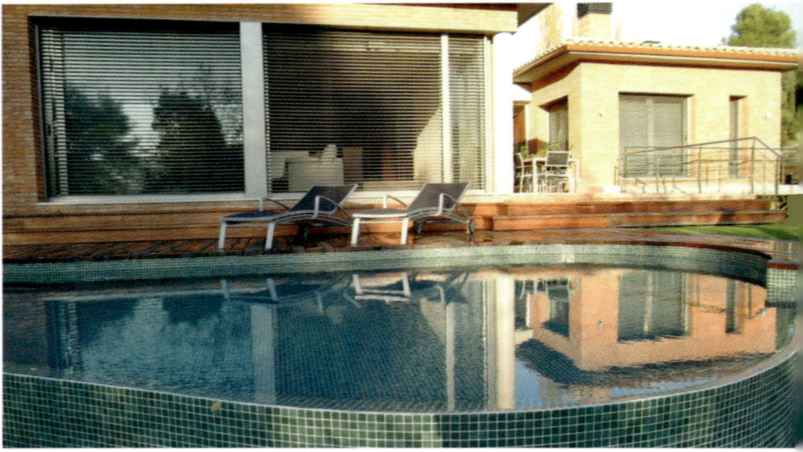

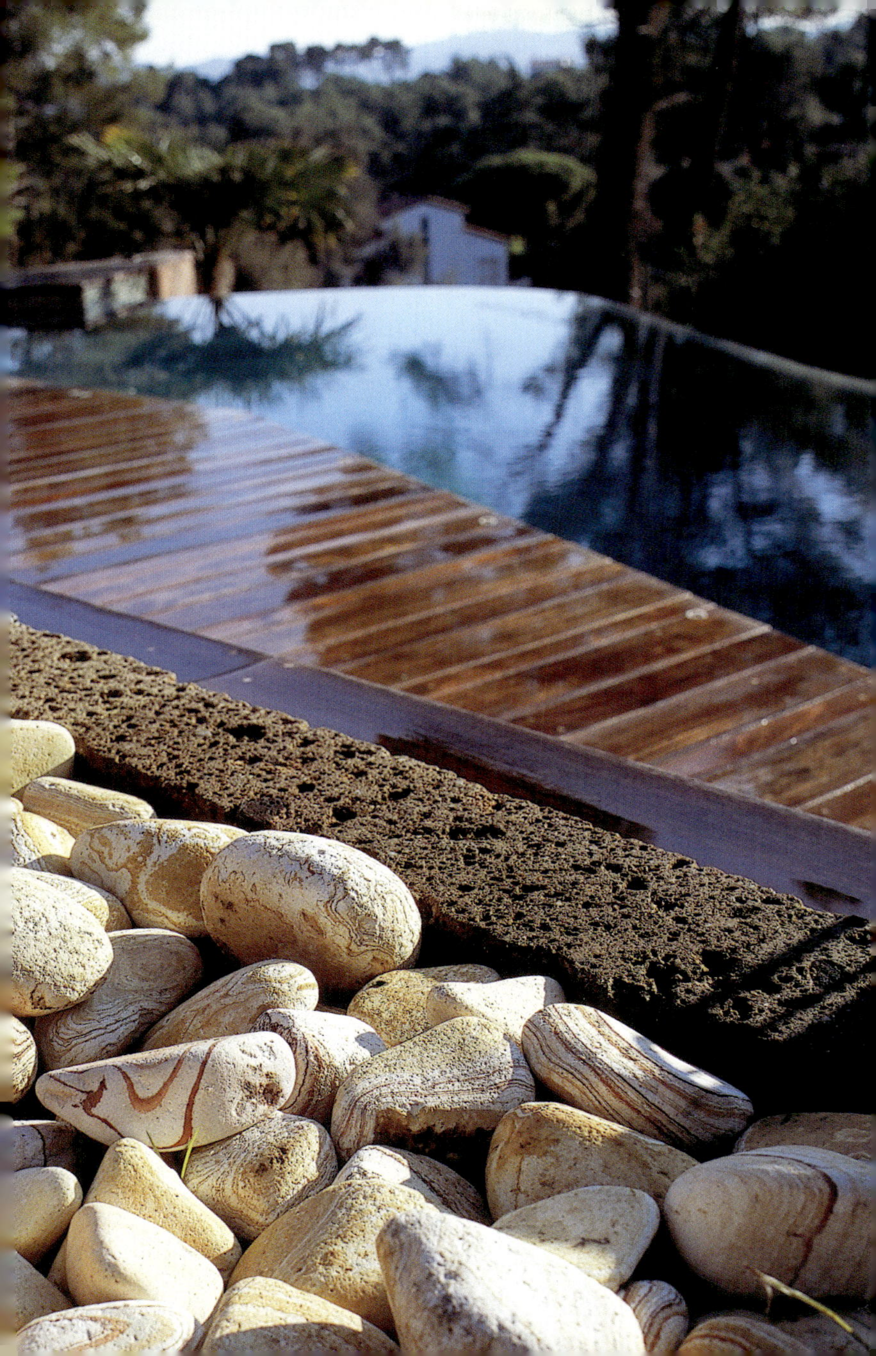

This swimming pool is original in that it is triangular, which is unusual. The straight lines and rectangular shapes making up the structure are in perfect symmetry with the residence at which it is located. The terrace, on the lower level, has a ceramic floor and an ipe wood platform along one of the sides of the pool.

L'originalità di questa piscina è data dall'inusuale forma triangolare. Le linee rette e le forme rettangolari in cui è iscritt la struttura sono in perfetta simmetria cor l'abitazione di cui fa parte. La terrazza, al piano inferiore, ha una pavimentazione in ceramica e legno di ipè lungo uno dei lati della piscina.

HOUSE ON GARRAF COAST
Alberto Martínez Carabajal, Salvador García

Sitges, Spain

La originalidad de esta piscina radica en su forma triangular, poco común. El conjunto de formas rectas y rectangulares de la estructura está en perfecta simetría con la residencia en la que está ubicada. La terraza situada en la planta baja se extiende sobre un pavimento de cerámica y una plataforma de madera de ipe a lo largo de uno de los extremos de la piscina.

A singularidade desta piscina reside no seu inusitado formato triangular. As linhas rectas e as formas rectangulares que formam a estrutura estão em perfeita simetria com a residência onde se inserem. O terraço, que fica num nível inferior, foi forrado a tijoleira e está dotado de uma plataforma em madeira de ipê ao longo de um dos lados da piscina.

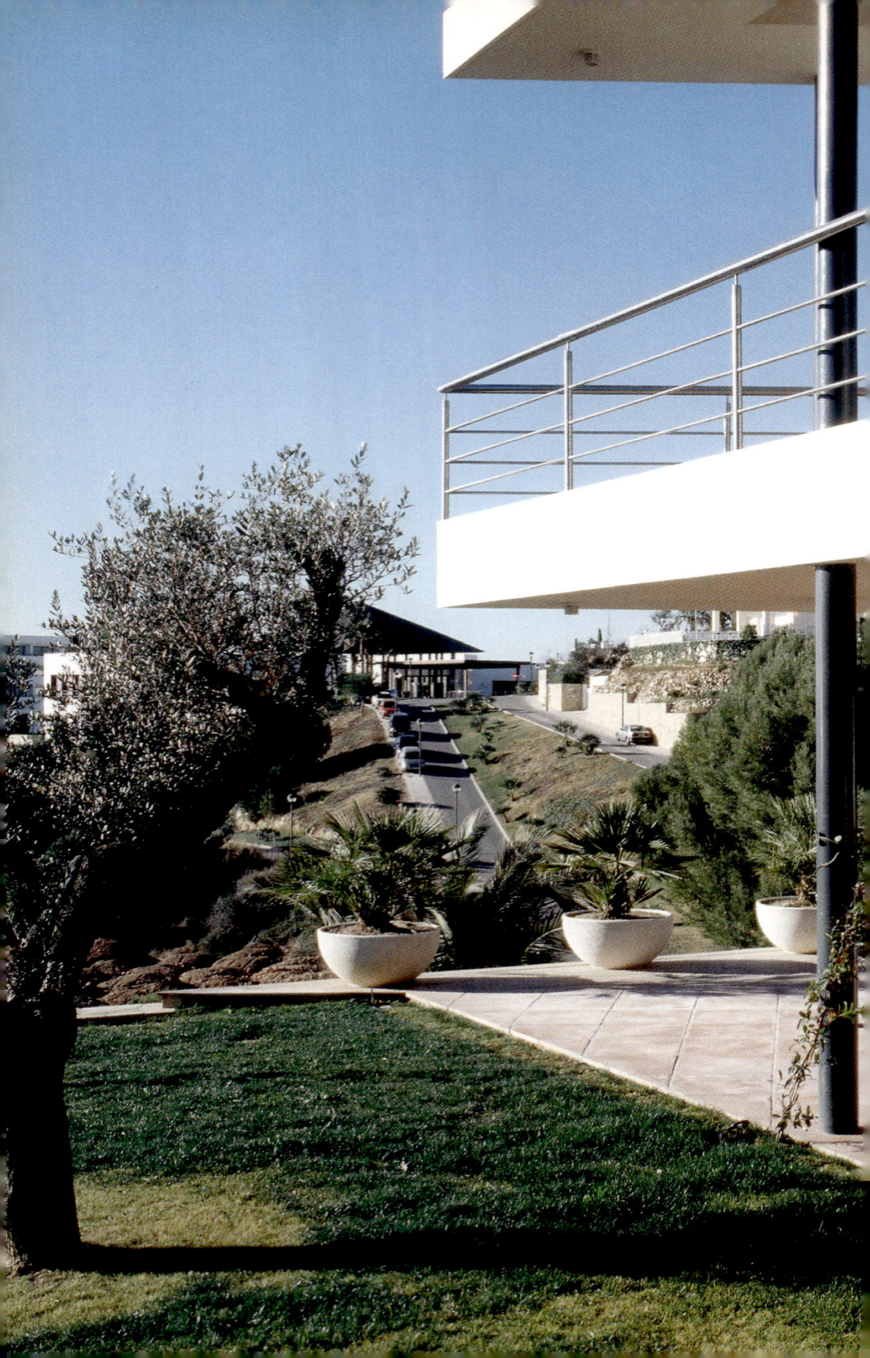

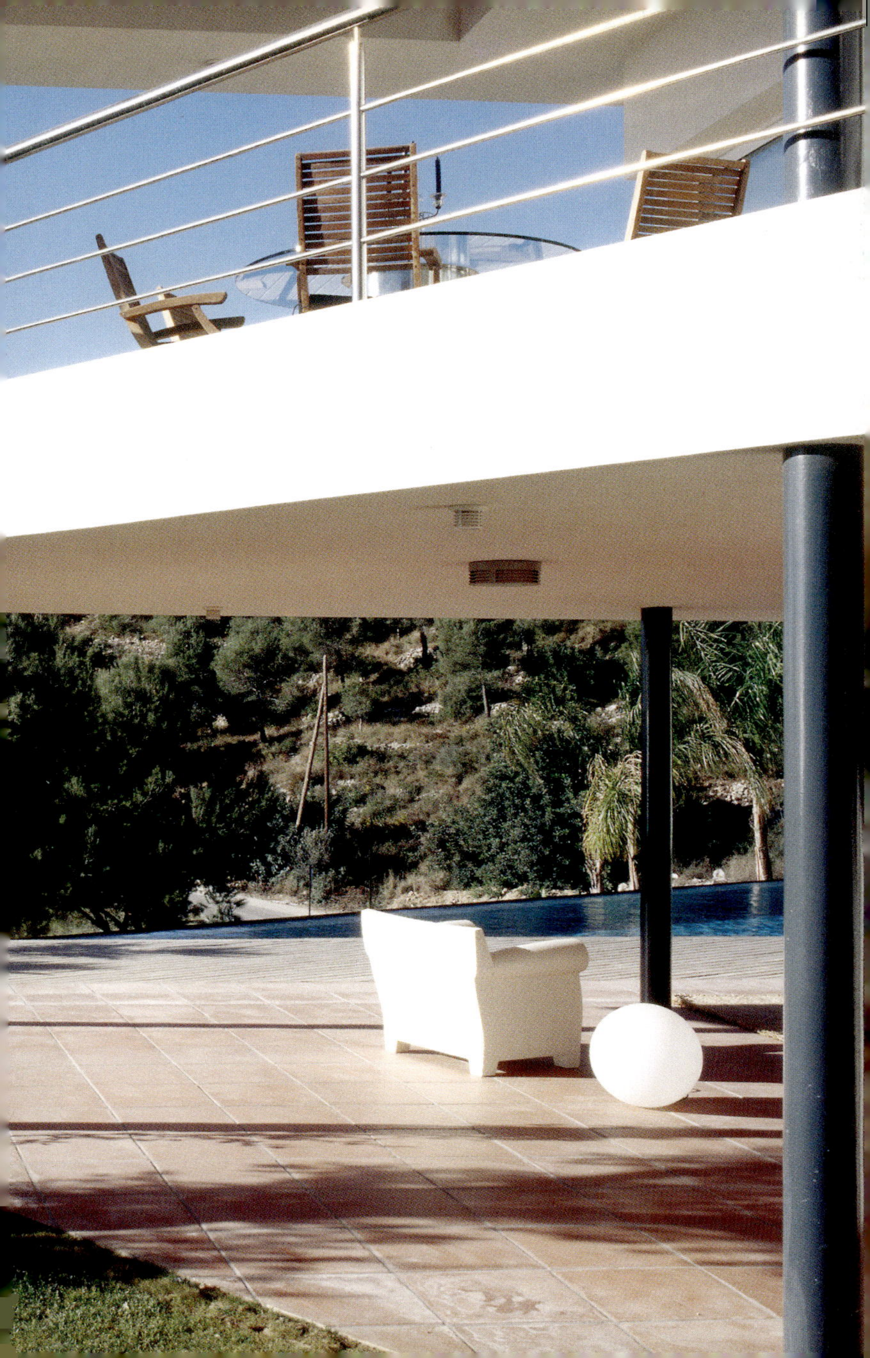

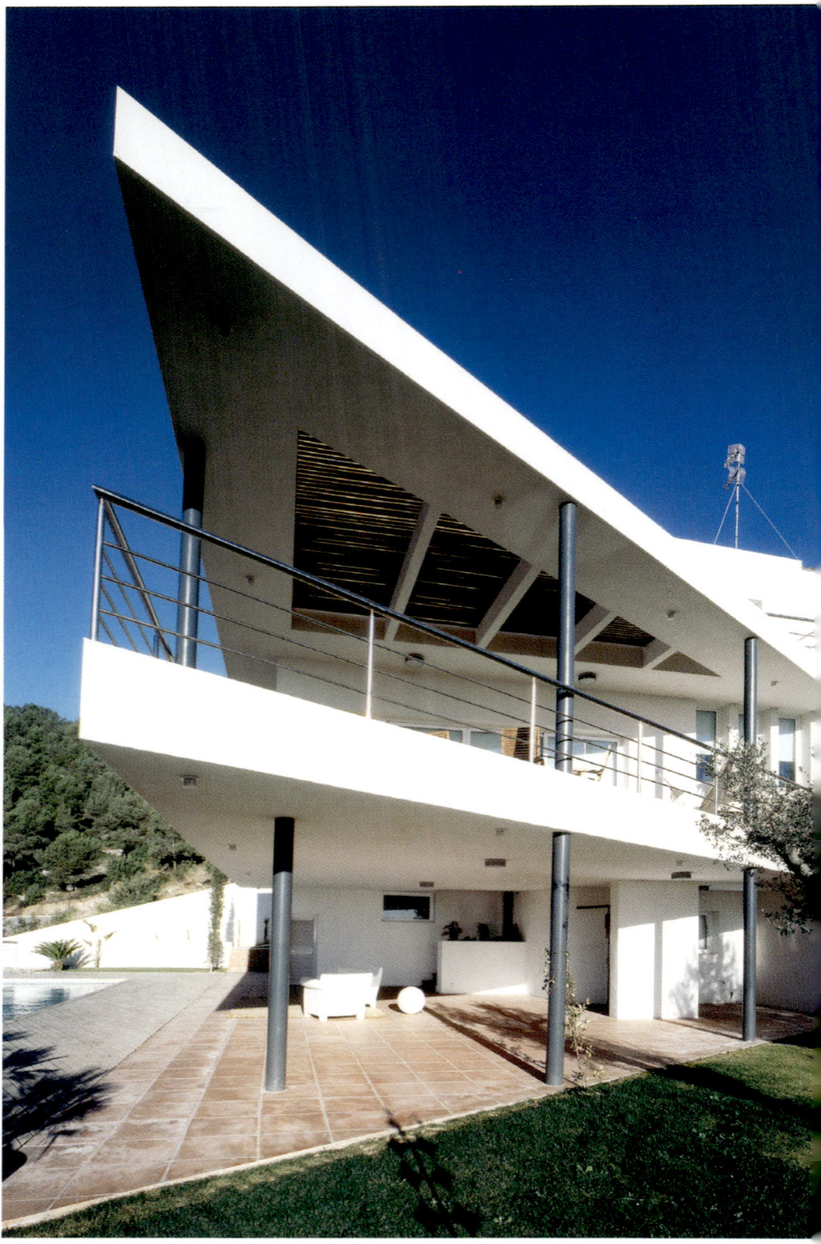

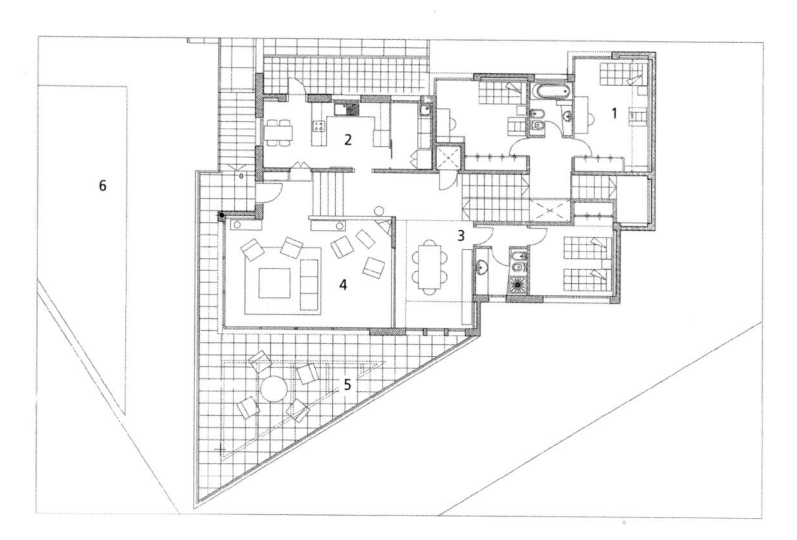

Site plan

1. Bedroom
2. Kitchen
3. Dining room
4. Living room
5. Terrace
6. Pool

One of the attractions of this pool is the overflow at the front which creates a visual effect of total integration with the surroundings. The color scheme of blue and white gives a clearly Mediterranean touch.

Una delle attrattive di questa piscina è il debordamento frontale che crea un effetto visivo di integrazione totale con il paesaggio. I toni dell'azzurro e del bianco regalano un tocco mediterraneo.

Uno de los atractivos de la piscina es la desembocadura frontal que crea un efecto visual de integración total con el entorno. El juego de blanco y azul marca un toque claramente mediterráneo.

Um dos atractivos desta piscina é o efeito de transbordo que ostenta na frente e que proporciona a total integração visual das cercanias. O esquema cromático branco e azul dá ao conjunto um toque mediterrânico.

This pool is built on rocky terrain. Open to the surrounding countryside, the pool's principal characteristics are its rectangular shape and the multicolored slate which has been used to cover the exterior wall. This material is in keeping with the idea of integrating the countryside with nature. A sculpture by Álvaro de la Dehesa adds an artistic touch.

Questa piscina è costruita su un terreno roccioso. Aperta al paesaggio circostante, le principali caratteristiche sono la forma rettangolare e l'ardesia multicolore usata per ricoprire le pareti esterne della vasca. Questo materiale è stato scelto in linea con l'idea del progetto di integrare la struttura con la natura. Una scultura di Álvaro de la Dehesa aggiunge un tocco artistico all'insieme.

HOUSE IN LES BOTIGUES

Javier de Lara Barloque / La Manigua

Sitges, Spain

Esta piscina se encuentra en un terreno rocoso. Abierta al paisaje circundante, sus características principales son la forma rectangular de la construcción y la pizarra multicolor que sirve de revestimiento de la pared exterior. Este material está en consonancia con la idea de integrar el paisaje con la naturaleza. Una escultura de Álvaro de la Dehesa pone la nota artística.

Esta piscina foi edificada em terrenos rochosos. Aberta sobre a paisagem, tem como características distintivas a forma rectangular e o recurso à ardósia multicolor para revestir a parede exterior. A utilização deste material procura integrar a paisagem e a natureza. A escultura de Álvaro de la Dehesa acrescenta ao conjunto um toque artístico.

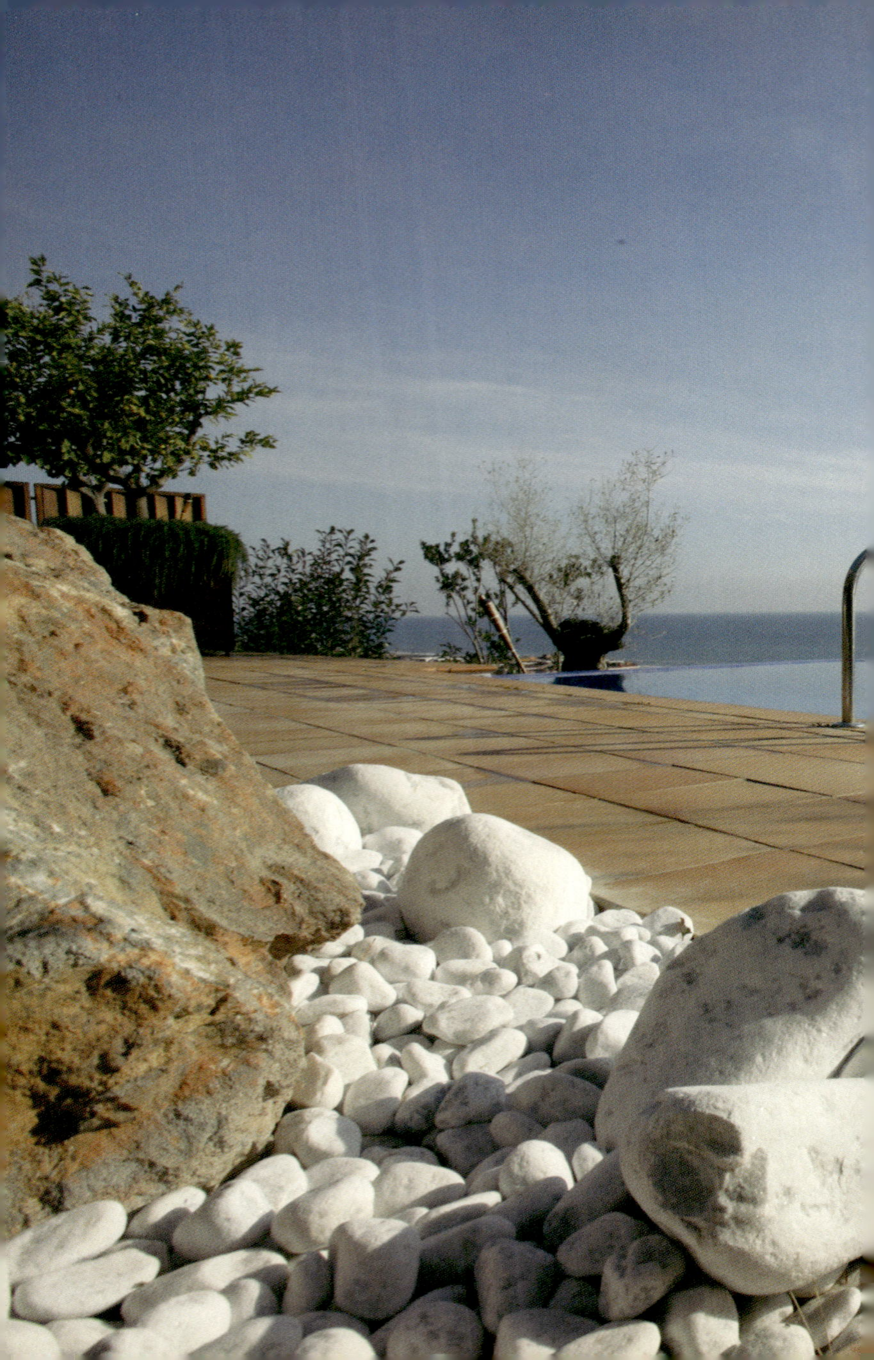

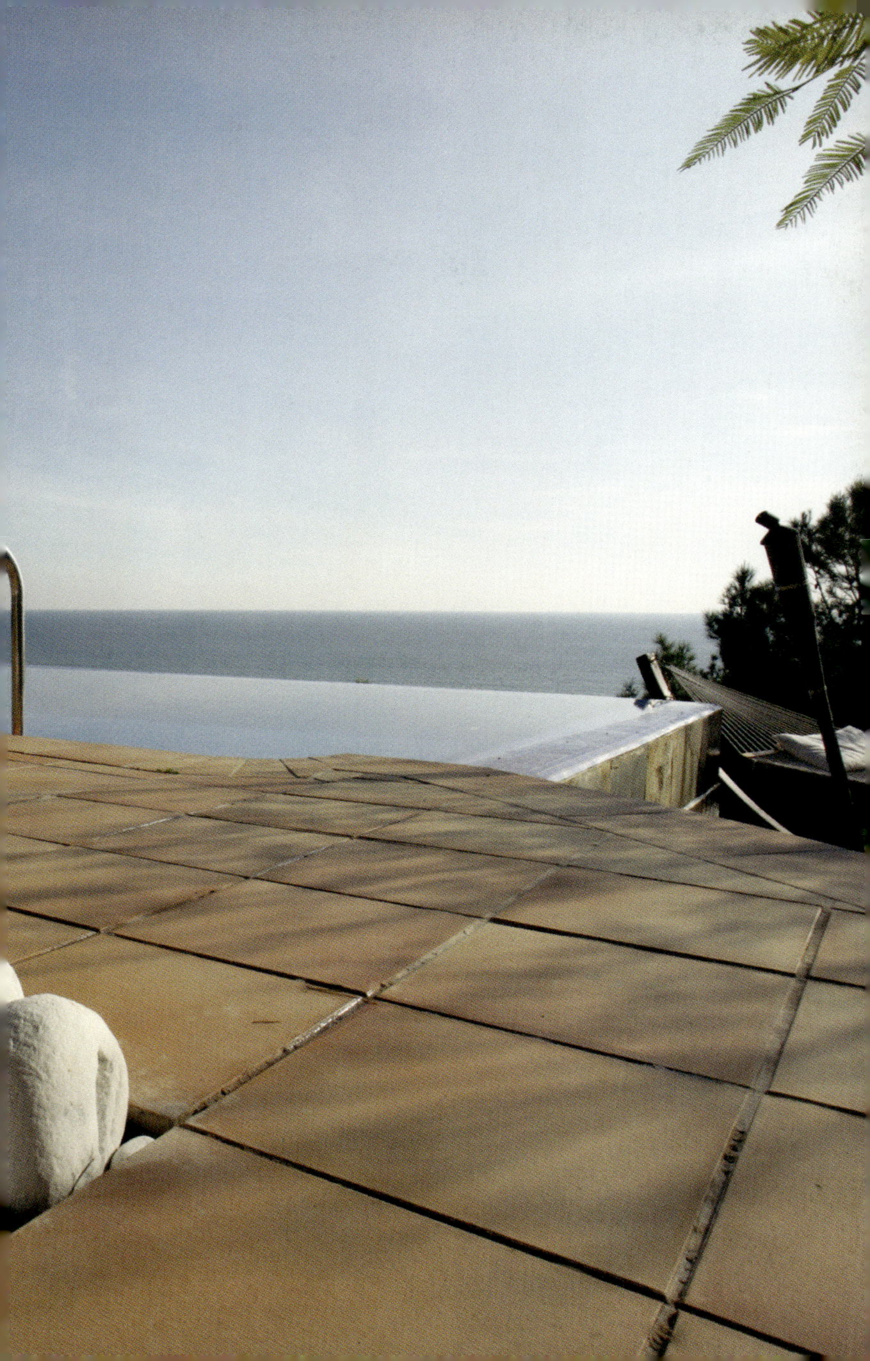

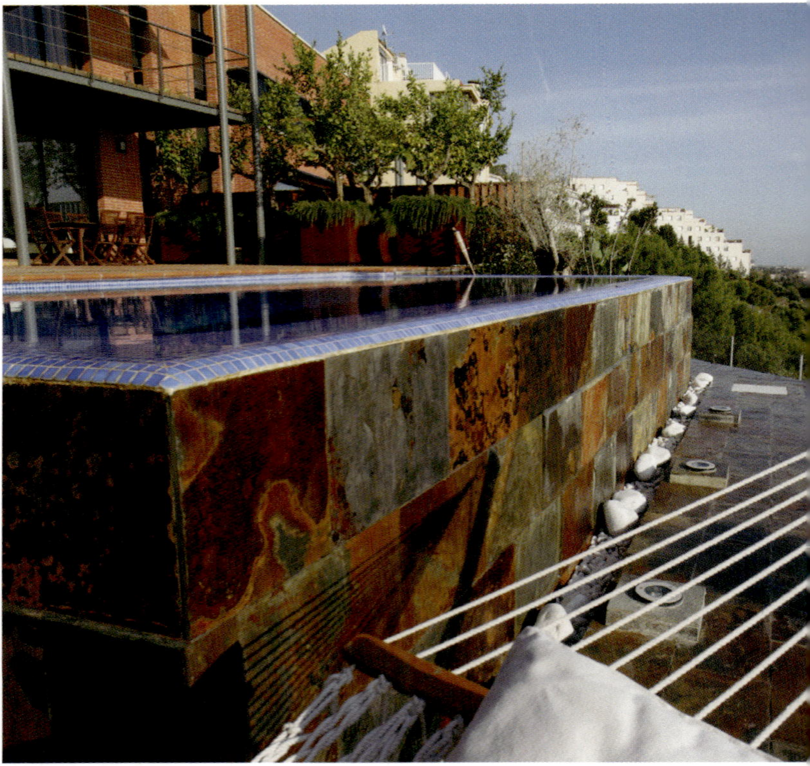

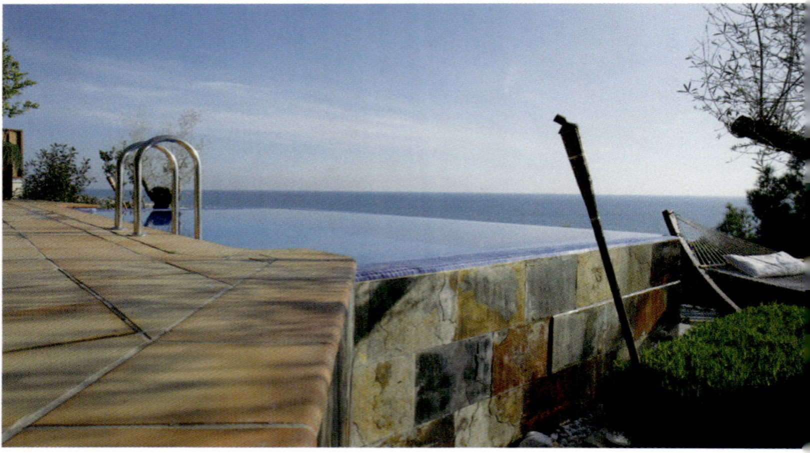

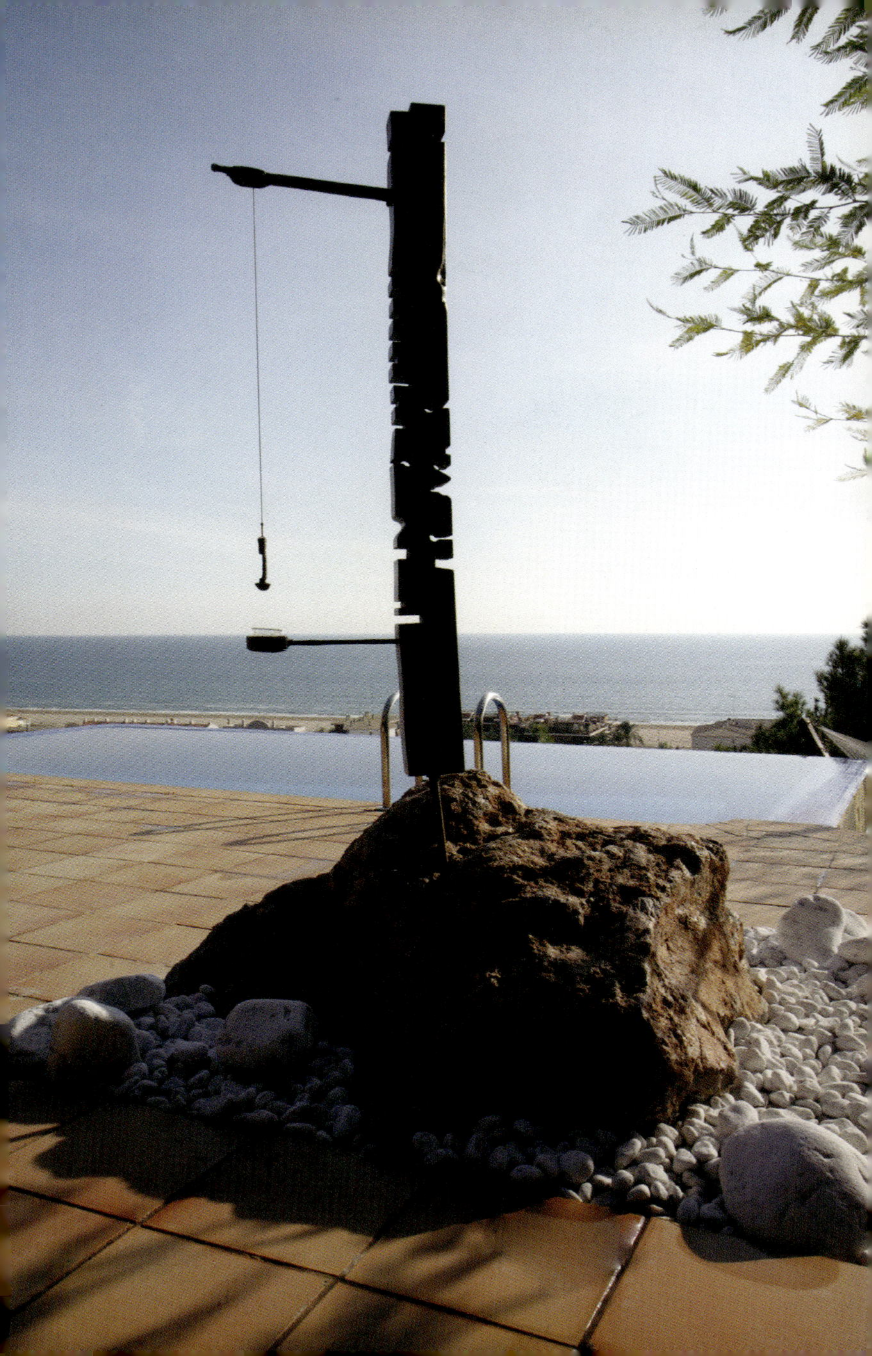

This pool was thought out as a place for the family to enjoy everyday activities together, as well as somewhere to entertain occasional guests. The pool is located on a flat terrace, parallel to the main building. 'L' shaped, the short arm acts like a mirror for the house. The furniture, the fireplace and the porch enhance the warm atmosphere.

Questa piscina è stata concepita come luogo di ritrovo per tutta la famiglia e di intrattenimento occasionale per gli ospiti. Ubicata su una terrazza piana e parallela rispetto all'abitazione principale, è a forma di L e sul braccio corto si rispecchia il profilo della casa. I mobili, il caminetto e il portico ne accentuano l'atmosfera accogliente.

GARZA RESIDENCE

Miró Rivera Architects

Austin, U.S.A.

Esta piscina fue pensada como un lugar para disfrutar en familia de las actividades cotidianas, así como un espacio para entretener a los ocasionales huéspedes. La piscina se encuentra en una terraza llana, en paralelo a la casa principal. En forma de L, el lado más corto actúa como un espejo de la residencia. El mobiliario, la chimenea y el porche acentúan la cálida atmósfera.

Esta piscina foi pensada para um uso familiar e quotidiano, mas também para que dela pudessem usufruir convidados ocasionais. A piscina está situada num terraço plano, paralelo à casa principal. Em forma de «L», a sua perna mais curta funciona como espelho da casa. O mobiliário, a lareira e o alpendre intensificam o ambiente aconchegante.

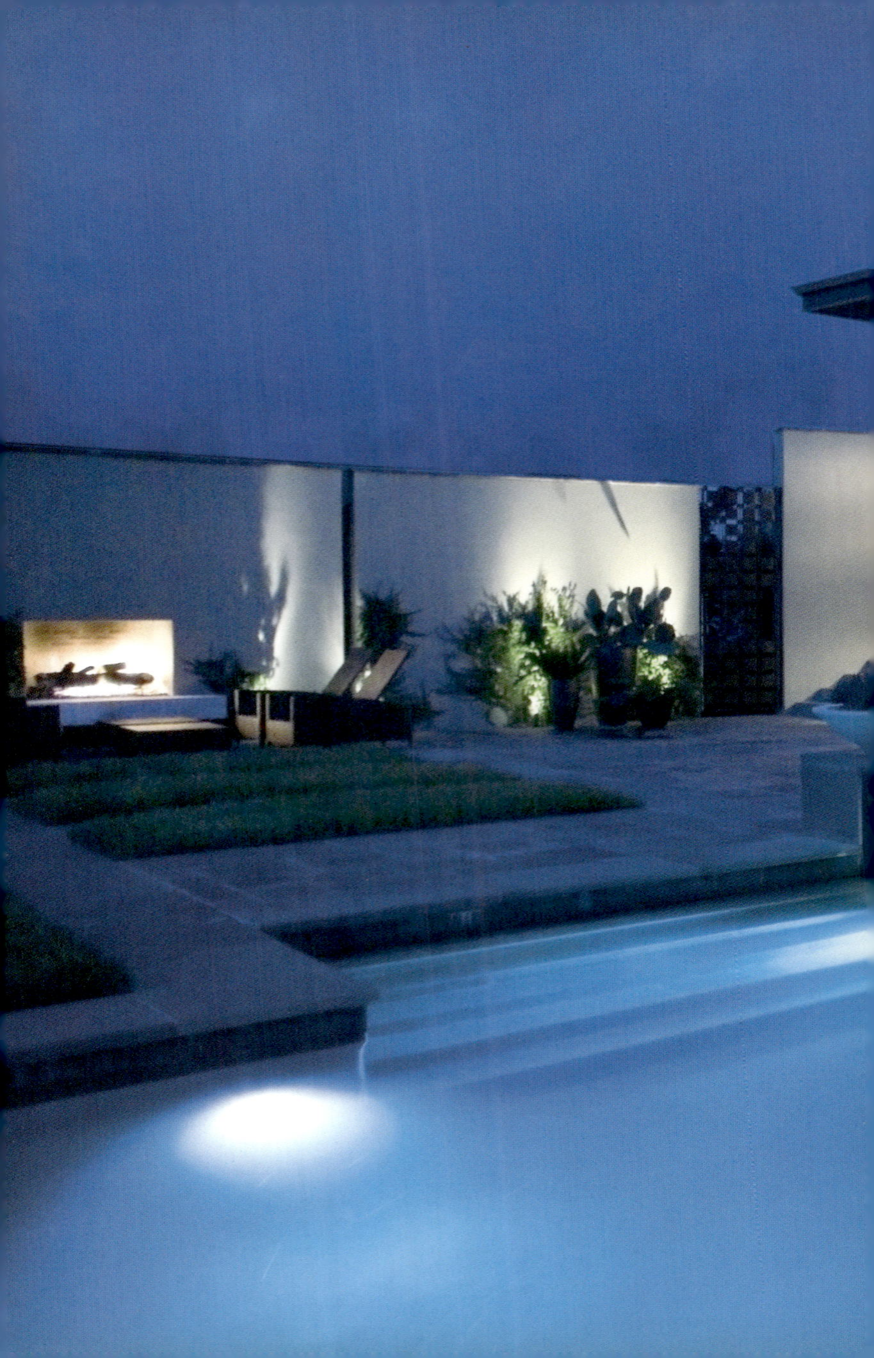

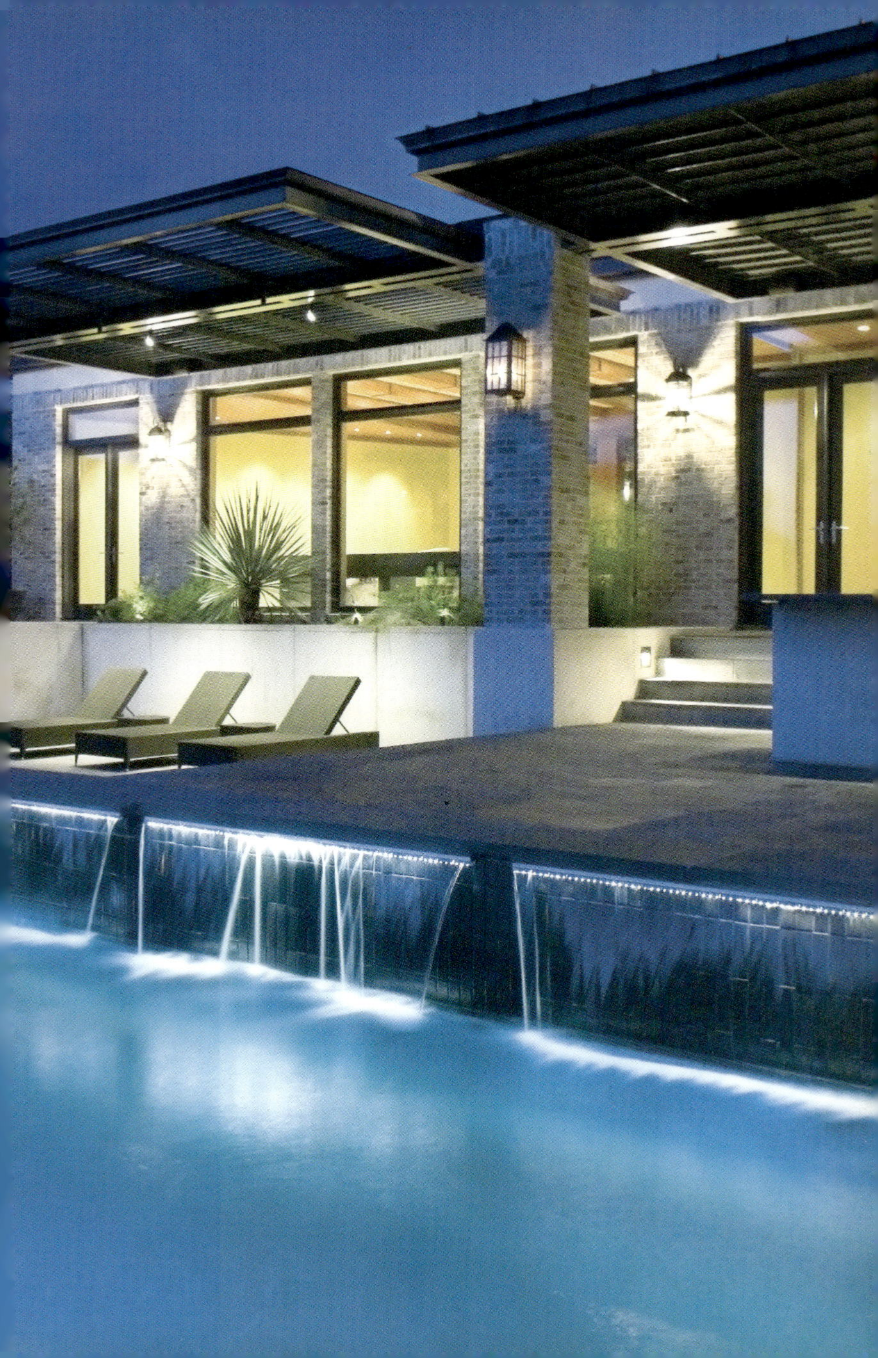

The fountain like water jets in front of the house create a decorative effect. The wall in this area has an earth colored ceramic covering which contrasts with the blue gresite at the bottom of the pool.

El surtidor tipo cascada en la parte frontal de la casa crea un efecto decorativo. La pared de esta zona se ha cubierto con un revestimiento cerámico de color tierra que contrasta con el gresite azul del fondo.

La fontana simile a una cascata crea un effetto decorativo davanti alla casa. Fuori dal livello dell'acqua, le pareti della vasca sono rivestite di mattonelle in ceramica color terra, che contrasta con il mosaico di vetro azzurro del fondo.

Os jactos de água na frente da casa, a lembrar uma fonte, criam um efeito decorativo. Nesta zona, o muro foi revestido com placas cerâmicas de tons térreos, em contraste com a pastilha azul do fundo da piscina.

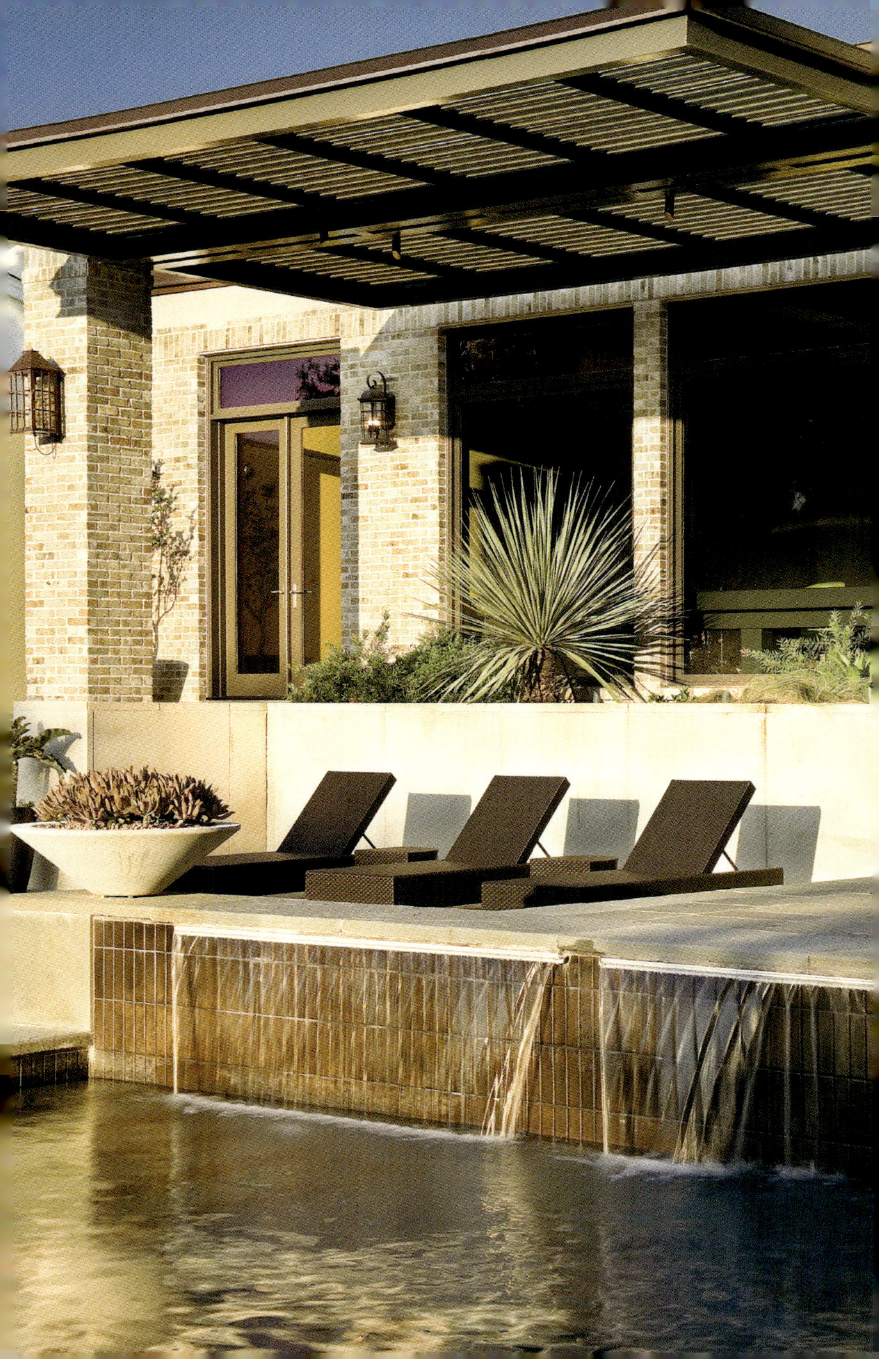

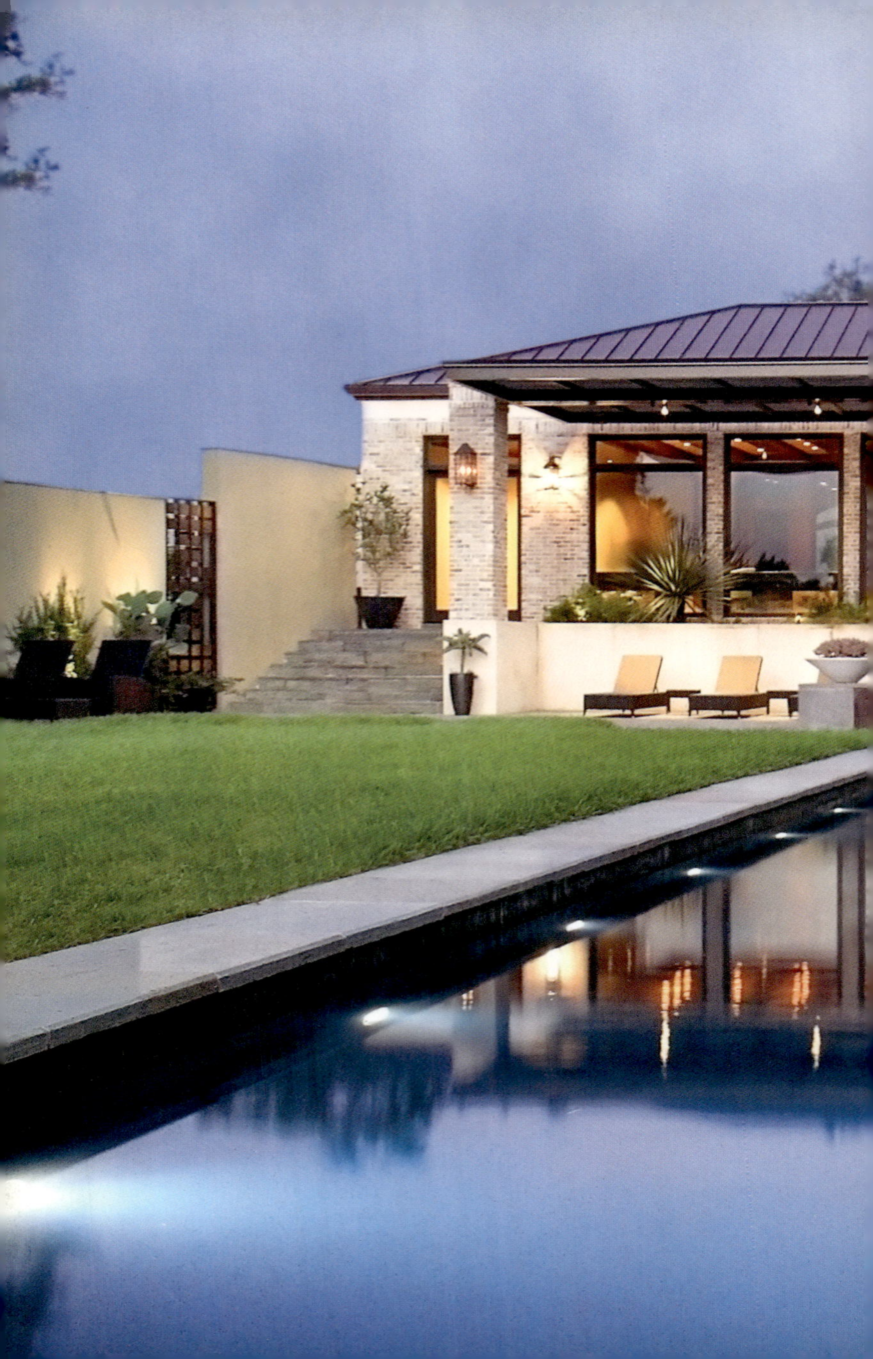

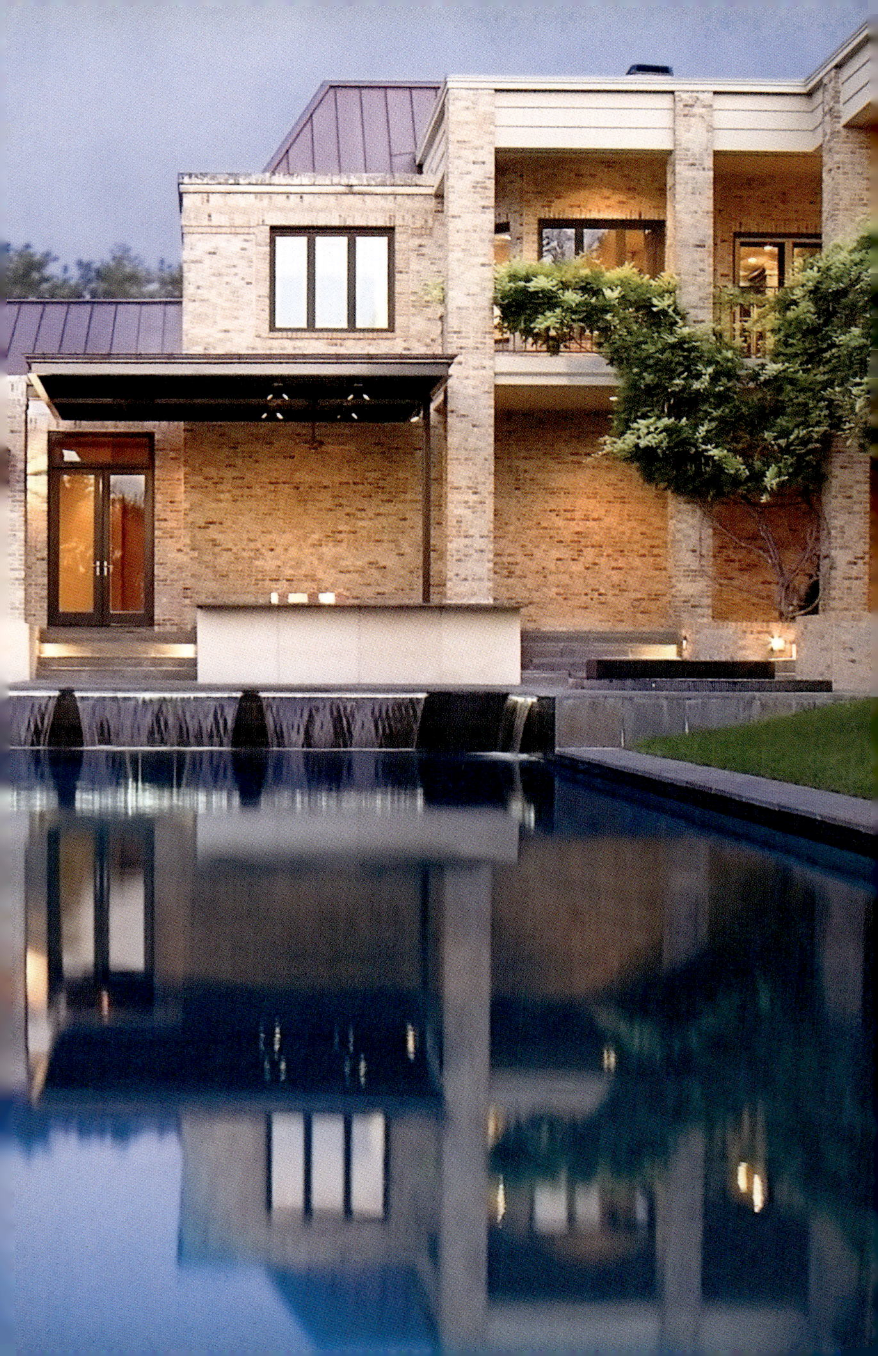

The pool at this house is one more attractive element in a spectacular construction at a unique location with amazing views. Covered in a mosaic of black ceramic tiles, the pool is the result of an original design without limits. This factor accentuates its interaction with nature and encourages relaxation while contemplating the countryside.

La piscina è un ulteriore elemento di fascino che si aggiunge a una costruzione spettacolare in una posizione unica con vista panoramica d'eccezione. Rivestita con un mosaico di ceramica nera, è il risultato di un progetto originale e senza confini che accentua l'interazione con la natura e favorisce il relax con la contemplazione de paesaggio circostante.

YODER RESIDENCE

Michael P. Johnson

Phoenix, U.S.A.

La piscina de esta casa es un elemento más del atractivo de esta espectacular construcción, cuya situación y vistas son únicas. Revestida de mosaico de azulejos cerámicos de color negro, la piscina es el resultado de un diseño original y sin fronteras. Este factor acentúa su interacción con la naturaleza y alienta a la relajación contemplando el paisaje.

A piscina desta casa é mais um dos atractivos elementos de uma construção espectacular, com uma localização e vistas únicas. Revestida a azulejos negros, a piscina resulta de um desenho por demais original e inesperado. Este é um factor que acentua a interacção do conjunto edificado com a natureza, encorajando ao descanso e à contemplação da paisagem.

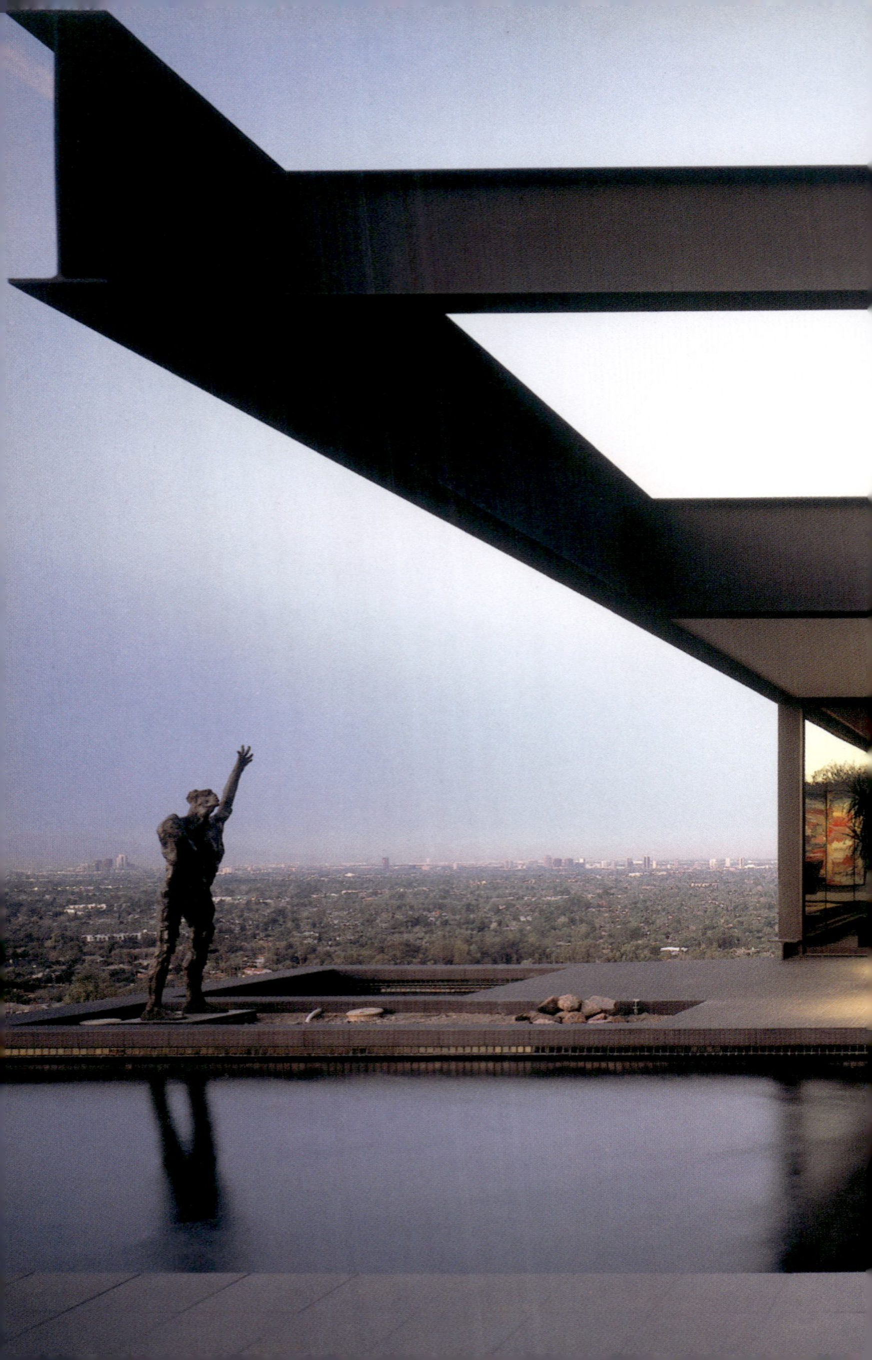

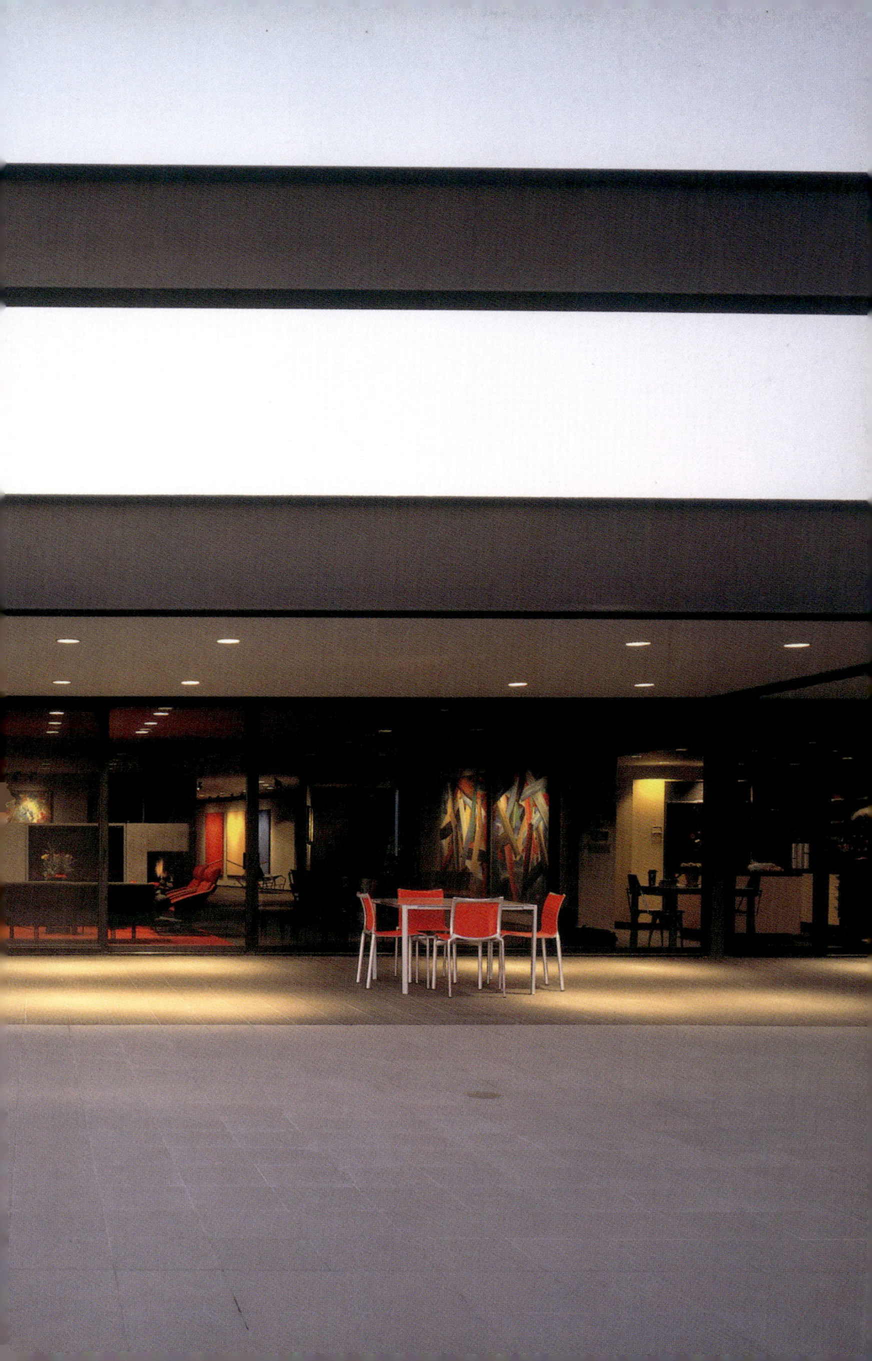

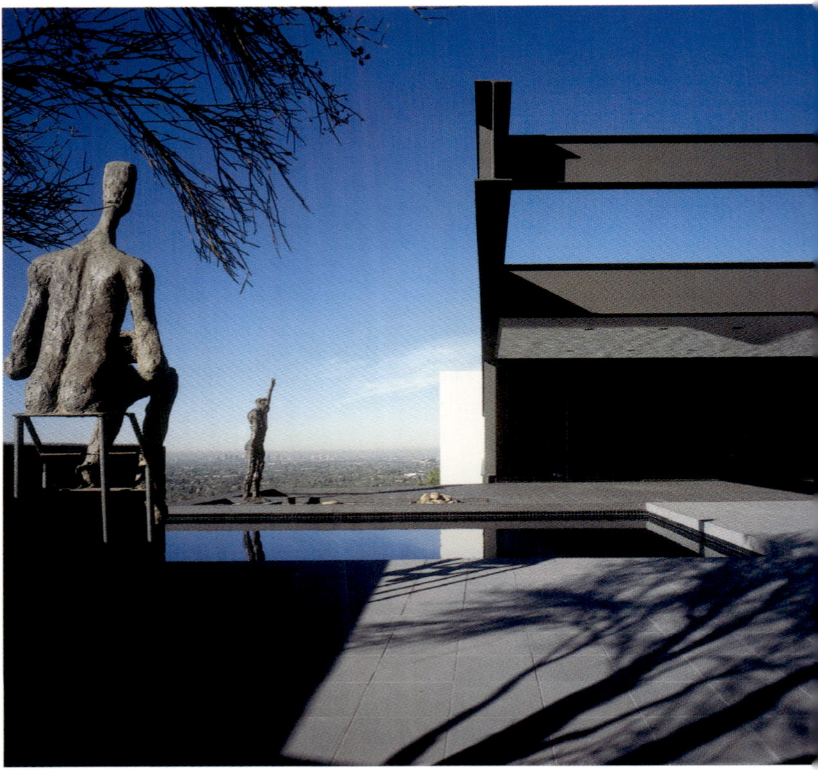

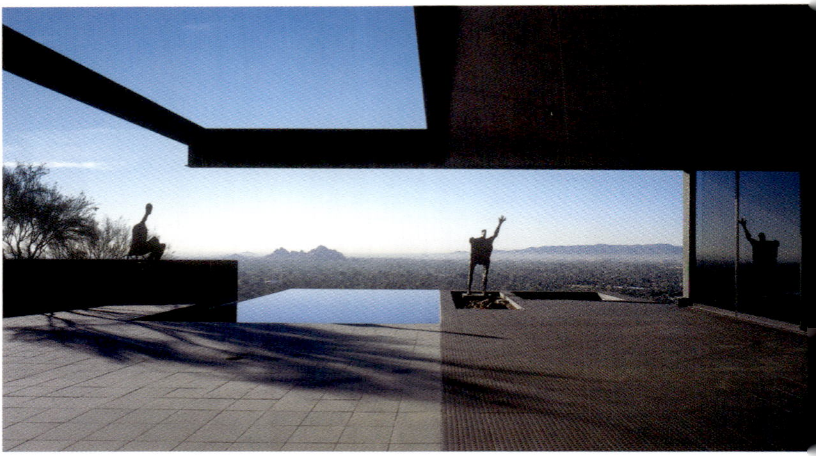

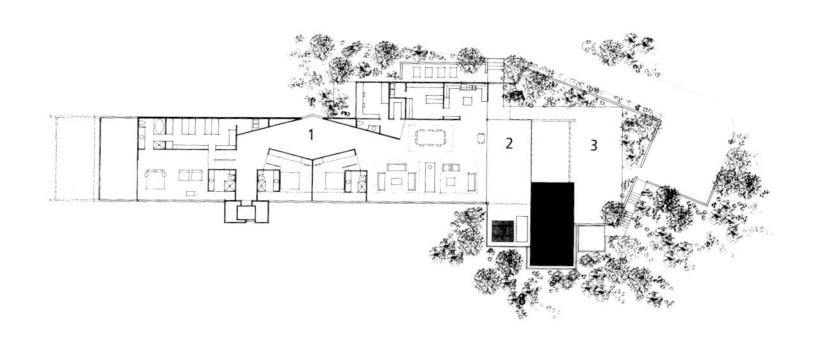

Site plan

1. House
2. Terrace
3. Pool

The terrace which surrounds the swimming pool is a space for enjoying outdoor life, and is exempt from decoration. This area is on the south side of the house and was designed for relaxation.

La terraza que rodea a la piscina es un espacio donde se desarrolla la vida al aire libre, exento de cargas decorativas. Este lugar está situado en el lado sur de la casa y fue concebido para la relajación.

La terrazza che circonda la piscina è uno spazio creato per godere la vita all'aria aperta ed è volutamente spoglio di decorazioni. L'area è ubicata a sud rispetto all'abitazione ed è stata progettata per il relax.

O terraço que envolve a piscina é um espaço destinado ao usufruto do exterior e, por isso, sem excessos ornamentais. Esta é uma zona situada no lado sul da casa e que foi desde o início pensada para valorizar o sossego.

This pool uses a system that collects water from an overflow channel which runs around the edge. The bottom of the pool is covered with black travertine marble which shines when the sun hits it. The same material in white covers the outside edge of the pool. The contrast with the surrounding natural environment prevents any sense of coldness.

Questa piscina usa un sistema di raccolta dell'acqua da un canale di debordamento che corre lungo il bordo della vasca. Il fondo è rivestito di travertino nero che brilla al sole. Lo stesso materiale, ma di colore bianco, decora invece i bordi estern della piscina. Il contrasto con l'ambiente naturale circostante evita la sensazione di un'atmosfera fredda.

CHESTER HOUSE
Raymond Jungles

Miami, U.S.A.

Esta piscina utiliza un sistema que recoge el agua a través de un desbordamiento de canales, que rodea el borde exterior. El fondo está básicamente cubierto con mármol de travertino negro, que brilla cuando recibe la luz solar. El mismo material, de color blanco, cubre el margen exterior de la piscina. El contraste con el entorno natural rompe cualquier signo de frialdad.

Esta piscina recorre a um sistema capaz de colectar a água que cai por meio de um canal de transbordo que percorre a beira da piscina. O fundo foi revestido a mármore travertino negro que resplandece à luz do sol. O mesmo material, mas agora em branco, reveste o exterior da piscina. O contraste que se estabelece com a envolvente natural previne qualquer sensação de despojamento.

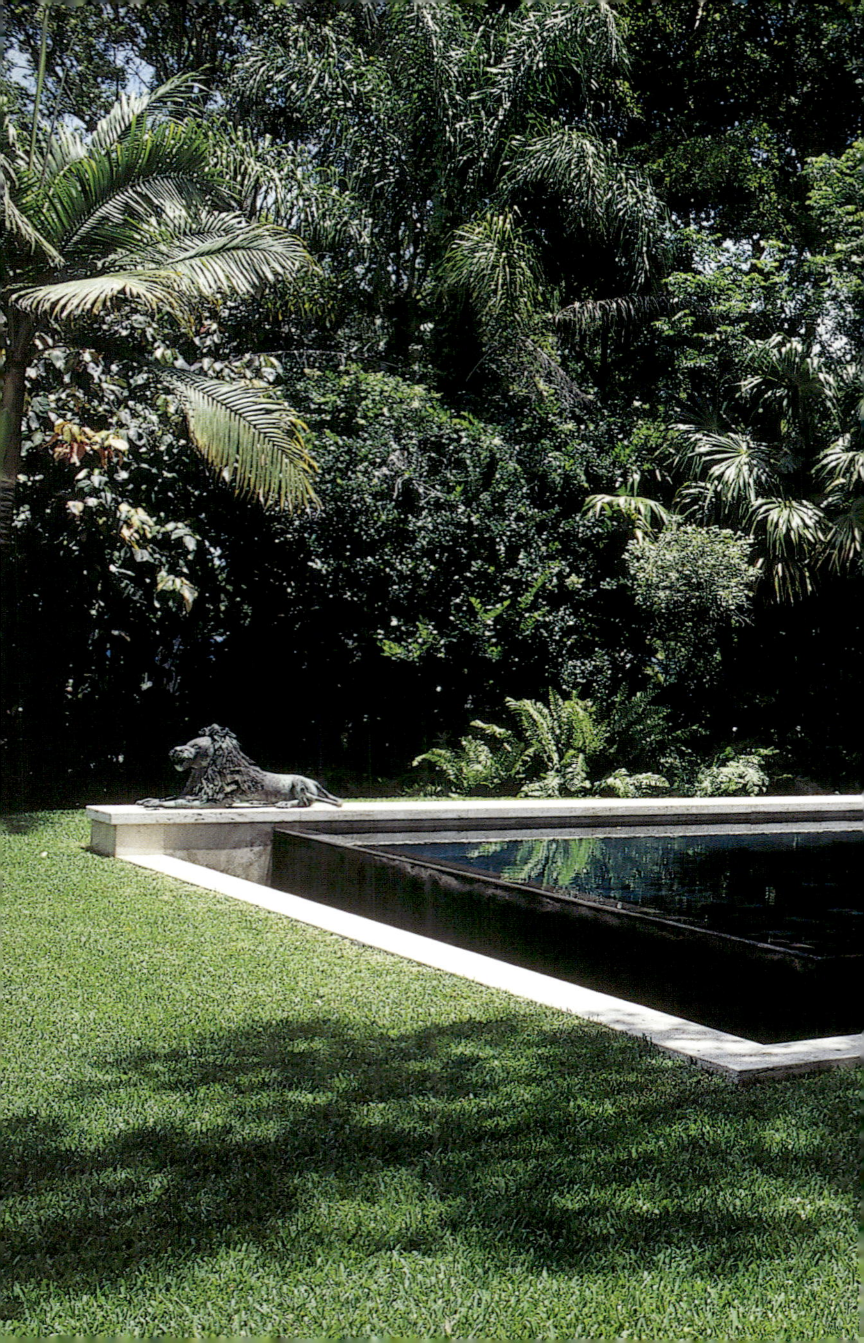

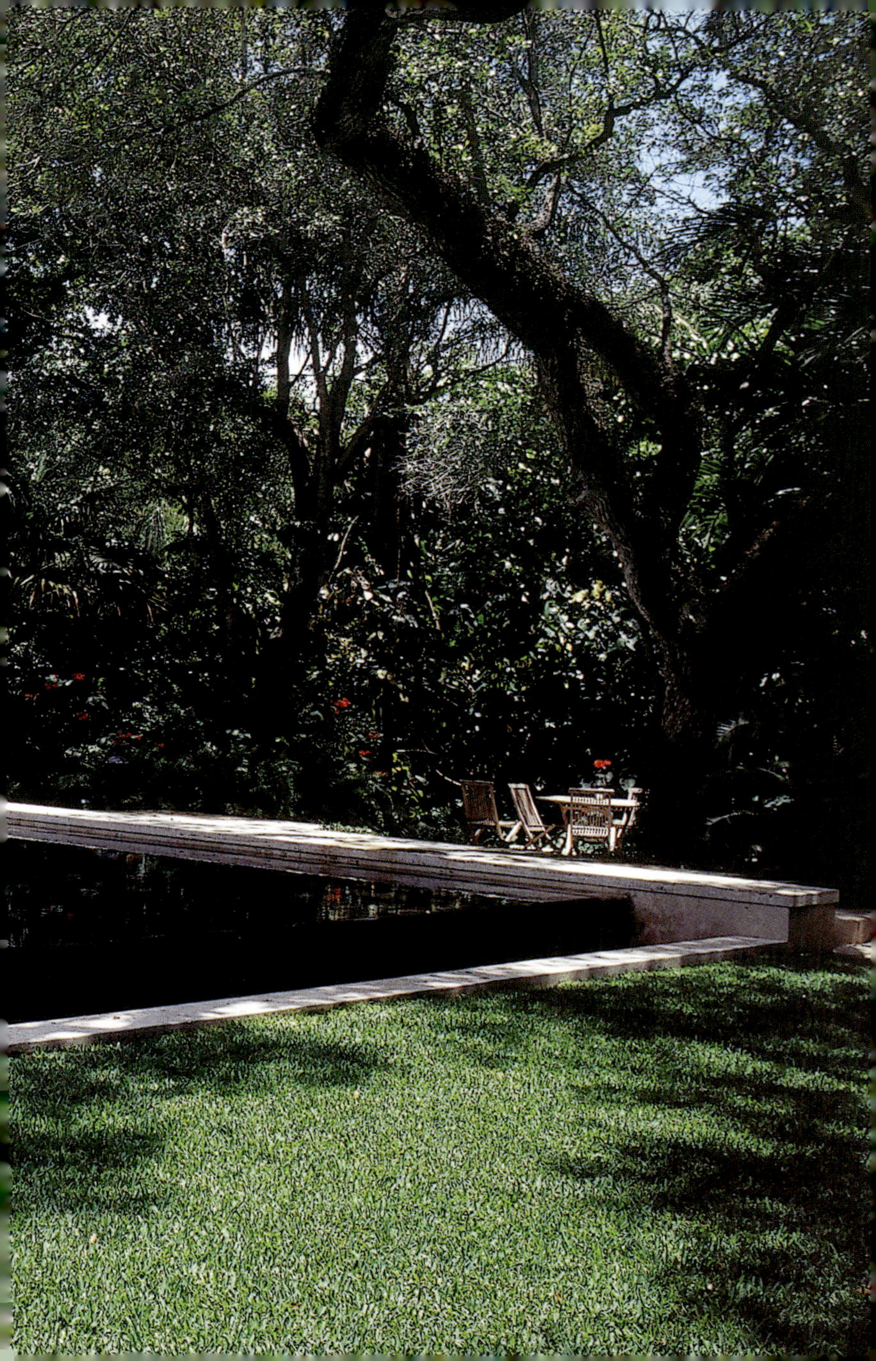

At the centre of the property is the garden that surrounds the pool, which has been designed like a small pond in an almost perfect square. At one end there is a sculpture of a lion, in the same tones of black as the pool.

El centro de la casa lo ocupa un jardín que rodea la piscina, diseñada como un pequeño estanque en un cuadrado casi perfecto. En un extremo, se observa la figura de un león esculpida en los mismos tonos negros que los de la piscina.

Il giardino si trova al centro della proprietà e circonda la piscina, concepita come un piccolo stagno inserito in un quadrato quasi perfetto. Una scultura a forma di leone dello stesso colore scuro della piscina campeggia a uno degli angoli

A piscina, cercada pelo jardim, está no centro da propriedade e assemelha-se a um pequeno tanque dentro de um quadrado quase perfeito. Numa das extremidades podemos ver a esculturꞏ de um leão, no mesmo tom negro da piscina.

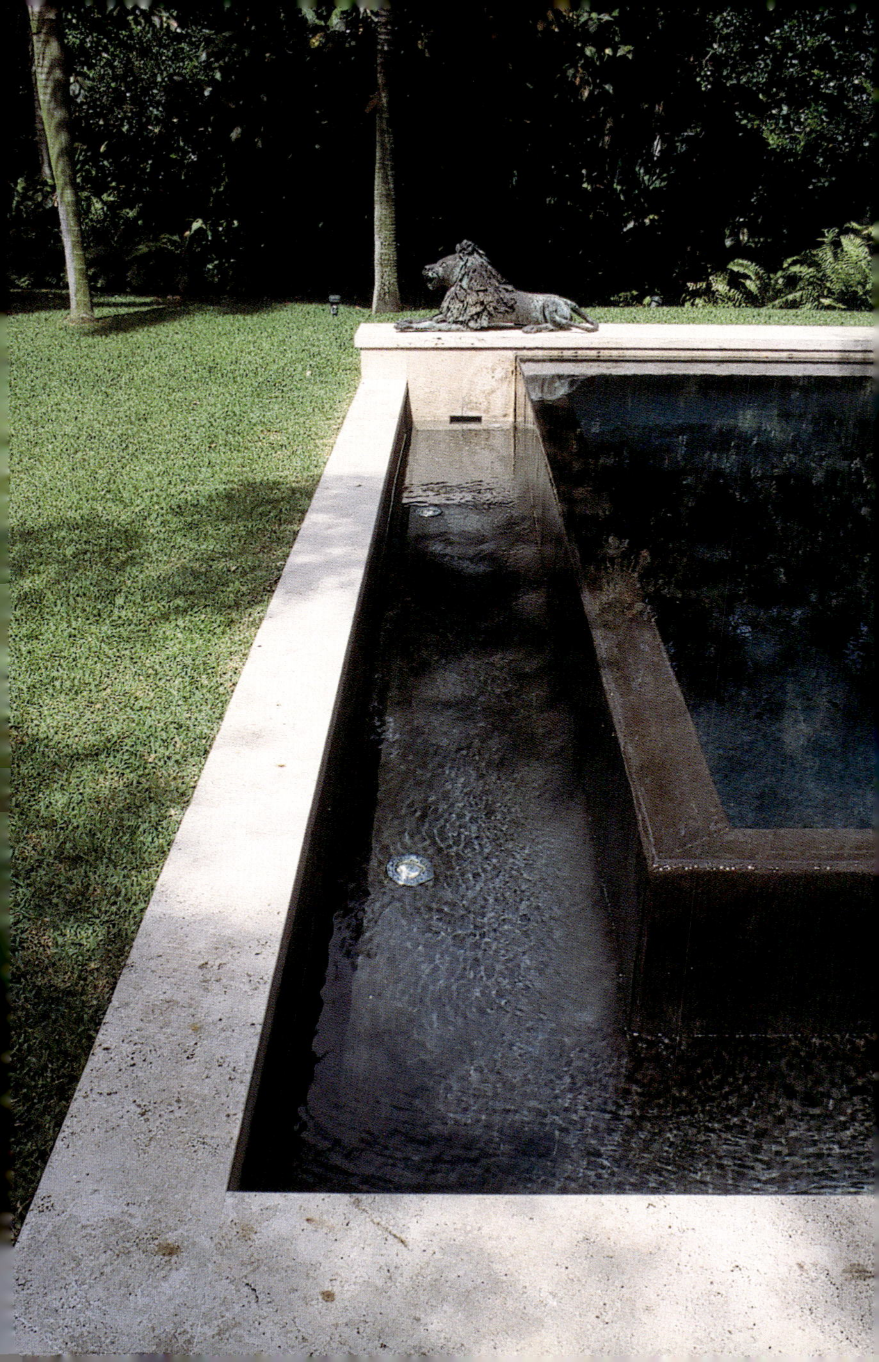

This house is located on a pronounced slope, which requires a particular design to cover three levels. The terrace, which affords the view, is on the lower level and it houses a discreet, sinuous shaped pool, the surface of which is flush with the ground, and the end of which is curved. Natural stone has been used to pave the area around the pool.

Questa casa è costruita su un forte pendio che ha richiesto una progettazione particolare su tre livelli. La terrazza panoramica occupa il livello più basso e ospita una piscina dalle forme discrete e sinuose, con l'estremità finale ricurva e la superficie dell'acqua posta a livello del terreno. La pietra naturale è usata come rivestimento per il pavé attorno alla piscina.

HOUSE IN NOSARA

Joan Roca Vallejo, Abraham Valenzuela

Nosara, Costa Rica

El lugar donde se sitúa esta casa presenta una pronunciada pendiente que exige un diseño capaz de cubrir tres niveles. La terraza, a modo de mirador, ocupa el nivel inferior y está delineada por una discreta piscina de formas sinuosas, cuya superficie se ha mantenido a ras del terreno y termina en una curva. El pavimento que la rodea es de piedra natural.

A localização desta casa, num declive acentuado, obrigou a que fossem contemplados três níveis distintos. O terraço, aberto sobre a paisagem, fica no nível inferior e abriga uma piscina discreta e sinuosa, cuja superfície foi mantida ao nível do solo e acaba numa curva. Foi escolhida pedra natural para pavimentar a área em redor da piscina.

The curve which marks the end of the pool creates the sensation that the water is falling from the cliff. A channel built on the external part of the pool collects overflow water.

La curva che delimita la parte finale della piscina crea la sensazione che l'acqua cada dal pendio. Un canale di raccoglimento lungo la parte esterna della vasca riceve l'acqua che fuoriesce dal debordamento.

La curva que da por finalizada la piscina crea una sensación como si el agua estuviera cayendo desde el acantilado. Un canal construido en la parte externa de la piscina recoge el agua que se desborda.

A curva que define os limites da piscina transmite a sensação de que a água escorre do rochedo. Um canal, construído na parte exterior da piscina, recolhe a água em excesso.

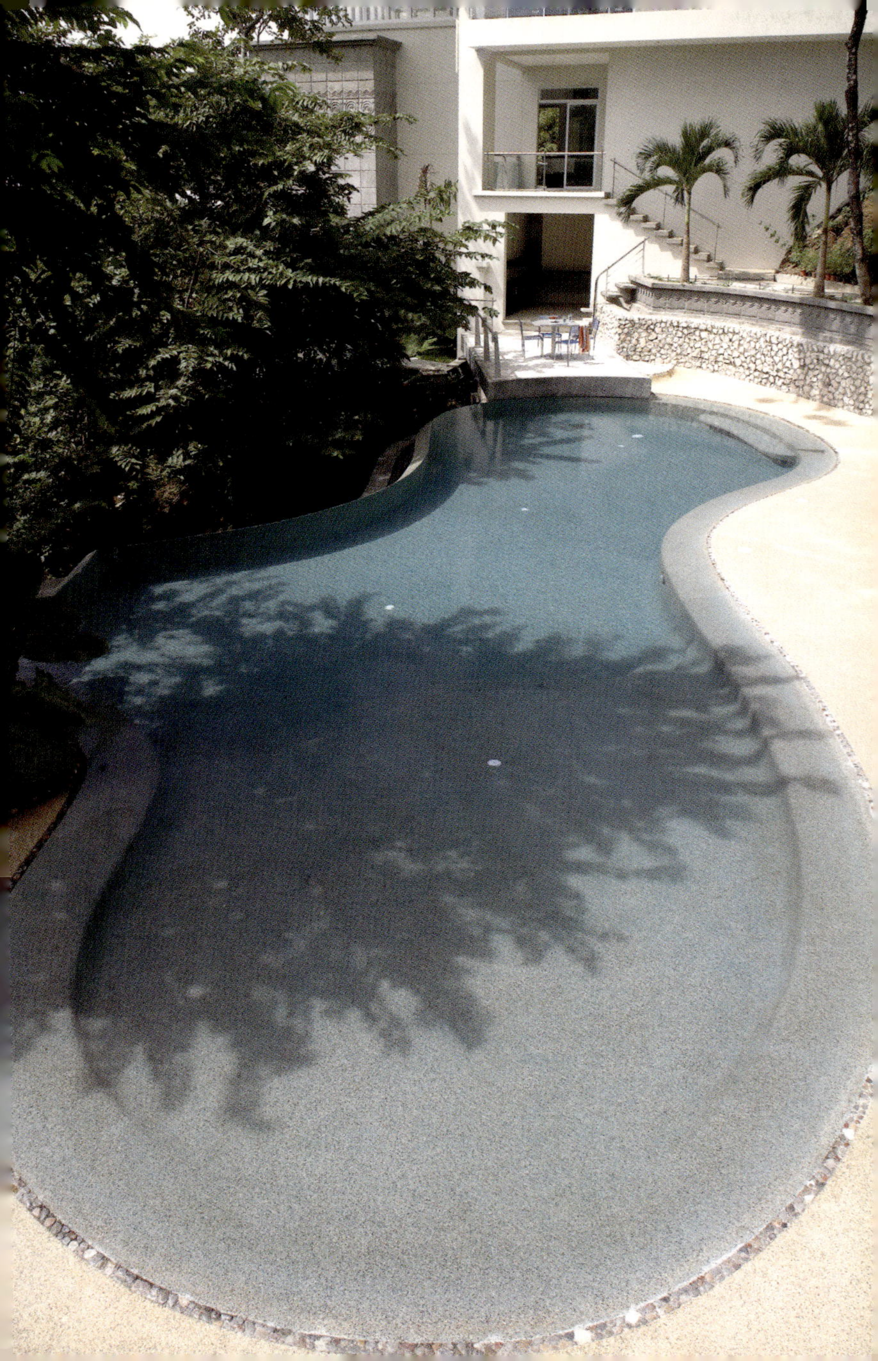

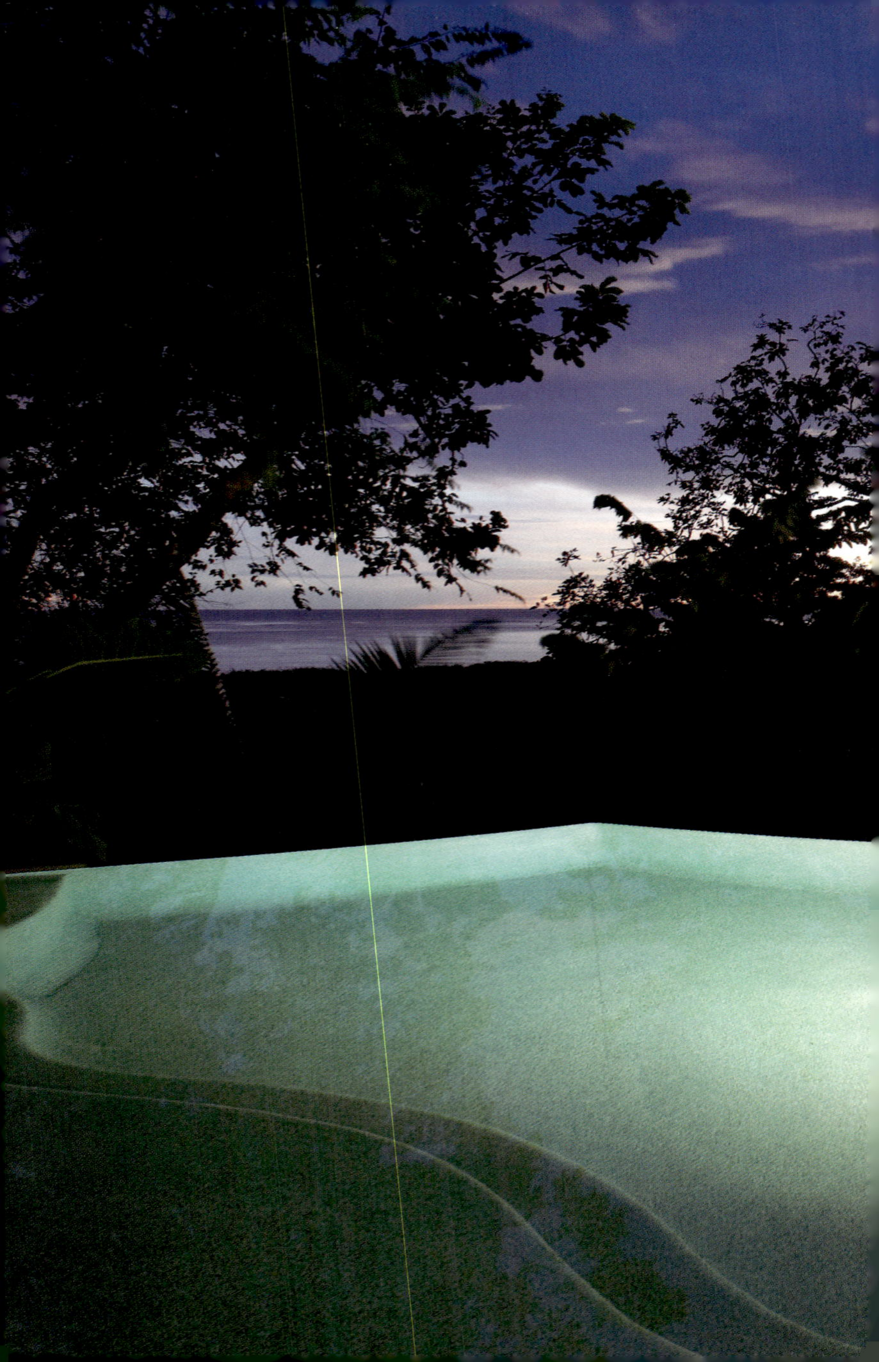

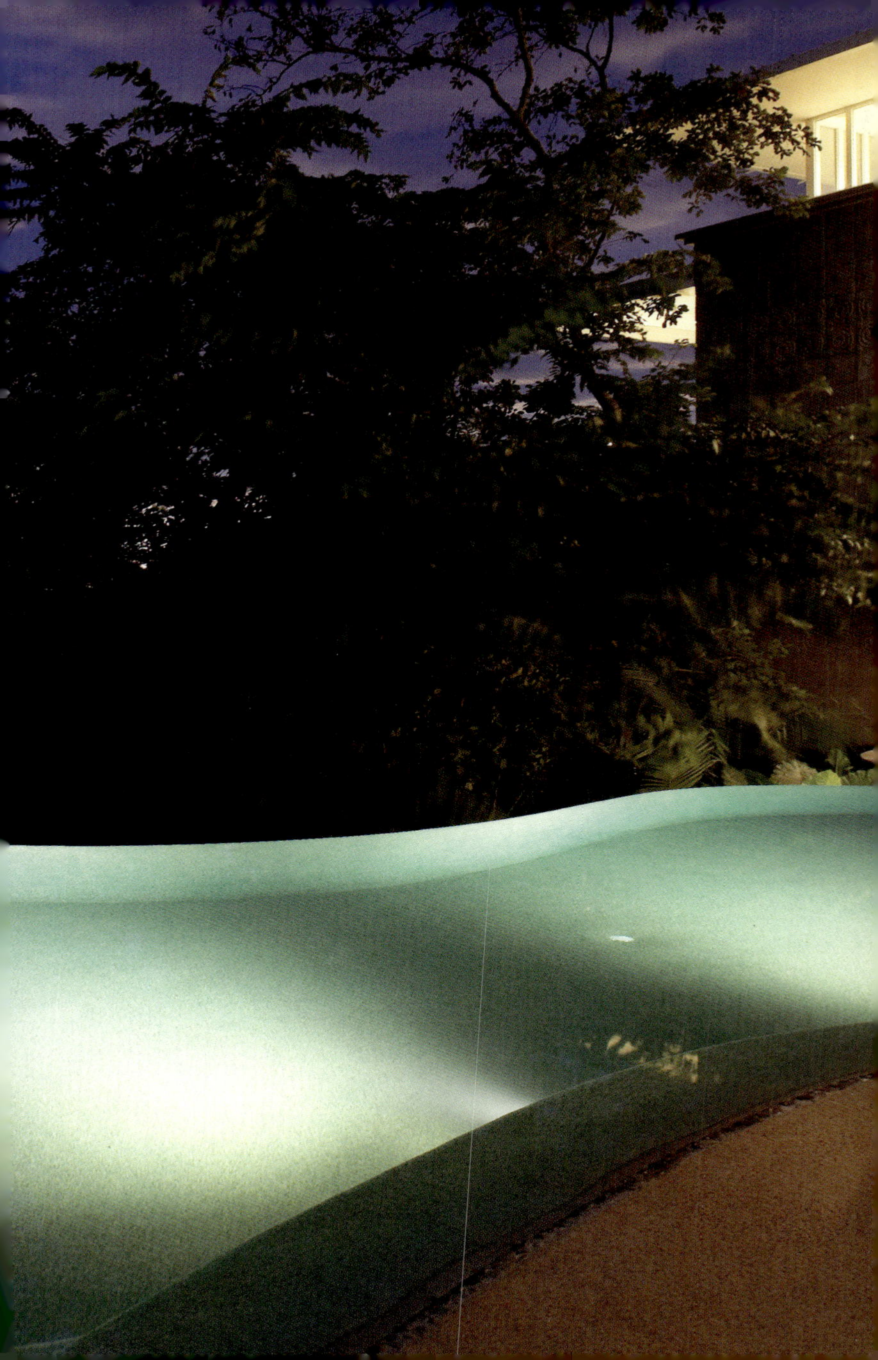

At this luxurious residence the architect managed to integrate the garden and the pool completely with the surrounding vegetation. The travertine marble tiles which pave the area around the pool and the stairs maintain the same aesthetic line on the outside. The navy blue color plays a prominent role on the stairs and on the bottom of the pool.

In questa lussuosa residenza l'architetto è riuscito a integrare perfettamente il giardino e la piscina con la vegetazione circostante. Le lastre di marmo travertino usate per il pavé attorno alla piscina e le scale conservano la stessa linea estetica anche all'esterno. Il blu oltremare gioca un ruolo predominante sulle scale e sul fondo della vasca.

KEY BISCAYNE RESIDENCE

Luis Auregui, Laure de Mazieres

Miami, U.S.A.

En esta lujosa residencia, el arquitecto consiguió una integración total entre el jardín y la piscina con la vegetación circundante. Las baldosas de mármol travertino que pavimentan el entorno de la piscina y las escaleras consiguen mantener una misma línea estética en el exterior. El color azul marino juega un papel destacado en las escaleras de acceso y el fondo de la piscina.

Nesta luxuosa residência, o arquitecto conseguiu integrar na vegetação envolvente o jardim e a piscina. Os mosaicos em mármore travertino que cobrem a área que circunda a piscina, assim como as escadas, prolongam a mesma linha estética no exterior. Nas escadas e no fundo da piscina é ao azul-marinho que cabe o protagonismo.

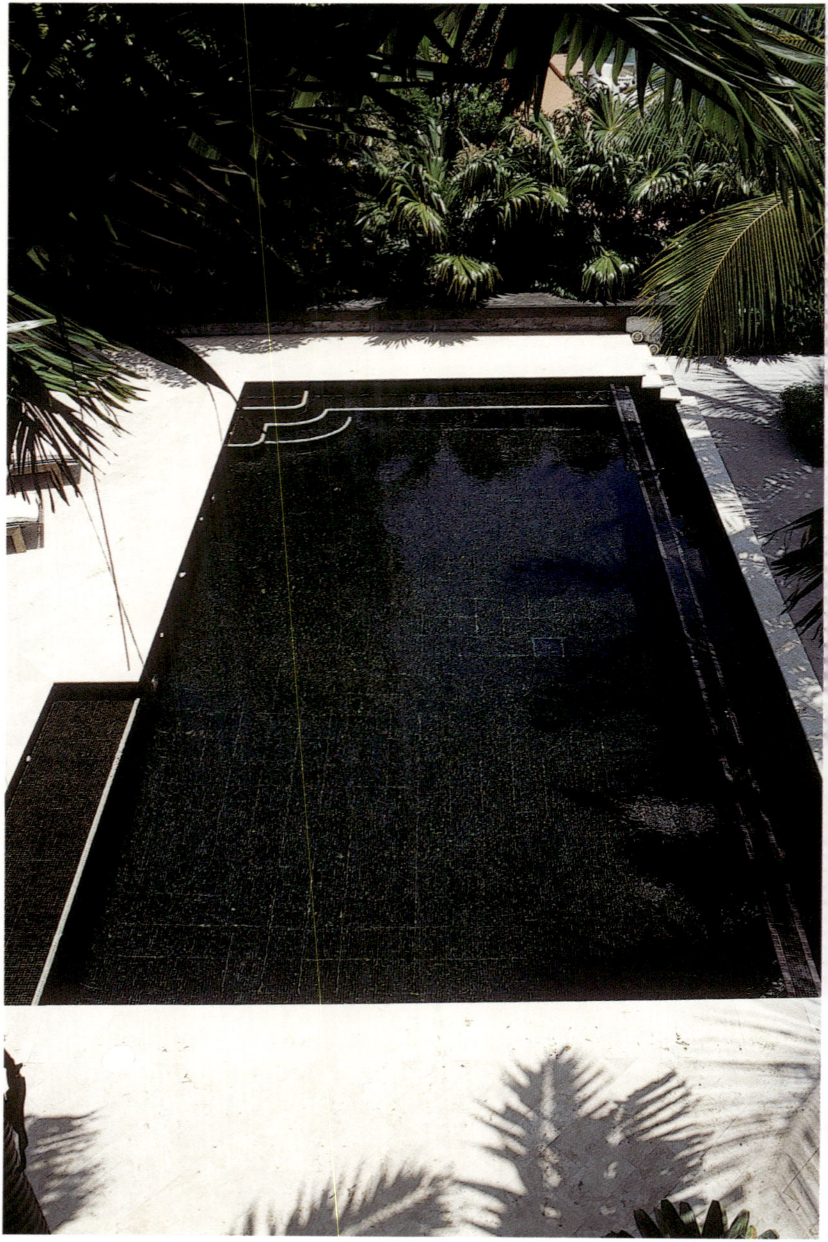

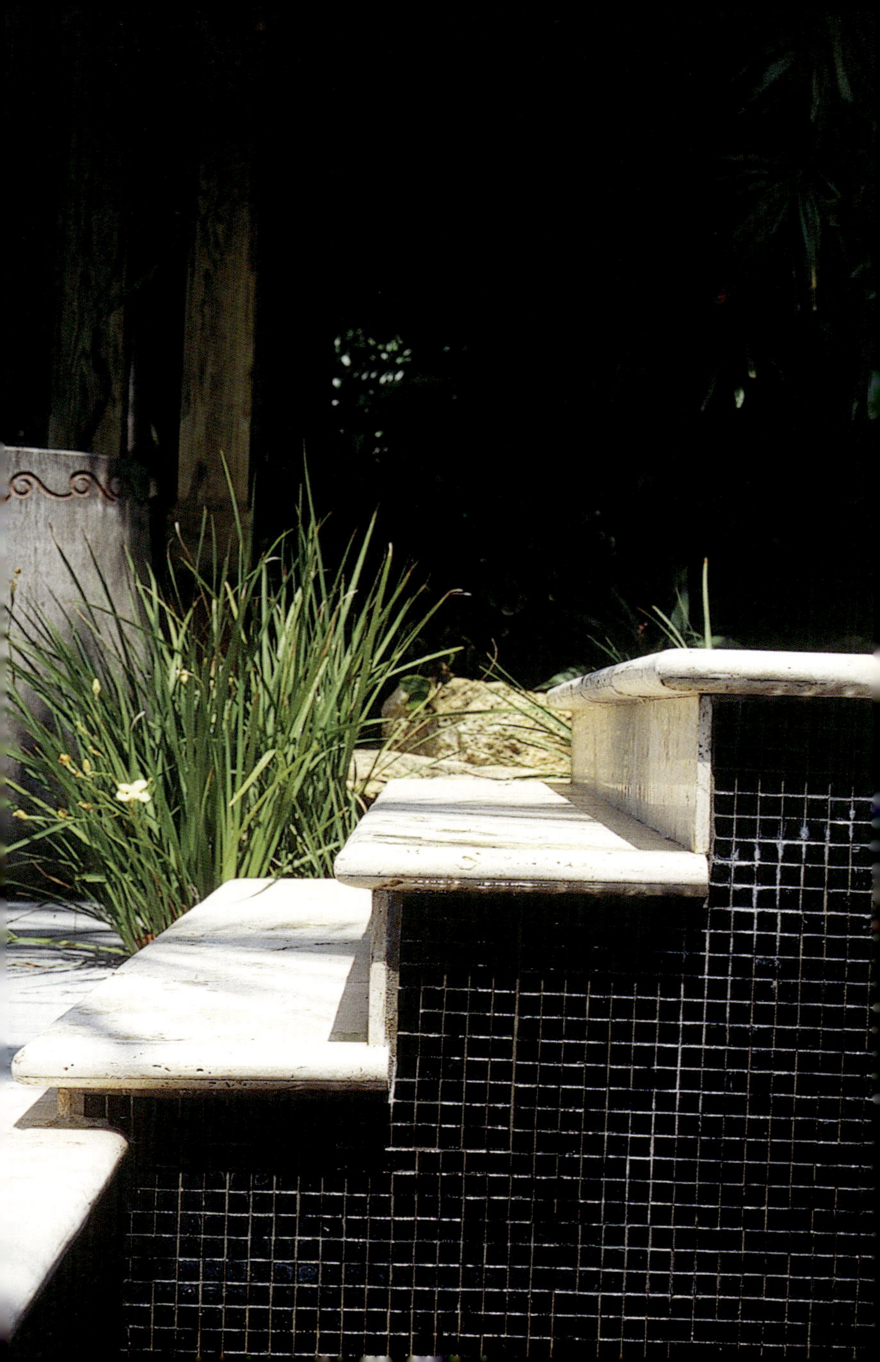

The most notable aspect of this outdoor setting is the use of black gresite glass, which adds an original touch. The idea was to create a space, in tones of black and green, which was in aesthetic harmony with the environment.

L'aspetto più importante della struttura esterna è l'uso del mosaico di vetro nero, che aggiunge un tocco di originalità. L'idea alla base era di creare uno spazio nei toni del verde e del nero, esteticamente in armonia con l'ambiente.

El aspecto más notable de este conjunto exterior es el uso de vidrio gresite negro, que le da un toque de originalidad. El deseo era crear un espacio de tonos negros y verdes que armonizasen estéticamente con el entorno.

O mais notável aspecto deste cenário exterior está na utilização de pequenos mosaicos de vidro negro. A ideia era criar um espaço em tons de negro e verde, numa busca de harmonia estética com o ambiente envolvente.

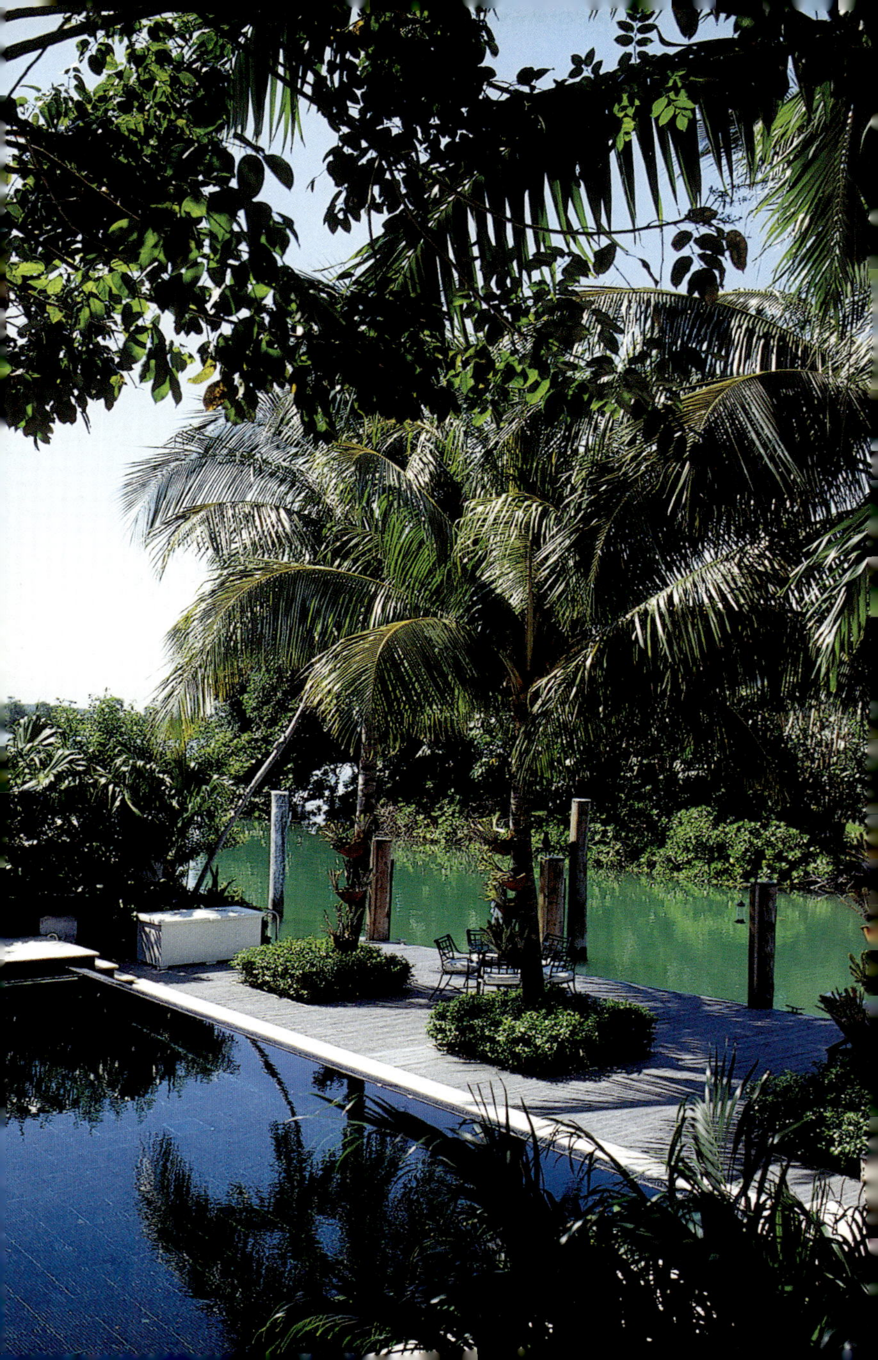

The relationship between the architecture and nature is visible in the social area of this house. The pool is lined with green gresite, overflows in three places, and is totally integrated with the green of the surroundings. In keeping with the simple style and minimalist construction, a large area of teak covering links the porches and the eves of the house to the pool.

La relazione tra l'architettura e la natura è evidente nell'area di svago di questa casa. La piscina, rivestita in mosaico di vetro verde, presenta un debordamento su tre lati ed è totalmente integrata con il colore del paesaggio. In linea con lo stile semplice e minimalista della costruzione, si è scelto una pavimentazione in tek per le zone esterne che collegano la casa alla piscina.

CASA MALDONADO
Alberto Burckhardt

Anapoima, Colombia

La relación entre la arquitectura y la naturaleza está a la vista en el ámbito social de esta casa. La piscina está cubierta de gresite verde, desbordamientos en tres partes, y está totalmente integrada en el verde del entorno. En consonancia con el estilo sobrio y minimalista de la construcción, una gran zona de la cubierta de teca vincula pórticos y aleros de la casa con la piscina.

A relação entre a arquitectura e a natureza está patente na área social desta casa. A piscina, delineada por pequenos mosaicos verdes e a transbordar em três sítios, está totalmente integrada no verde que a envolve. No mesmo estilo simples e minimalista da construção, uma vasta área coberta por madeira de teca estabelece a ligação entre os alpendres, os telheiros e a piscina.

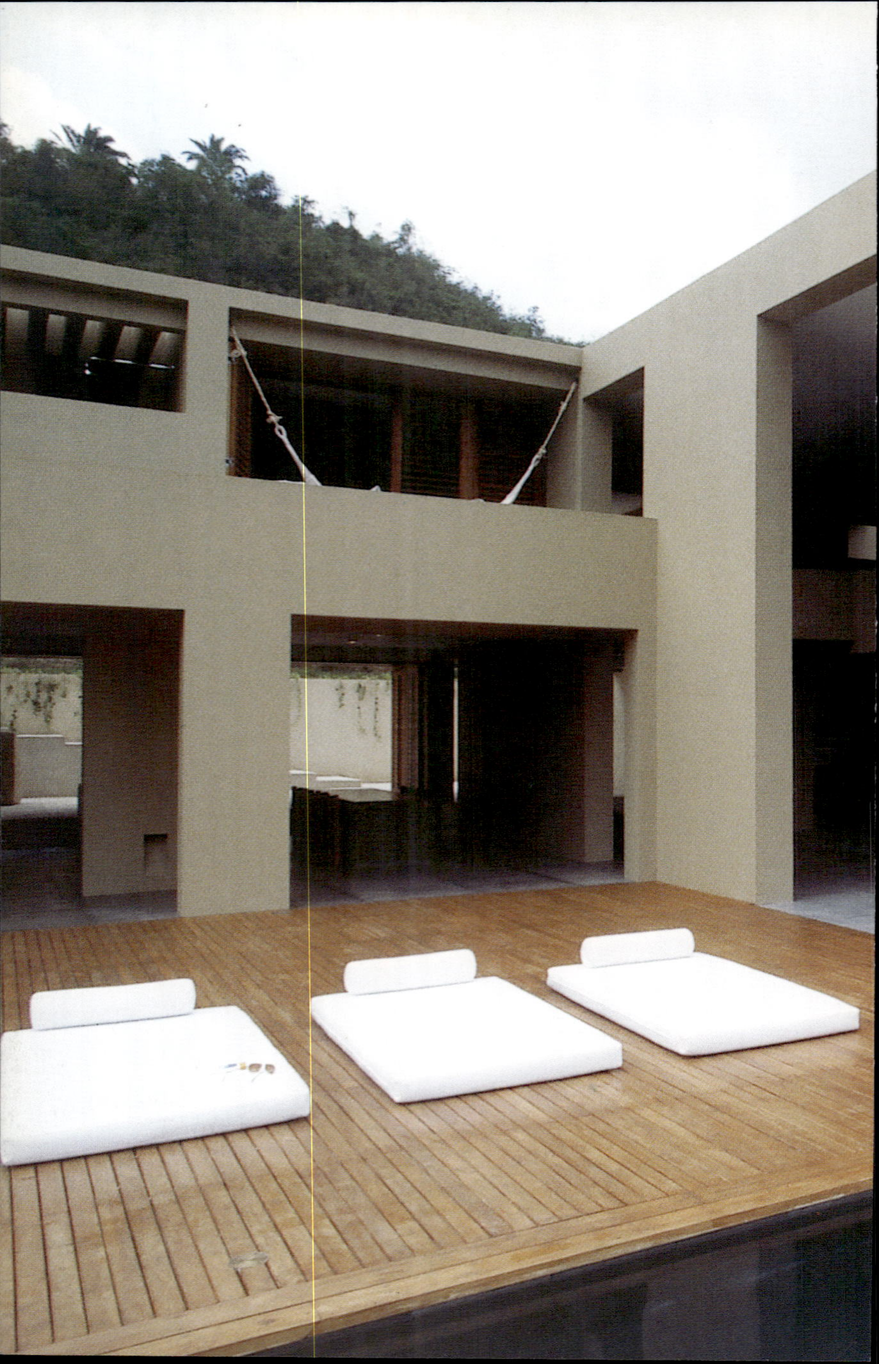

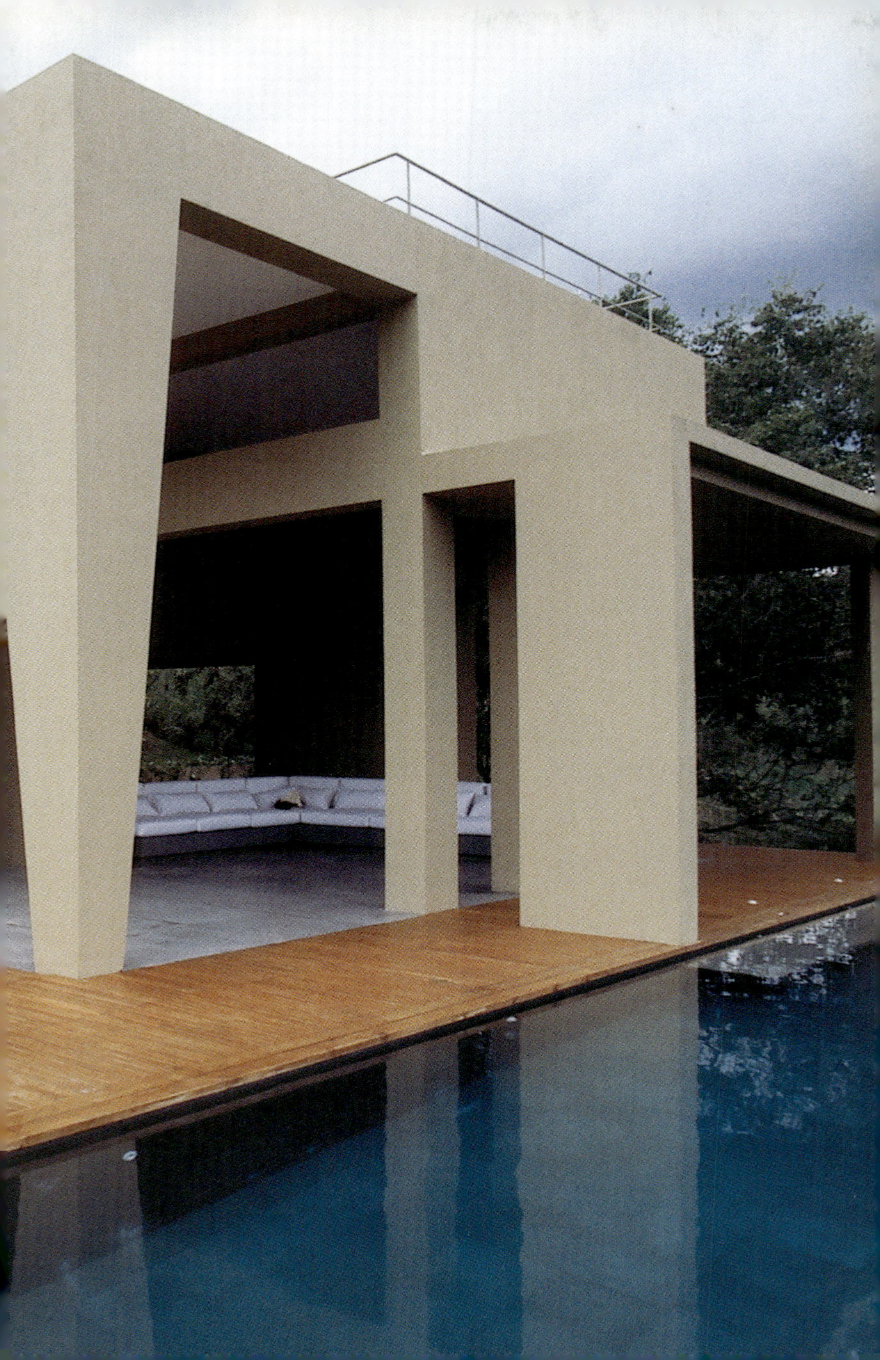

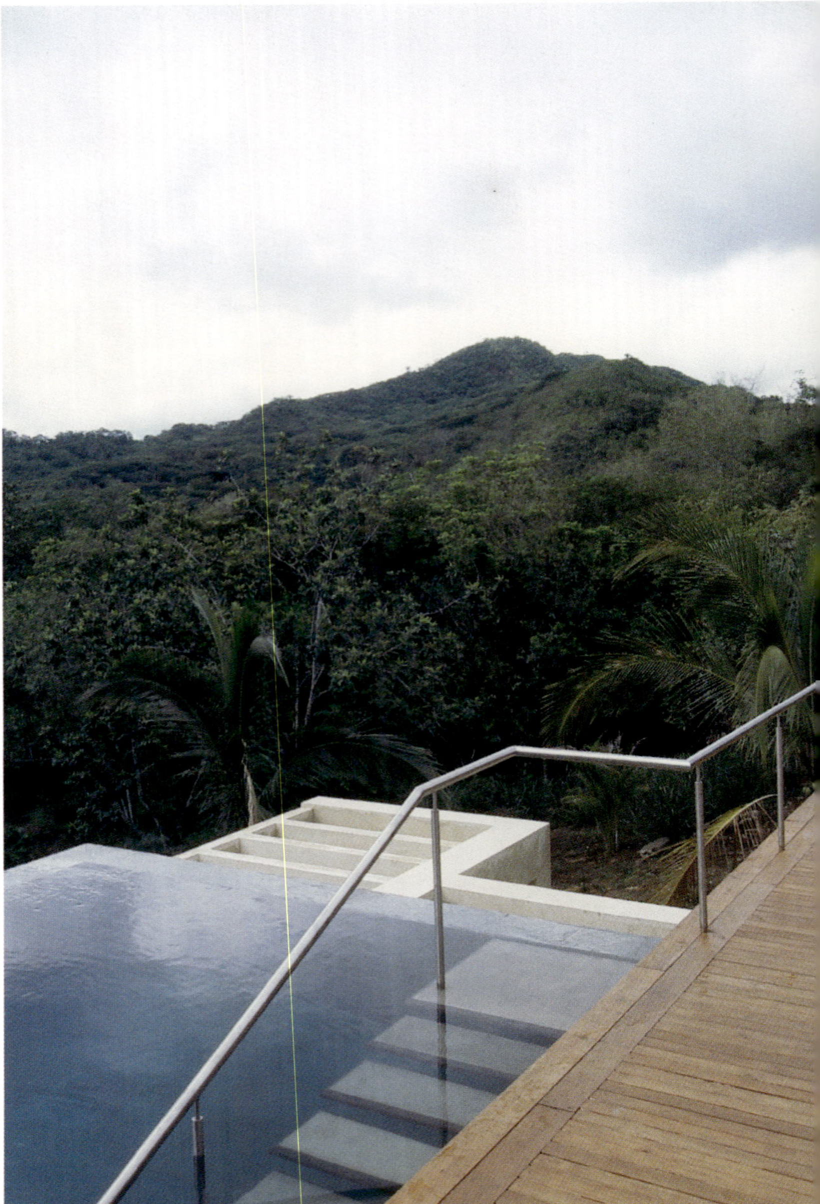

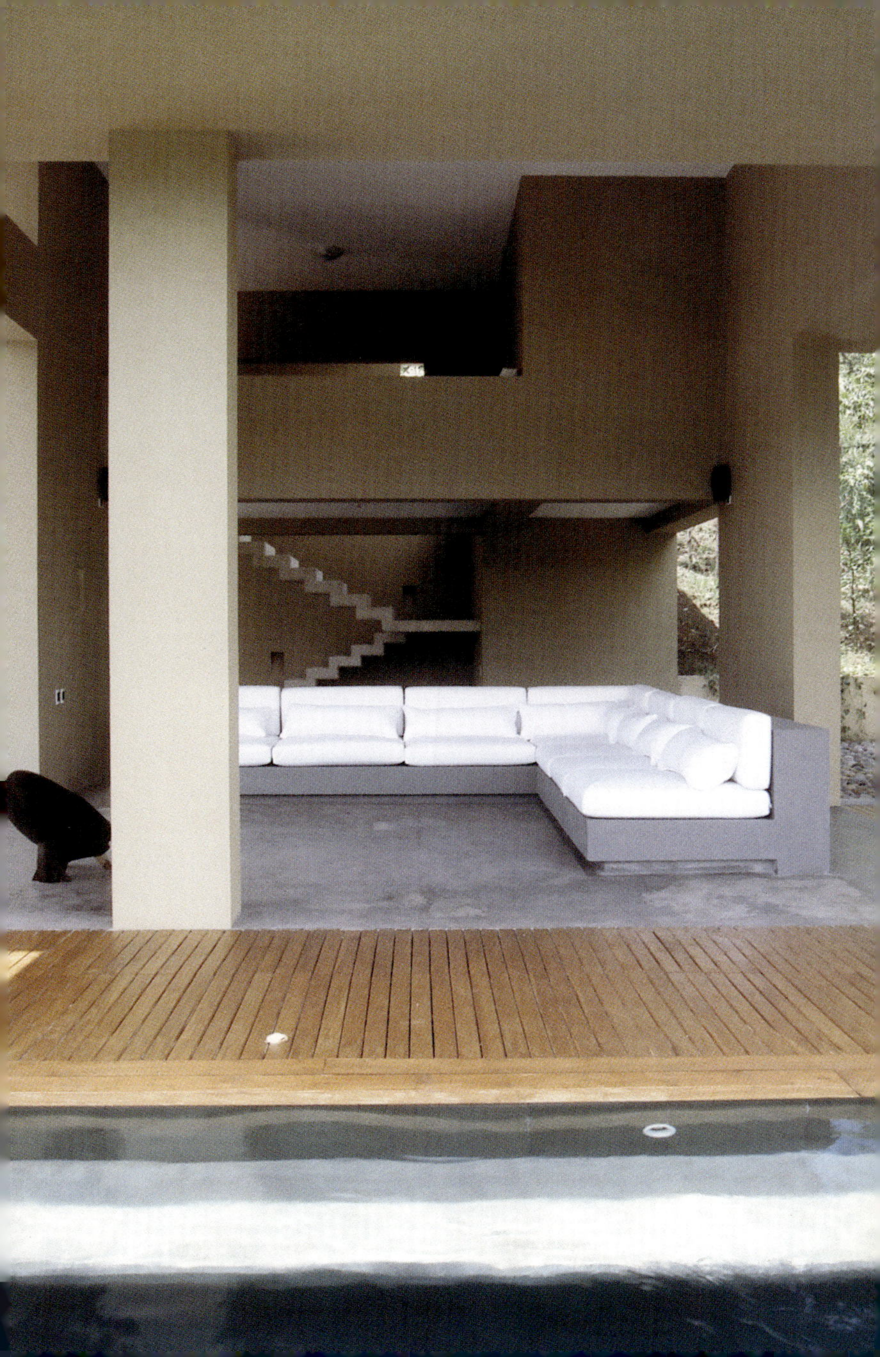

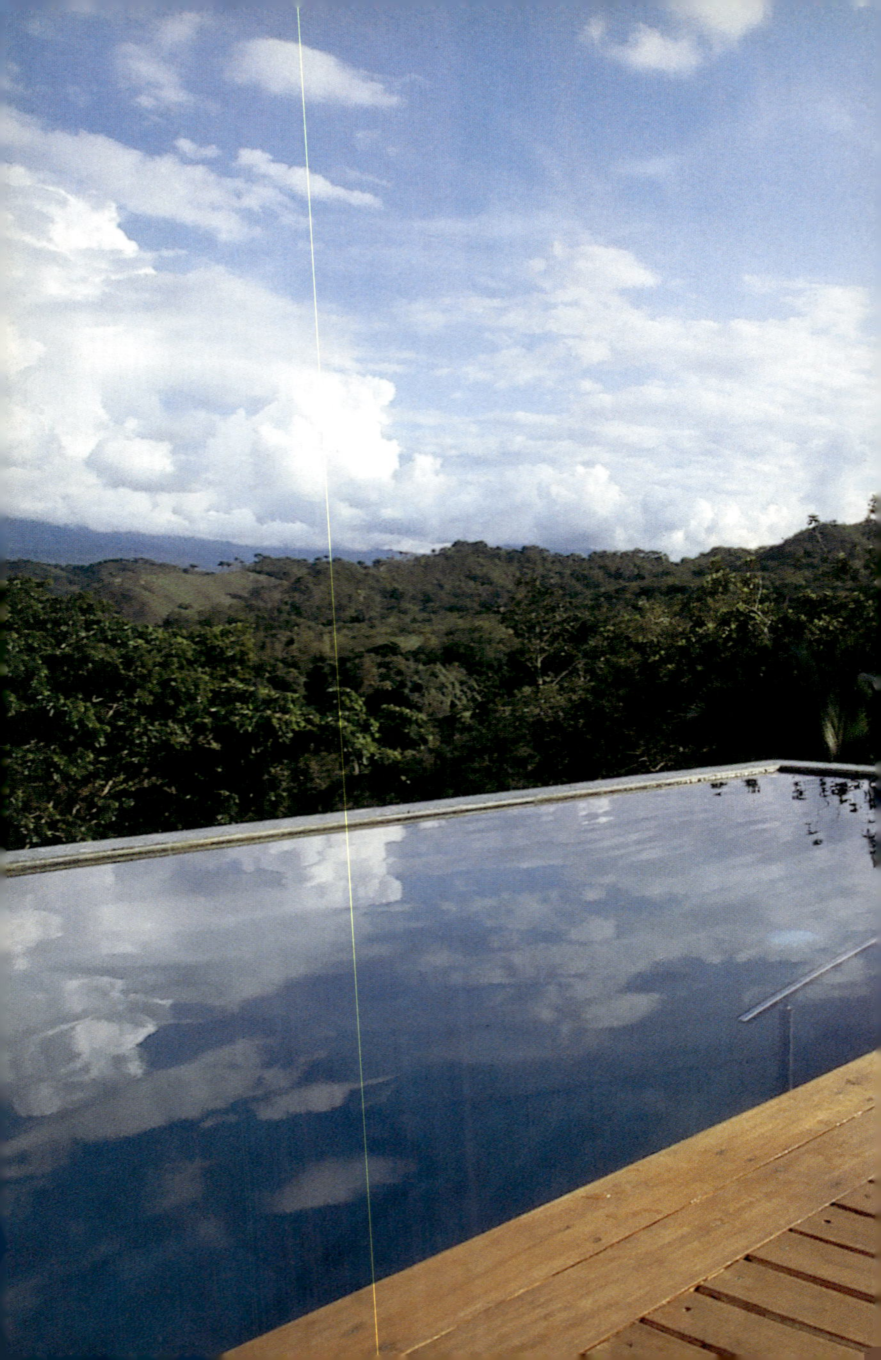

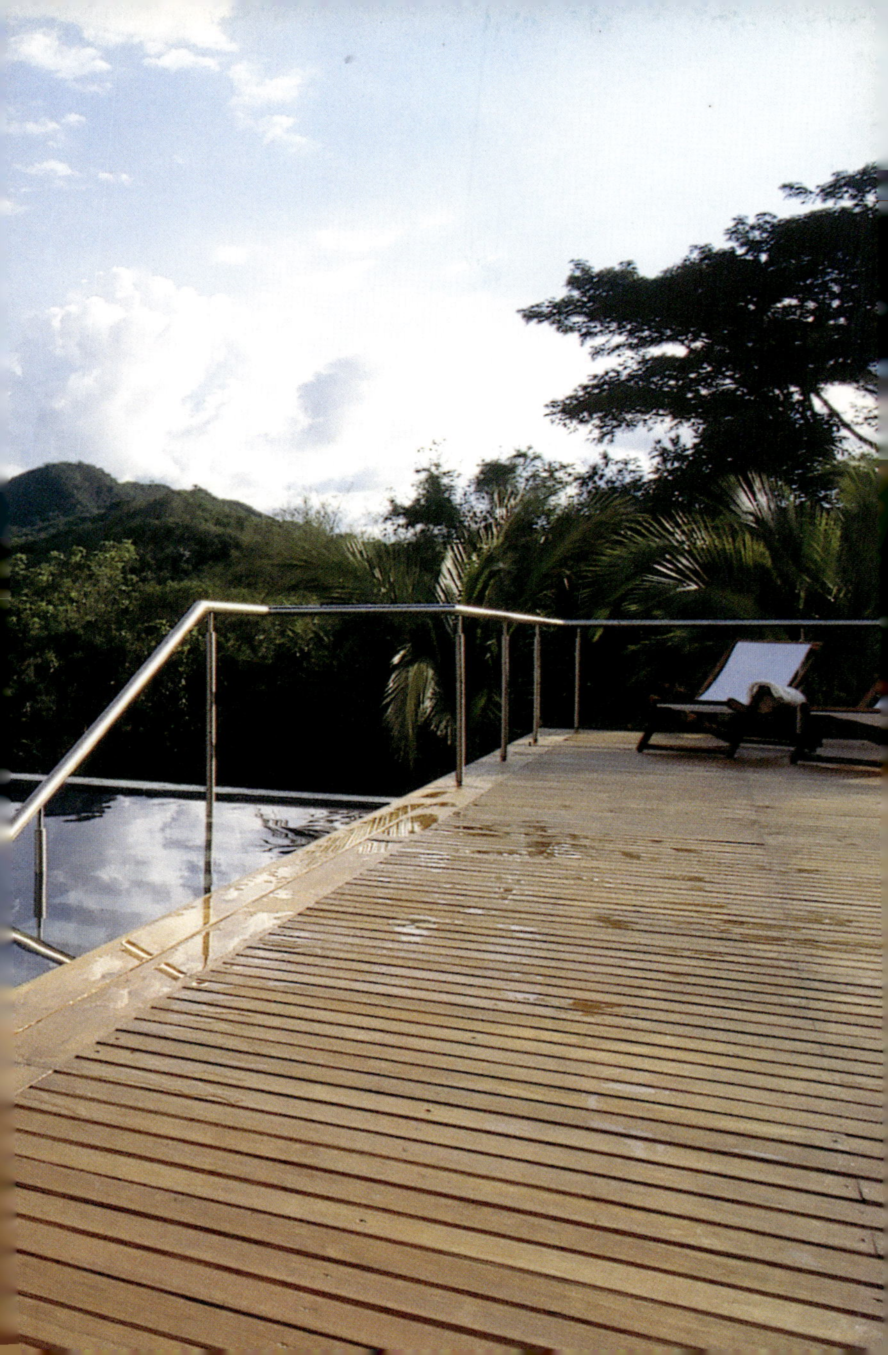

The materials used in the construction of this pool were varied and original. Indian jade slate for the bottom of the pool, natural stone placed irregularly all around, and stones merely as decoration. The pool is tear shaped and was designed to imitate the crest of the valley in which the house is nestled. An avant guarde design, using neutral colors, basically grey, black and white.

I materiali usati per la costruzione di questa piscina sono diversi e originali: ardesia color giada indiana per il fondo della vasca e pietre naturali disposte intorno ai bordi o come elemento decorativo. La piscina è a forma di goccia ed è stata progettata per imitare le linee della valle in cui è nascosta la casa. Design avanguardista e uso di colori neutri, soprattutto grigio, nero e bianco.

BENIOFF POOL
Lundberg Design

Santa Elena, U.S.A.

Los materiales utilizados en la construcción de esta piscina son variados y originales. Pizarra de jade de la India para el fondo; piedra natural, dispuesta irregularmente alrededor; y piedras como elementos decorativos. La piscina tiene forma de lágrima y fue diseñada para imitar la cresta del valle que acoge la casa. Diseño vanguardista y uso de colores neutros, básicamente gris, blanco y negro.

Os materiais utilizados na construção desta piscina primaram pela variedade e originalidade. Xisto indiano em tons de jade para o fundo da piscina, pedra natural sobressaindo aqui e ali, e ainda rochas decorativas. A piscina é em forma de lágrima e foi desenhada para se assemelhar ao cume montanhoso onde a casa está aninhada. De linhas arrojadas e modernas, recorre às cores neutras, como o cinzento, o preto e o branco.

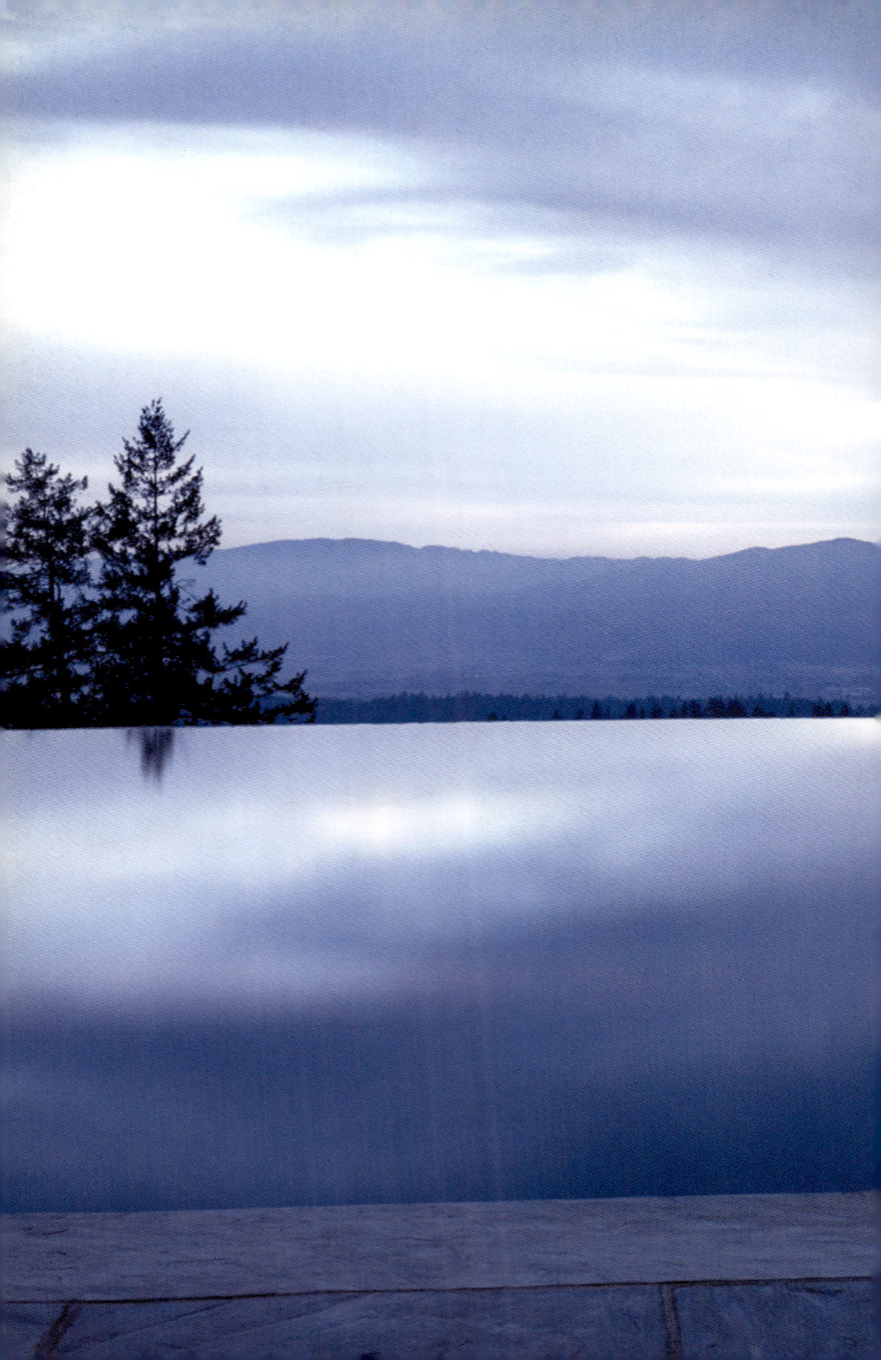

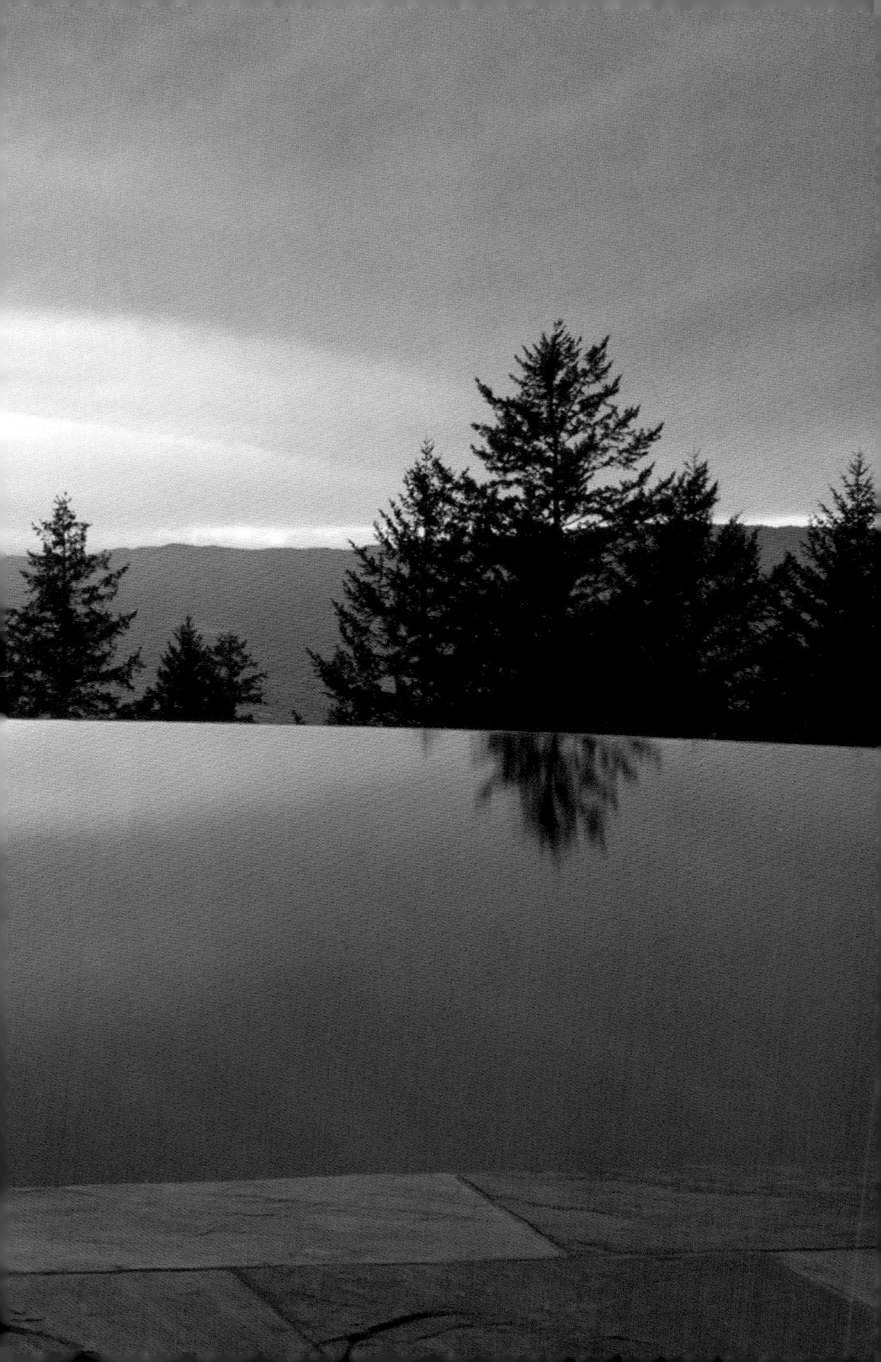

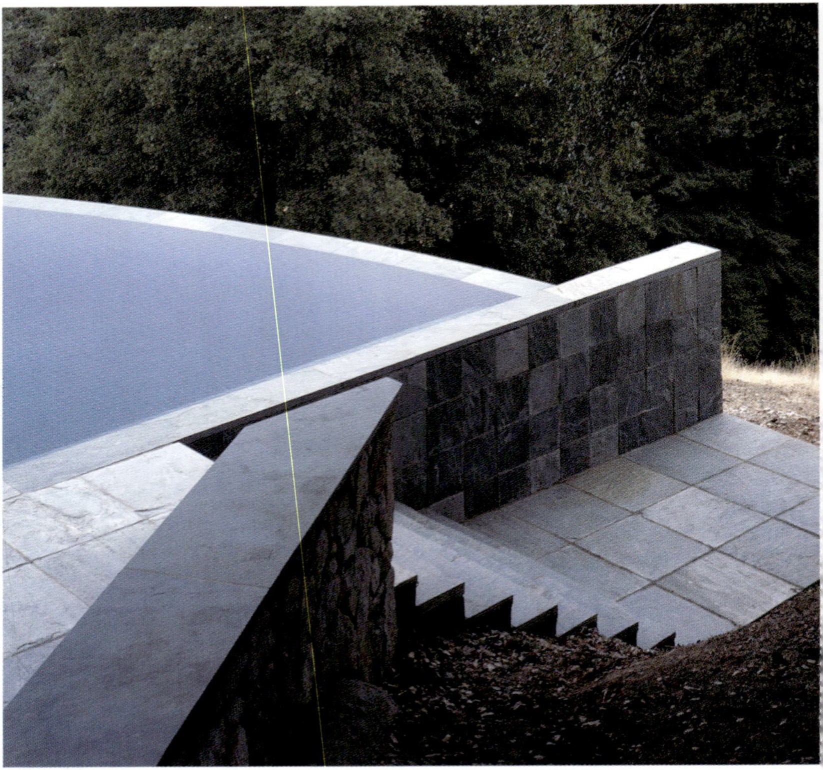

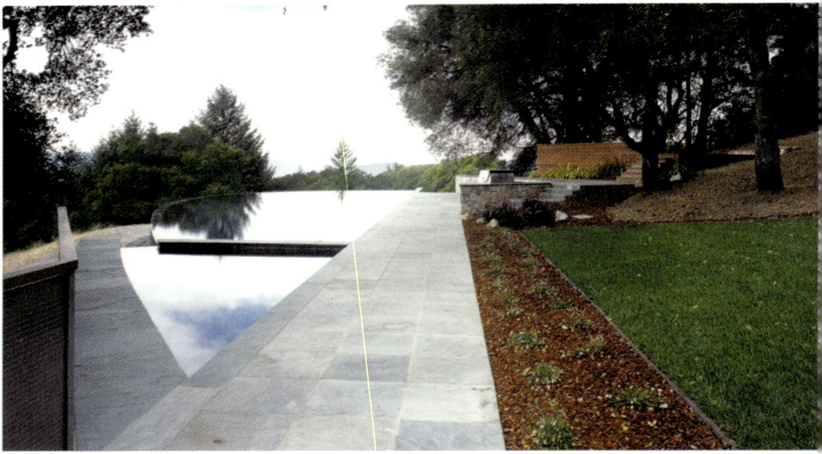

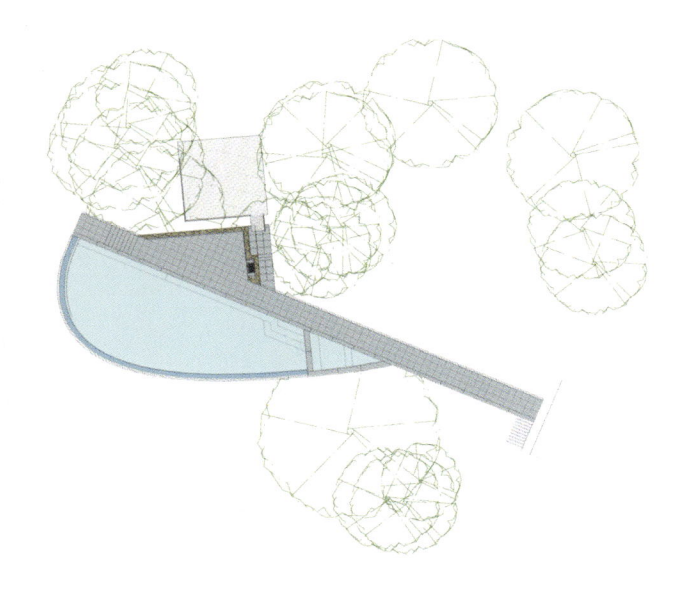

Pool plan

The contrast of the neutral tones of the pool and its surroundings with the color of the earth or the green of the garden make an interesting combination with the area around this spectacularly located house.

El contraste de los tonos neutros de la piscina y su entorno con el color tierra o el verde que ocupan el jardín marcan un interesante contraste en el conjunto del exterior de esta casa de espectacular localización.

Il contrasto dei toni neutri della piscina e dell'area che la circonda con il marrone o il verde del giardino crea un effetto interessante con il paesaggio in cui si inserisce questa casa dalla posizione spettacolare.

O contraste que se estabelece entre os tons neutros da piscina e as cores circundantes, em tons de terra e verde, é uma marca interessante no conjunto exterior desta casa de excepcional localização.

This pool was laid out by the architect to be just one more natural element making up these privileged surroundings. The result is an avant guarde design that contrasts with the cut classic architectural style which characterizes the type of house for which the pool was built; a typical rustic house with no great ornamentation or superfluous elements.

Questa piscina è concepita dall'architetto per essere uno degli elementi naturali aggiuntivi di un ambiente privilegiato. Il risultato è un design all'avanguardia in contrasto con il taglio classico dello stile architettonico dell'abitazione di cui la piscina fa parte: una casa tipicamente rustica e senza decorazioni importanti o elementi superflui.

MELCIOR HOUSE

Patrick Genard

Girona, Spain

Esta piscina fue planteada por el arquitecto como un elemento natural más para que formara parte de un entorno privilegiado. El resultado es un diseño vanguardista que contrasta con el estilo arquitectónico clásico de la casa; una construcción típicamente rústica sin grandes cargas ornamentales ni elementos superfluos.

Esta piscina foi imaginada pelo arquitecto para que pudesse constituir-se como mais um dos elementos naturais que enfeitam esta paisagem privilegiada. O resultado final é arrojado, em evidente contraste arquitectónico com o estilo clássico que a casa ostenta, que se distingue por ser despretensiosamente rústica e livre de excessos ornamentais.

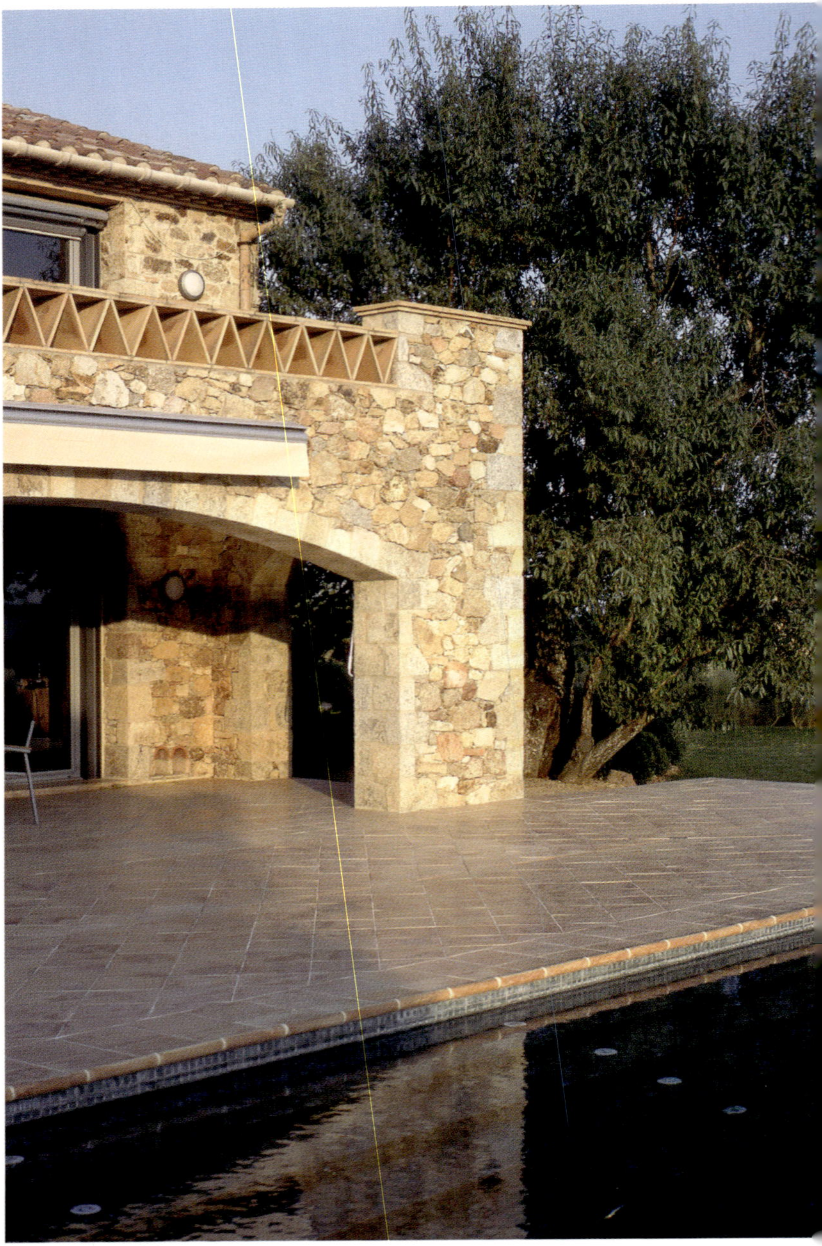

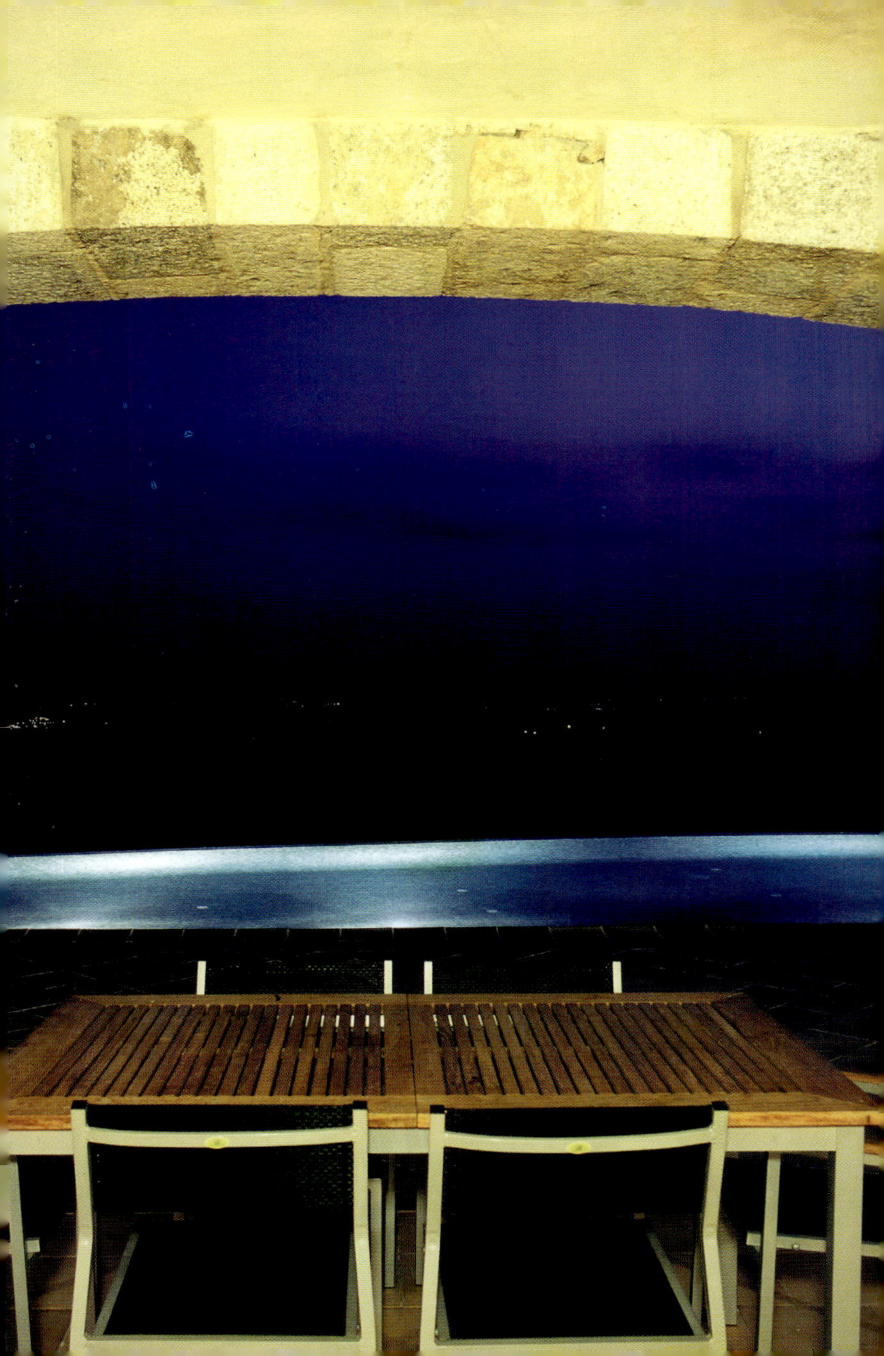

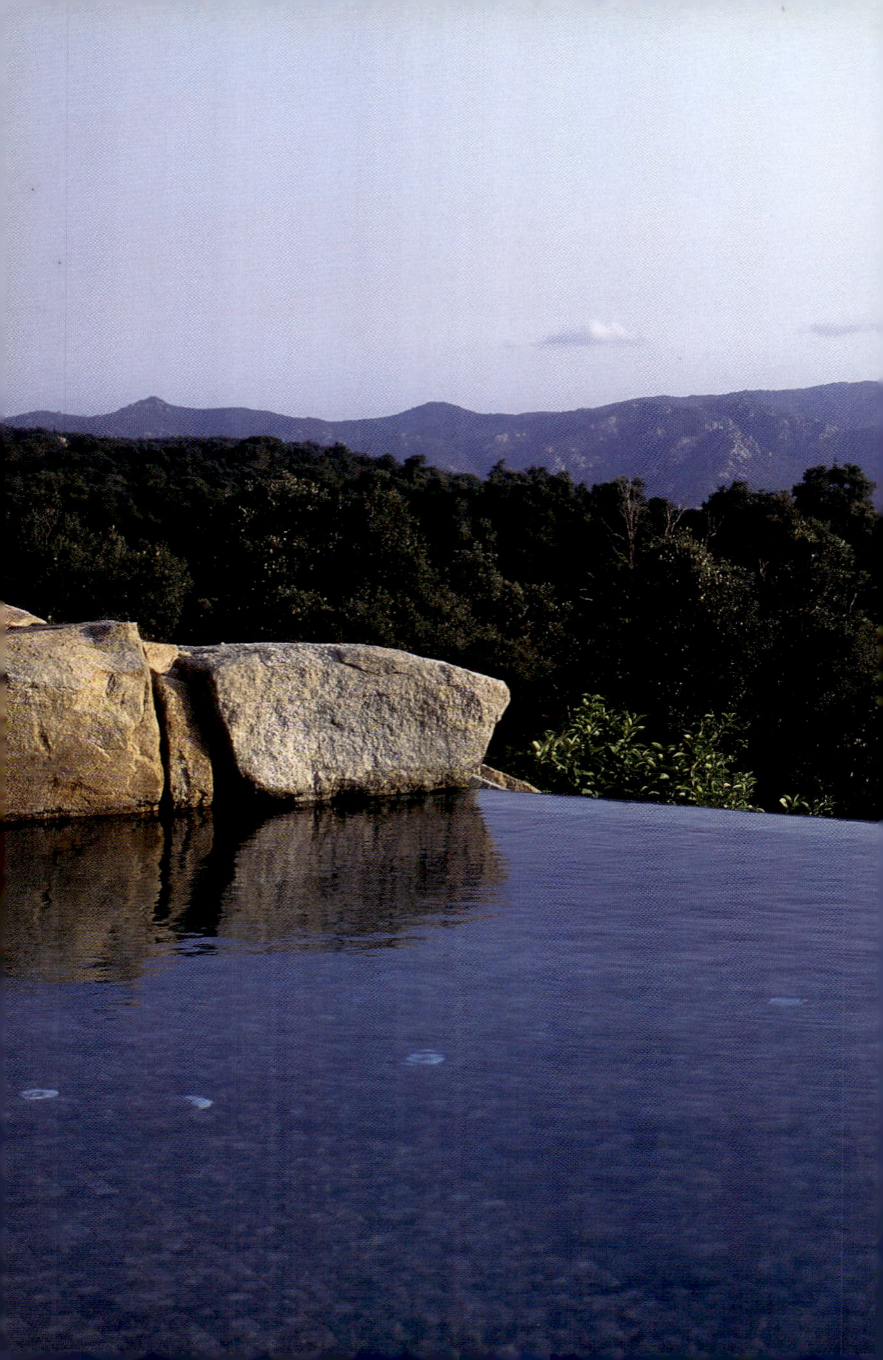

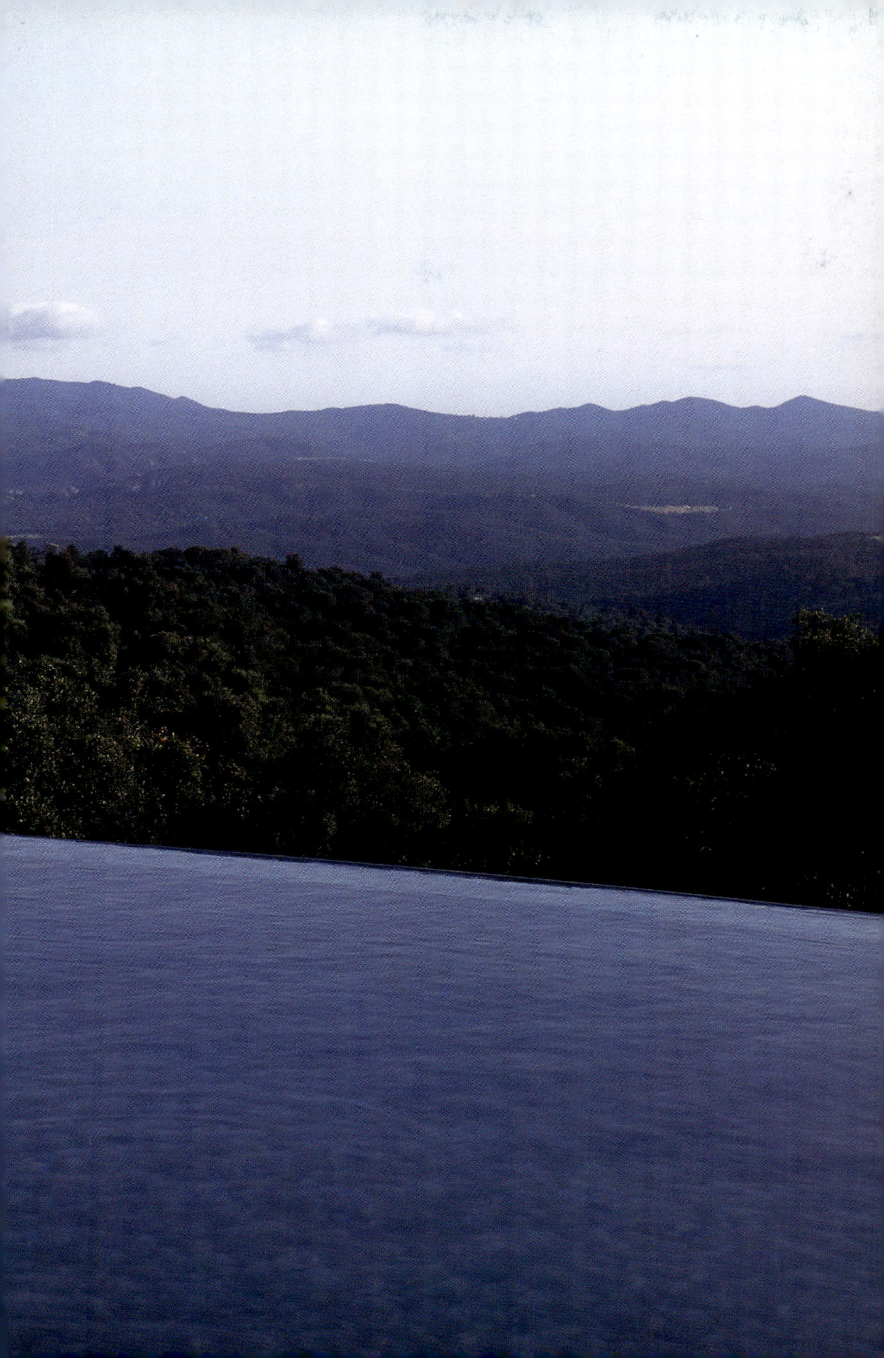

Stone is the key material in this whole construction. The pool is shaped like a large aquatic tear which melts into its surroundings. Around the pool is a terrace area designed for family recreation.

La piedra es la materia clave en el conjunto de esta construcción. La piscina, concebida como una gran lámina acuática que se funde con el entorno, está rodeada por una zona de terraza destinada al recreo familiar.

La pietra è il materiale chiave usato in tutta la costruzione. La piscina è a forma di grande goccia che si fonde con il paesaggio. La terrazza circostante è progettata per l'intrattenimento della famiglia.

A pedra é o material predominante em toda a construção. A piscina foi concebida à imagem de uma lágrima aquática que se funde com o cenário envolvente. Em redor da piscina espraia-se um terraço que é a zona de convívio da família.

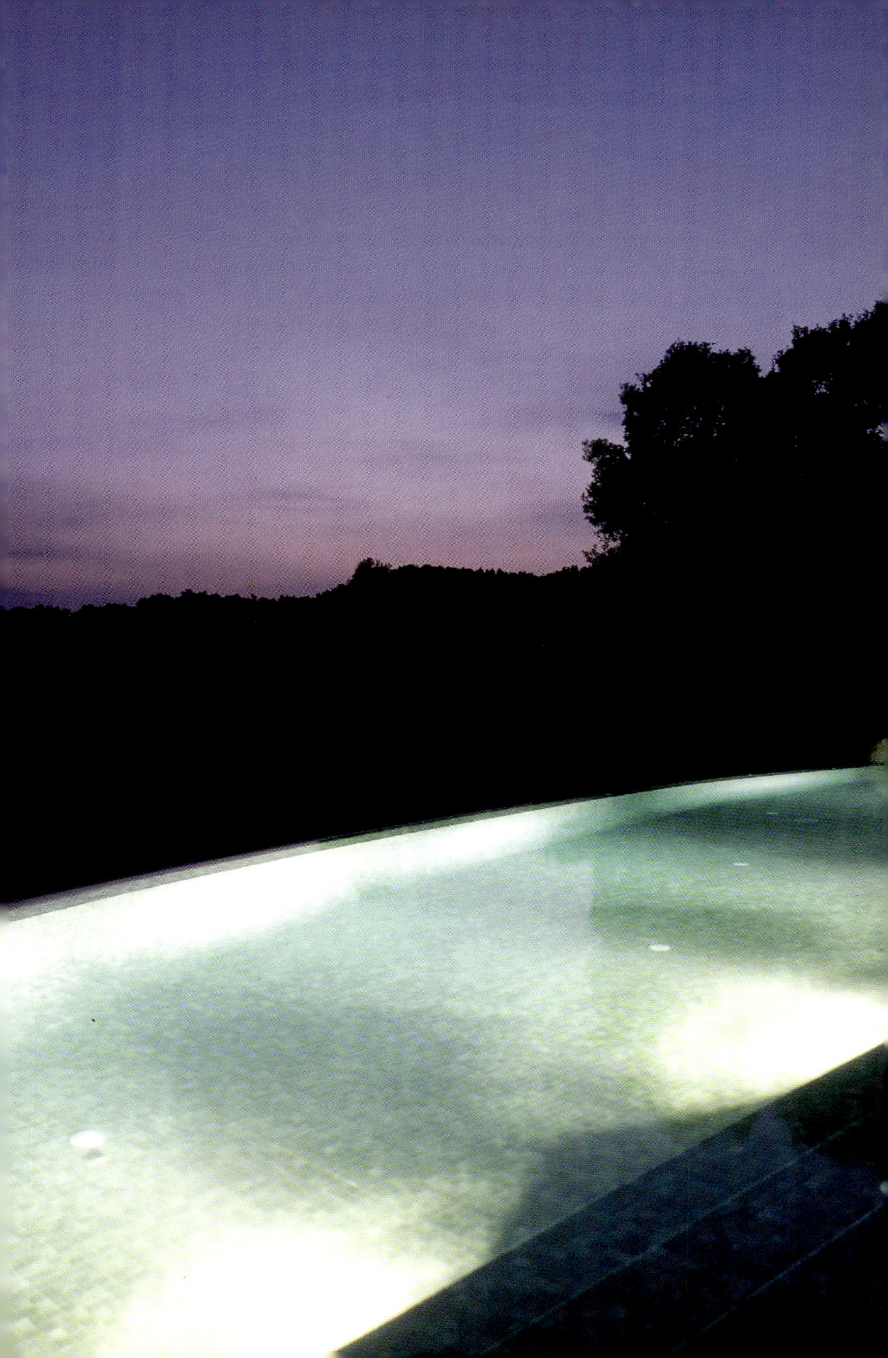

The Na Xamena estate is located in one of the last intact spaces on the ecological map of Europe. The whole construction, including the pool, was designed so that the inside harmonized with the outside: waterfalls and rivers of water, patios, arcades, galleries, and traditional white architecture with integrated ethnic decoration of Balinese or Arabic influence.

L'Hotel Hacienda Na Xamena si trova in una delle ultime zone incontaminate d'Europa. L'intera costruzione, inclusa la piscina, è stata progettata per armonizzare ambienti interni ed esterni: cascate e ruscelli, patii, archi, portici e tradizionale struttura architettonica bianca con decori etnici di influenza balinese o araba.

NA XAMENA

Ramon Esteve / Estudio de Arquitectura

Ibiza, Spain

La hacienda Na Xamena está situada en uno de los últimos espacios intactos del mapa ecológico de Europa. Toda la construcción, incluida la piscina, está concebida para armonizar el exterior con el interior: cascadas y ríos de agua, patios, arcadas, galerías, arquitectura tradicional blanca donde se integra una decoración étnica de influencia balinesa o árabe.

A fazenda Na Xamena está situada num dos poucos espaços ecológicos intactos do mapa europeu. Todas as edificações, incluindo a piscina, foram projectadas para que interiores e exteriores se relacionassem harmoniosamente: quedas de água e riachos, pátios, arcadas, telheiros, e toda uma arquitectura tradicionalmente branca interagindo com um estilo decorativo étnico de influência árabe e balinesa.

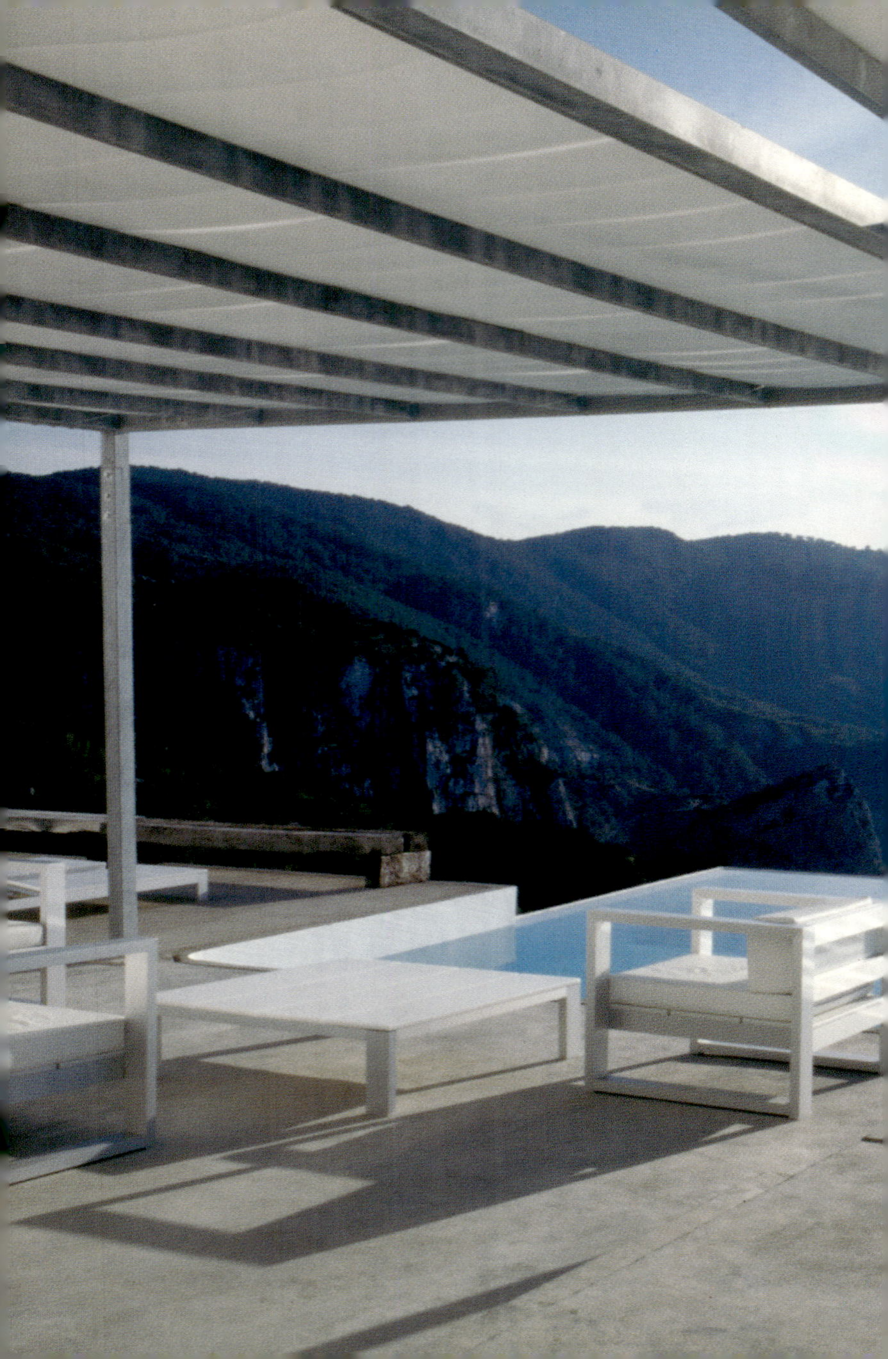

In the pool, which faces the Mediterranean Sea, the chromatic combination has been created by using natural pigments, the same as for the tones of grey used on the terrace or the white on the façade of the building.

En la piscina, encarada al mar Mediterráneo, la combinación cromática está creada a partir del uso de pigmentos naturales, al igual que los tonos de gris utilizados en la terraza o el blanco de la fachada del edificio.

Nella piscina, che si affaccia sul mar Mediterraneo, l'armonia cromatica è ottenuta mediante pigmenti naturali, gli stessi usati anche per la terrazza nei toni del grigio o per la facciata bianca dell'edificio.

Na piscina, em face do mar mediterrânico, a combinação cromática foi conseguida com recurso a pigmentos naturais, os mesmos que foram utilizados para os tons cinzentos que encontramos no terraço, ou para os tons brancos da fachada do edifício.

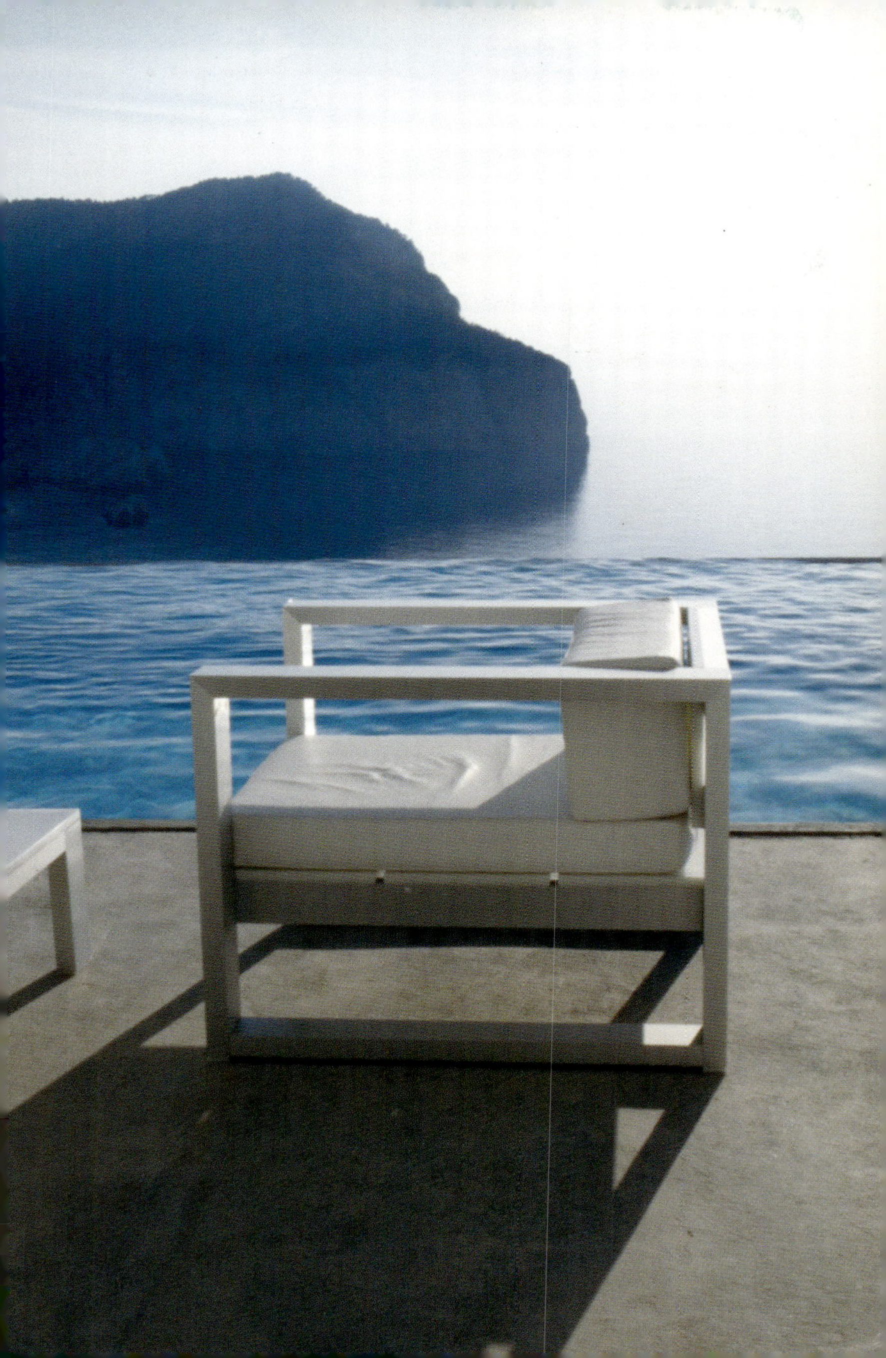

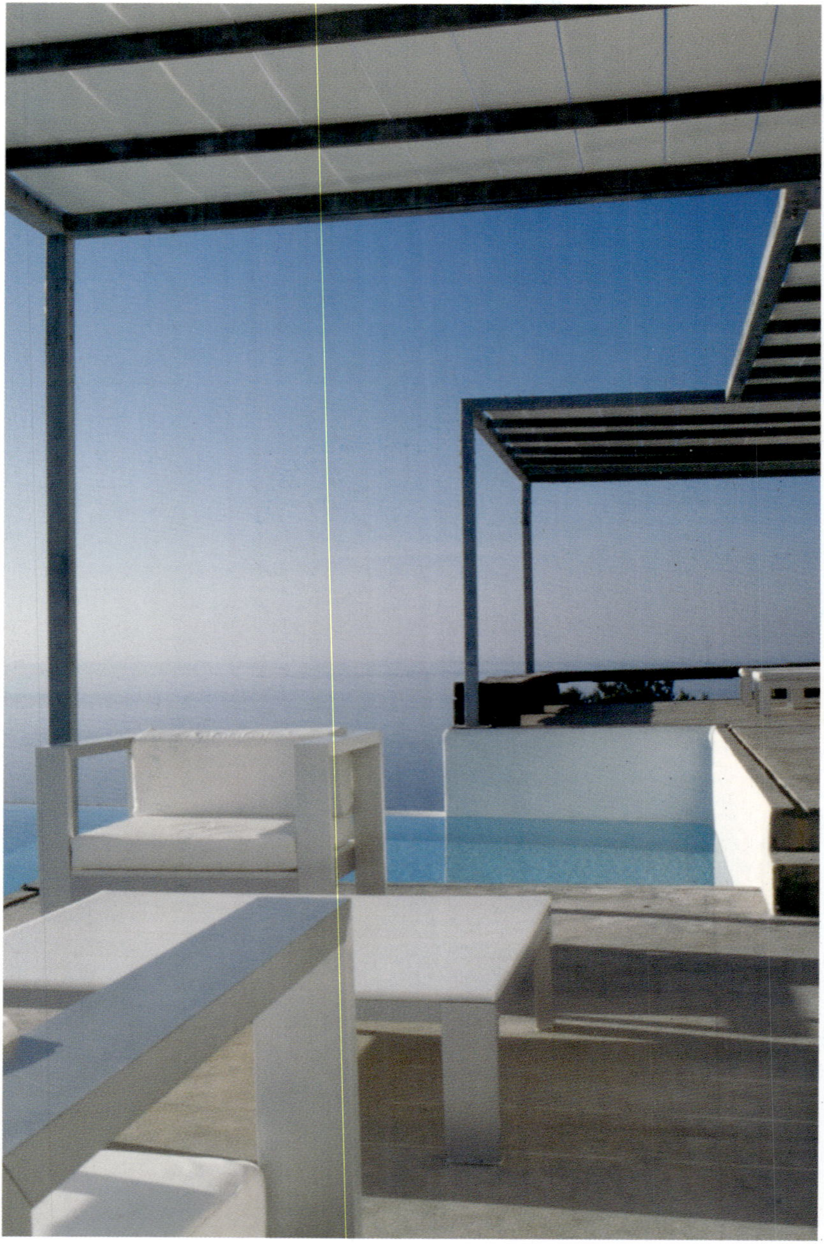

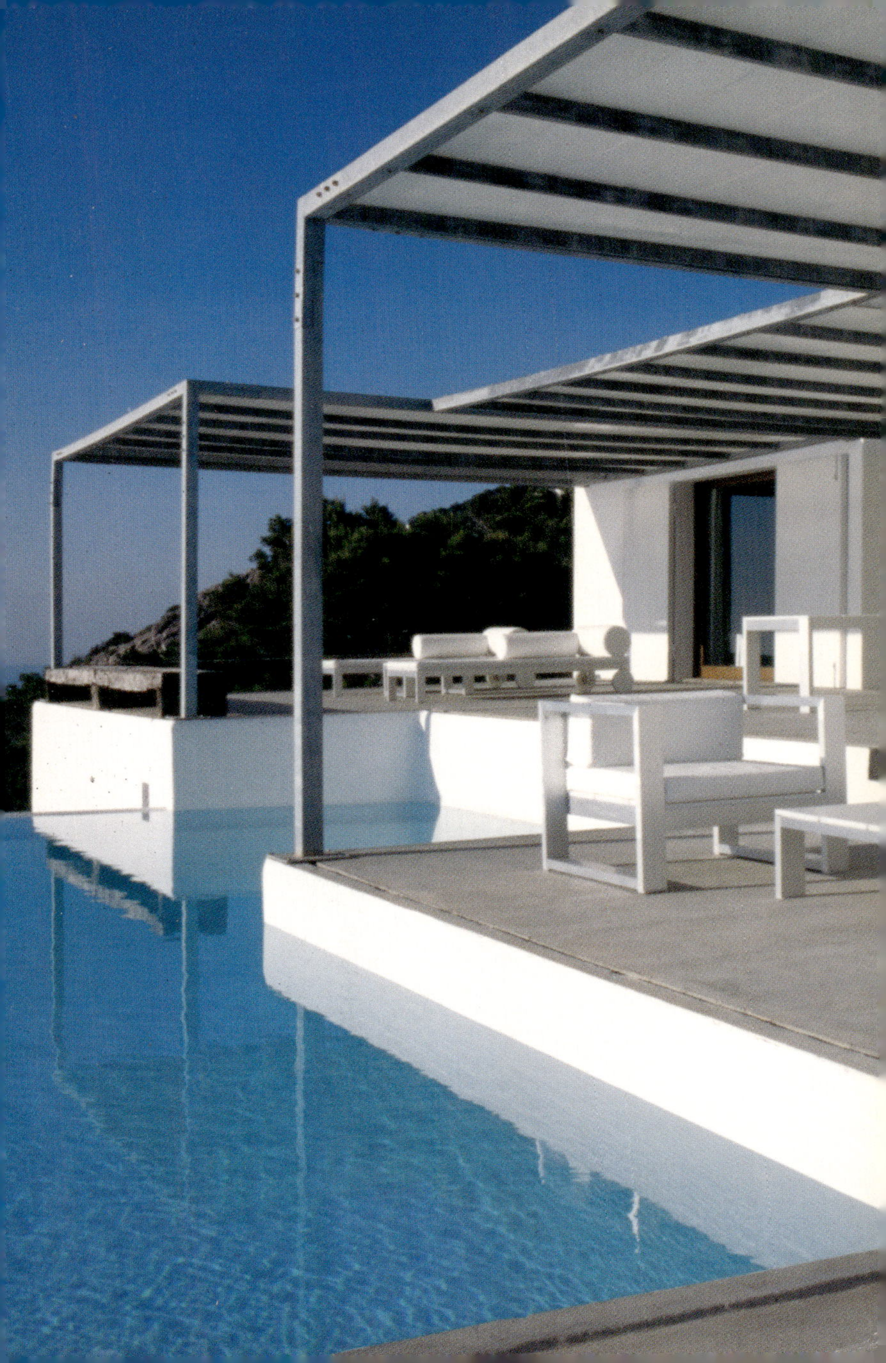

DIRECTORY

pg. 12 **Barry Beer Design**
© Douglas Hill Photography
© Barry Beer Douglas

pg. 20 **Juan Roca Vallejo, Daniel Coen**
© Jordi Miralles

pg. 26 **Dalibos Studis**
© Miquel Tres

pg. 34 **Miró Rivera Architects**
© Paul Finkel

pg. 40 **Guz Architects**
© Guz Architects

pg. 46 **Jane Fullerton & Jamie Loft (Out From The Blue)**
© Shania Shegedyn

pg. 52 **Jane Fullerton & Jamie Loft (Out From The Blue)**
© Shania Shegedyn

pg. 58 **Alberto Burckhardt**
© Antonio Castañeda
© Beatriz Santo Domingo

pg. 64 **Estudio Muher**
© Pep Escoda

pg. 70 **Joan Roca Vallejo**
© Jordi Miralles

pg. 76 **Marco Pozzoli**
© Dario Fusaro

pg. 84 **Raymond Jungles**
© Pep Escoda

pg. 90 **Ramon Esteve / Estudio de Arquitectura**
© Xavier Mollà

pg. 100 **Barry Sugerman**
© Pep Escoda

pg. 110 **Barry Sugerman**
© Pep Escoda

pg. 118 **Joan Roca Vallejo**
© Jordi Miralles

pg. 126 **Joan Roca Vallejo, Abraham Valenzuela**
© Jordi Miralles

pg. 132 **Carlos Nieto, Jordi Tejedor**
© Miquel Tres

pg. 138 **Landscape architect: Viridis**
© Miquel Tres

pg. 146 **Joan Puig / Ayguavives. Landscape designer: Arborètum**
© Miquel Tres

pg. 154 **Joaquín Gallego**
© Pep Escoda

pg. 158 **Mira Martinazzo (Out From The Blue)**
© Shania Shegedyn

pg. 164 **Bernardes Jacobsen Arquitetura**
© Tuca Reinés

pg. 170 **Alfons Argila**
© Miquel Tres

pg. 174 **Antonio Piera, Miquel Gres, Cuca Vergés**
© Miquel Tres

pg. 180 **Alberto Martínez Carabajal**
© Jordi Miralles

pg. 186 **Landscape architect: Javier de Lara Barloque (La Manigua)**
© Miquel Tres

pg. 192 **Miró Rivera Architects**
© Paul Finkel

pg. 200 **Michael P. Johnson**
© Bill Timmerman

pg. 206 **Raymond Jungles**
© Pep Escoda

pg. 212 **Joan Roca Vallejo, Abraham Valenzuela**
© Jordi Miralles

pg. 218 **Luis Auregi. Designer: Laure de Mazieres**
© Pep Escoda

pg. 224 **Alberto Burckhardt**
© Jean Marc Wullschleger

pg. 232 **Lundberg Design**
© Cesar Rubio

pg. 238 **Patrick Genard**
© Gogortza & Llorella

pg. 246 **Ramon Esteve / Estudio de Arquitectura**
© Ramon Esteve